汉阅史学经典

下册

美国南北战争回忆录

MEMOIRS OF
AMERICAN CIVIL WAR

全彩版

［美］**格兰特** 著

ULYSSES SIMPSON GRANT

刘文艳 译

吉林出版集团股份有限公司

　　《美国南北战争回忆录（上下册）》是根据 U.S. 格兰特总统传世杰作《U.S. 格兰特回忆录》节译而成，全方位、多层次、宽角度地展现了那场硝烟散尽、鼓角远去的内战。为了使读者全面了解本书，现作如下说明：

　　一、关于版本。据不完全统计，《U.S. 格兰特回忆录》英文版多达上百个。其中，以查尔斯·L. 韦伯斯特出版公司于 1885 年出版的版本最具代表性。本书正是根据该版本翻译而成。

　　二、关于插图。南北战争已经过去一个多世纪了。读者可能会问：这场战争的主角和配角长什么样子？将士们穿什么衣服？敌我是如何激战的？……为了让读者更形象地了解这场战争，我们选配了上百幅插图。这些插图包括但不限于油画、版画和照片。我们希望，通过品味插图的艺术之美，读者获得一种不是穿越胜似穿越的强烈体验。

　　三、关于注释。为了确保内容的正确性、权威性，版权方进行了大量的考证工作。考证的结果以注释的形式体现。

四、关于译者。上册由兰州交通大学的孔令会老师翻译，下册由兰州城市学院的刘文艳老师翻译。二位老师治学严谨，文笔优美，为保证本书的质量奉献良多。在此，深表敬意。

尽管出版前我们做了许多工作，但不足之处实难避免，欢迎读者朋友多提宝贵意见。

目 录

第三十四章
亚特兰大会战

　　在辛辛那提分别之后，我回到了华盛顿，而谢尔曼则接到了新的任命，前往纳什维尔就职去了。现在，他的军区包括了阿勒格尼山脉以西、密西西比河以东的所有区域，军区内有四个军团，分别是斯科菲尔德将军指挥的俄亥俄军团、托马斯将军指挥的坎伯兰军团、麦克弗森将军指挥的田纳西军团和斯蒂尔将军指挥的阿肯色军团。在这四个军团中，俄亥俄军团位于他军区的最东面，阿肯色军团也就是之前斯蒂尔将军的跨密西西比军团。同时，因为谢尔曼的指挥部距阿肯色军团太远，所以在春季战役开始后，他们之间的通信便难以维持了，于是开战后不久，这个军团便划入格尔夫军区，而坎比将军也接替了班克斯将军总指挥的职务。

　　在上一章中，我已经说过了，在很早以前，我就制定了大军出发的时间，并希望那时的路况良好，以便各部同时行动。

　　到达指挥部后，谢尔曼将军立刻开始为春季战役做准备。此时，谢尔曼的麾下有三支大军，它们分别是驻扎在亨茨维尔的麦克弗森部、驻扎在查塔努加的坎伯兰军团和驻扎在诺克斯维尔的斯科菲尔德部。麦克弗森麾下有 2.4 万人，当时的任务是守卫田纳西河上一些重要据点，托马斯麾下的坎伯兰军团有 6 万人，斯科菲尔德的部队人数则为 1.4 万人；也就是说，谢尔曼将是这近 10 万人的总指挥。现在，为了消灭约翰斯顿的部队、夺取亚特兰大，他们将于既定日期一起出发。出发之前，为了熟悉部队的情况，谢尔曼视察了所有军团，整体结果令他感到满意。

为了确保行动能够顺利进行，出发前他首先考虑的便是在查塔努加存下足量的补给。然而，到达查塔努加后，他才发现这里的火车是单轨的，而且事故频发，偶尔还会发生运输中断的情况。按照这里目前的运力来看，他们的运输量仅能够满足日常需要，很难有所结余。不过，他还发现，士兵、骑兵的战马和肉牛都是火车的乘客，于是，他立刻下了一条命令，命车队、骑兵的战马和肉牛等能够行走的人和动物，全部徒步，火车则专门来运送补给。就这样，在开始行动之前，即在 5 月 4 日之前，他终于储备好了足量的物资。

在前面的内容中，我已经提及，约翰斯顿部就驻扎在查塔努加和亚特兰大之间的多尔顿。多尔顿到亚特兰大之间遍布山岭，山岭之间河流纵横，有些河流的水量特别大。多尔顿的地势高于亚特兰大，因此两者之间的河流便从多尔顿流向亚特兰大，各个支流汇成一条干流后，先是由东向西流，接着又由东北向西南流。由于地形的缘故，河的流向基本如此，而那些更小的溪流则会汇入这些河。在之前的整个冬季，约翰斯顿都在为这场战役做准备，首先，他从多尔顿到亚特兰大挑选出所有具有战略意义的地段，接着在这些地段筑起工事。这样一来，即使我军攻克了他的一个据点，他也可以从容地退到下一个据点。约翰斯顿在多尔顿的阵地也是固若金汤，他觉得他能够依靠这些工事挡住谢尔曼的进攻。要不是我军将帅的素质很高、敢于冒险，我军很难取得最后的胜利，而如果我军将帅的素质有所降低的话或者我军的行动有所保守的话，我相信，能够笑到最后的将是约翰斯顿。

在谢尔曼的计划中，因为斯科菲尔德部距离战场最远，所以他们应该提前几天便从诺克斯维尔出发，直接赶往多尔顿，而托马斯的军团则赶往灵戈尔德。本来，谢尔曼想让麦克弗森部在亨茨维尔或迪凯特渡过田纳西河，这样该部便可以向南抵达查塔努加至亚特兰大的铁路沿线，直捣约翰斯顿阵地的后方。当时，谢尔曼的想法如下：如果约翰斯顿的后援被阻断的话，那么麦克弗森一部就足以应付他了。但是，计划赶不上变化，现在这个计划无法实施了。麦克弗森麾下有两个师的退伍老兵，为了重新征召他们入伍，麦克弗森便同意他们休假，而现在他们的假期还没有结束，所以尚未归队。

另外，去年冬天，为了配合跨密西西比军团的行动，班克斯从谢尔曼这里借走了两个师，将其交由 A.J. 史密斯统率。在借兵的时候，为了不耽误这场战役，他们已经明确约定部队归队的时间，但直到现在，这支部队依然没有归队。我们暂且不谈这支没有归还的部队，在此之前，他所指挥的几个军团一直在征兵，但征兵并没有明确的目的，甚至不是为了打赢这场战争，结果导致麦克弗森部实力不足。在这种情况下，我上面提及的计划只能更改。最终，麦克弗森部被调到查塔努加，然后将从那里出发，到托马斯部的右翼去。两支部队在多尔顿附近会师后，便按照计划的时间齐头并进地出发了。

战役开始后不久，谢尔曼便发现多尔顿的工事非常坚固，如果使用常规方法进攻，我军将难以靠近阵地，实际上，就算硬攻也难以奏效。此时，联邦军与邦联军隔山对峙。山间有一条峡谷，峡谷中筑有一条马路和一条铁路，同时还有一条河自峡谷中穿过，这条河上建有一座大坝，因此，峡谷中便出现了一个湖泊。我军想要前进，就必须穿越峡谷。于是，谢尔曼便命麦克弗森部从斯内克加普迂回至敌人右侧，出其不意地攻击了敌人的后方阵地。遭到这次奇袭后，约翰斯顿不得不放弃多尔顿——他大约于 13 日率部撤退。

15 日，敌我双方在勒萨卡附近展开激战。不过，我军骑兵顺利地从敌军的右侧迂回到了敌军后方的铁路处。最终，约翰斯顿部大败，溃散而逃。我军乘胜追击，在 19 日的时候，已经追敌至金斯顿了。在逃跑与追击的过程中，敌我双方很少交战，只有牛顿师与敌军打了一仗，因为他在追击过程中追上了约翰斯顿的后军。但是，现在谢尔曼不得不命部队停止追击了，因为部队要依靠铁路运来补给，所以现在不得不等待火车的到达。而且，在撤退的过程中，约翰斯顿下令彻底破坏铁路。为了重新铺设铁路，我军夜以继日地工作，没想到居然在不太长的时间内完成了铺设工作。要知道此地多山，而且必须架设多座桥梁，工程难度可想而知。

虽然亚特兰大战役进展缓慢，但是它的筹划可谓天衣无缝；虽然每一个阵地都需要经过长时间的争夺，但是敌人的阵地却一个接一个地陷落。有时候，阵地的争夺战打得非常惨烈，其程度不亚于一些重要的战役。

亚特兰大之战，联邦军与邦联军激烈交火

5月23日，就在铁路还在铺设、还没有到达谢尔曼部的后方时，我军又开始追击敌军了。这次，我军一口气追到了阿拉图纳附近。此地易守难攻，防御森严，我军并不打算从正面强攻，而是做好了从外围包抄敌人的准备。于是，我军从达拉斯派出大量士兵，让他们前往敌人的后方。但在前进的路上，他们发现敌人已经挖好了准备固守的壕沟。最终，敌我双方在一个叫纽霍普教堂的地方激战了一个星期。同时，为了尽可能逼近敌人，尤其是逼近敌军的骑兵，我军在阵地的右侧修筑了防御工事。这样一来，我们也达到了延长防线、向左侧铁路靠近的目的。6月4日，见我军的围困工程进展神速，约翰斯顿便急忙放弃了阿拉图纳，率军撤退了。

阿拉图纳的地理位置非常重要，因此，在继续前进之前，我军在此筑起了坚固的工事，并留下部分兵力把守，将其变成了我军的二级军需供应基地。后来，铁路修到了此地，而此地的防御工事也建好了，仓库里储满了食物，我军已经做好了继续进军的准备。然而，就在此时，大雨滂沱，在这种情况下，大军是无法行动的，因此我军便无法把约翰斯顿赶出他的新阵地。

就在我军因大雨而不得不暂停进军的时候，F.P. 布莱尔将军来了，与他一同前来的，还有两个师度完假的老兵。

约翰斯顿撤往玛丽埃塔与凯纳索山，躲进了他在那里的坚固工事之中。我军则在逼近敌人后，便对凯纳索山的前沿阵地发起了进攻，但在付出巨大伤亡后，我军仍然未能攻下该阵地。不过，与此同时，斯科菲尔德在左侧开辟了战场，我军的骑兵也向敌人后方进逼。7月3日，战斗结束。但在此之前，约翰斯顿已经率军撤走了。发现此事后，我军便立刻开始追击。为了这次追击，谢尔曼命精兵强将坚守壕沟后，便带上20天的给养和充足的弹药，率军乘坐火车，直向查特胡奇河而去。遗憾的是，谢尔曼这次准备充分的行动还是失败了，因为约翰斯顿率军已经退到了查特胡奇河。

7月5日，我军再次包围了约翰斯顿部，同时，谢尔曼轻而易举地从侧翼突破了敌军的阵地，占领了查特胡奇河。不过，为了避免敌军从我军的侧翼迂回，谢尔曼率军于9日夜渡河后撤。

在坚守多日后，谢尔曼故技重施，终于击败了约翰斯顿，大军开始朝亚特兰大进发。就在此时，约翰斯顿的职务被解除了，他的继任者是胡德。

无论是里士满方面，还是约翰斯顿防区内的人民，都不喜欢他在这场战役中采用的战术。因此，在这种情况下，司令官的更换也意味着战术的变化，现在敌人要发起进攻了——而这正是我们所希望的。

在我看来，约翰斯顿的战术非常正确，如果他再把战争拖延一年的话，北方就会不堪重负，很有可能会放弃战争，同意南方独立。

亚特兰大城外的防御工事非常坚固，还有一条长达1.5英里的壕沟环绕整个城市一周。该壕沟后面另有一条壕沟。我军要想近距离地围攻亚特兰大城，就必须一一攻占这些壕沟。

从敌军更换指挥官这件事上，我们可以非常确切地推测出敌军将使用进攻战术了。果不其然，20日，敌军开始出动，猛攻坎伯兰军团。在这次战斗中，胡克军团、牛顿师、约翰逊师是主力。这场战斗进行了一个多小时，双方损失都很惨重，当天晚上，胡德放弃了外防线，邦联军被迫退到主防线内，我军得以前进。不过，在同一天，格雷莎姆将军——他同时是我们的邮电部长——身负重伤。

21日晚上，我军开始向胡德部的大后方移动。此时，胡德部再次冲了出来，并企图包抄我军左翼，于是，双方展开了一场殊死战斗，这场战斗持续了几乎一整天，也就是22日这天。战斗开始时，因为是邦联军突然袭击了正在行进中的我军，所以他们占了优势，攻击并包围了我军侧翼。但我军的参战士兵皆是身经百战的老兵，这样的突袭不会让他们陷入混乱。没过多久，在了解敌人的具体位置后，我军便立刻重整旗鼓，与敌人战得难分难解。在战斗中，战场不断扩大，最后竟然扩展到七英里外。天黑前，我军终于将敌军赶回了城中。

不过，就在战斗进行得如火如荼的时候，麦克弗森牺牲了，当时，他正准备从一个纵队赶往另一个纵队。我军因此失去了一位能征善战的优秀将领。

在此之前，加勒德奉命率骑兵赶往亚特兰大的东面，目标是切断前往奥古斯塔的铁路。顺利完成任务后，他便率军往回赶，终于在战斗打

亚特兰大战役：上图为联邦军的一处炮兵阵地，位于桃树街附近，摄于 1864 年；
下图为邦联军的一处防御工事，摄于 1864 年

响时回到原地。这时，鲁索也到了：他率一个骑兵队从田纳西出发，在迪凯特附近渡过田纳西河，之后又向亚拉巴马发起进攻，最后乘火车来向谢尔曼报到。

尽管我军9月2日才攻克亚特兰大城，但人们通常将发生在7月22日这天的战斗称作"亚特兰大会战"。

此战过后，我军如往常一样为包抄敌人做准备。准备工作既单调又沉闷。敌军的防线很长，我军在悄悄地迂回到东线后，便对迪凯特与亚特兰大之间的铁路发起了进攻。不过，敌军东线的工事如同西、北两线一样坚固。

27日，我军开始向右翼迂回；28日，敌军猛攻我军右翼。见此情况，为了应对敌人的冲锋，洛根将军命右翼士兵们迅速进入掩护用的壕沟。最终，我军抵挡住了敌军的多次冲锋，并杀死、击伤大量敌人。到下午三四点钟时，这场战斗才结束。之后，黄昏前敌人又发动了一两次进攻。最终，敌军在付出巨大伤亡后，不得不撤退。

傍晚，攻击洛根的敌军撤回了城中。于是，谢尔曼立刻率部逼近邦联军的防线。敌军的防线长约10英里，一个个修有坚固工事的据点在绕过城北和城西后，直接伸向城东。

7月下旬，为了破坏敌军南下的铁路，谢尔曼派斯通曼率部前往梅肯附近。同时，他还告诉斯通曼，如有可能，他希望斯通曼在完成任务后，率军前往安德森维尔附近解救我军战俘。当时，我军得知多种传言，这些传言引发我军对他们的同情。根据传言，敌军用各种方法虐待战俘，而且这些战俘的住宿、饮食等条件都很差。因此，人们想救出他们。不过，拯救战俘的行动最后失败了。

8月4日，亚当斯上校率领约1,000人的旅回来了。在此之前，有传言说这个旅已经被俘虏了。从他的报告中，我们得知了如下情况：第一，除了他之外，斯通曼和其他人都已经被俘；第二，他在逃出之后，在敌人的后方，给敌人造成了很大的破坏，还俘虏了一些敌人；第三，后来，在敌人优势兵力的围剿下，他只得丢下战俘；第四，他在折损了几百人后，历尽波折才回来。

我从里士满方面得知了斯通曼被俘的事情，并从其他方面求证了它的真实性，之后便把此事通知了谢尔曼。就在亚当斯上校回来几天后，凯普伦上校也带着一支小队伍回来了。从他那里，我们再次证实了斯通曼被俘的消息，同时得知了与斯通曼一起被俘的还有大约 1,000 人。

在发现无法逃脱时，斯通曼便安排两个师突围，而他自己则负责断后，与他一起断后的还有大约 700 人。在袭击了敌人的后方，很大程度上破坏了敌军的车辆、机车、武器、兵工厂后，他才率部投降。

8 月 4 日到 5 日，谢尔曼命斯科菲尔德指挥部队向右侧的铁路发起进攻，但最终以彻底失败而告终。在这件事情上，谢尔曼将军与斯科菲尔德将军一致认为，失败的责任应该在很大程度上归咎于帕尔默将军；但我并不认同这种观点，在我看来，斯科菲尔德是否有权指挥帕尔默似乎是个问题。

大约在同一时间，敌之惠勒部打到了勒萨卡以北的铁路，并破坏了从这里到多尔顿的铁路。于是，谢尔曼的指挥部与北方的联络中断了几天。为了报复敌人的这次行动，他决定以牙还牙，下令破坏敌军的通信线路。

8 月 18 日晚，基尔帕特里克率部出发，到达琼斯伯勒附近的梅肯铁路。在顺利完成了任务，他部绕过亚特兰大的邦联军防线，于 22 日返回我军左翼阵地。不过，这些事情几乎没有对战局造成决定性影响。我军很快修复了敌军骑兵破坏的铁路。

谢尔曼决定再次实施侧翼包抄战术，集中优势兵力迂回到敌人后方。8 月 25 日，谢尔曼最后的行动开始了，9 月 1 日，他率军来到亚特兰大以南 20 英里的铁路。此时，严阵以待的哈迪已在此集结了。接着，战斗开始了。直到夜幕降临，我军也未能赶走哈迪。不过，在夜色的掩护下，哈迪主动撤离了。同时，也是在那天晚上，胡德也撤走了，不过他在撤退之前，炸掉了那些工事，因为他认为那些东西对我军有价值。

第二天早上，H.W. 斯洛克姆将军——他当时在城北指挥作战——率部入城，占领了亚特兰大，并通知了谢尔曼。得知此事后，谢尔曼特意减缓进军速度，于 3 天后抵达亚特兰大城，控制了以亚特兰大为中心，向左延伸到迪凯特的防线。他将部队部署在城外的右边、距该城有一段距离的地方。

这场持续了将近 4 个月的战役非常完美，是我最难忘的战役之一。因为指挥此战的将领们的机敏和浴血奋战的士兵们的勇敢，这场战役简直无可挑剔。谢尔曼麾下的师长、旅长们都非常精明，所以他的指挥得到充分发挥。

此战之后，作战已久的士兵们终于可以休整一段时间了。我军把亚特兰大城变成了军事基地，迁出了这里的居民。同时，谢尔曼的另一个命令也特别明智，那就是禁止商贩与市民和士兵做生意。如果他稍有妥协，那么这些商人就会得寸进尺，直接尾随士兵上战场，然后骗取士兵手中的钱，将一些没有多少用处的商品，以极高的价格卖给他们。

谢尔曼胜利的消息迅速传到了北方，全国一片欢腾。同时，对与即将参加 1864 年总统竞选的共和党来说，这场战役和接下来谢里登指挥谢南多厄谷战役起到了非同凡响的政治作用。可以说，在后来 11 月的选举中，北方所有的演讲、焰火和举着彩旗在乐队的伴奏下进行的游行加起来的作用，都不如这两场战役所起的作用大。

第三十五章

波托马克军团的军事行动

5月3日午夜刚过，波托马克军团从拉皮丹河北岸的阵地出发，发起了那场留名青史的战役，战役的目标是攻陷邦联军首都，并俘虏守城的士兵。然而，要实现目标，就必须经历前所未有的殊死搏斗，绝非一日、一周、一月、一季之力所能及。目前，双方经过三年厮杀，损失惨重，战死的，死于疾病的，受伤的或当俘虏的，不计其数。但双方要实现各自的最终目标，还尚需时日。到现在为止，邦联军的首都确实没有失陷，邦联军声明，保卫首都是他们唯一的目标。可是以前他们曾经大胆地宣称，他们的目标是攻陷费城、纽约和国家的首都，他们曾经试过一两次，果真差点把他们的狂言变成现实——吓得忠诚的北方人不敢有一点点自负的想法。邦联军也至少有一次几乎要丢掉自己的首都。目前双方势均力敌。战役已经开始，激烈的战斗必然会给参战双方造成前所未有的惨重伤亡；但这场残杀要持续一年时间，而且必须完成预期的作战计划，满足人们所有的愿望。为此，我们只得顽强奋战。两军已经长期对峙，但谁都没有占据上风，未来哪方会获胜也难以预测。

10天的口粮，牛马的饲料和弹药都装在了四轮马车上。肉牛由火车运过来，并按需要宰杀。每个士兵要把3天的口粮装在粗帆布背包里，随身携带，此外还要背50发弹药。

部队的作战区域从拉皮丹河开始，一直延伸到詹姆斯河渡口。这一带地势平坦，无数的河流纵横交错，最终流向切萨皮克湾。部队过河的地方，一般都在潮头的上游，即便敌人不加拦阻，潮水也会对部队的迅速前进构成巨大的威胁。这一地区的路又窄又烂，大部分地区覆盖着茂密的森林，在有些地方，像莽原区和沿奇克哈默尼，除了沿着路走，其他地区连步兵都无法穿越。在国民军到来之前，所有的桥梁都已遭损毁。

波托马克军团由三个步兵军团和一个骑兵军团组成，分别由 W. S. 汉考克将军、G. K. 沃伦将军、约翰·塞奇威克和谢里丹将军指挥。炮兵部队由亨利·J. 亨特将军指挥。这支部队兵员充足，骑兵兵团对我们用处

美国南北战争期间，汉考克将军和同僚的合影，坐在树下的是汉考克将军，他身后从左到右分别是：弗朗西斯·C. 巴罗、戴维·B. 伯尼和约翰·吉本

不大，因为这一地区步兵走起来都难。富余兵员也很碍事，他们占据了很多狭窄而泥泞的道路，消耗了太多的用火车运输过来的粮草和其他储备物资。

第五军由沃伦将军指挥，从右翼前进，并直接到达赫马尼亚浅滩，赫马尼亚浅滩在李部的防线右翼下游九到十英里处。威尔逊将军率领一个骑兵师充当先锋。塞奇威克将军率领第六军紧随。汉考克率领第二军，沿更东边的一条路前进，直接到达伊利浅滩，伊利浅滩位于赫马尼亚渡口下游六英里处，格雷格骑兵师当先锋，炮兵部队紧随其后。托伯特骑兵师被暂时留在拉皮丹河北部，目的是保卫河流，阻止敌人渡河进入我们的后方。黎明前格雷格骑兵师已经攻占了两处渡口，赶走了敌人守卫渡口的警戒队，到早晨6点钟的时候，已经搭好了浮桥，等候步兵和炮兵过河。部队在前进的路上没有受到阻击，这无疑让李大吃一惊。

伯恩赛德率领的第九军，被留在了后方的沃尔顿，保卫从布尔河起开往前方的铁路，保持对铁路的控制权，以防拉皮丹河渡河行动长期受阻。然而，一旦接到部队已经过河的通知，他们必须立即前进。刚过下午1点，他接到了一封电报，通知他我们已经成功渡河。

这一地区的所有渡口都森林茂密，特别是在河的南岸渡口从开始的拉皮丹河渡口，到后来的莽原，再到斯波特西尔法尼亚，所有的战场都具有同一个特征。尽管一些林中空地和小型农场也可以成为战场，但总体来说，这一地区覆盖着浓密的森林。道路狭窄，破烂。所有的状况都对防守作战有利。

有两条路，从奥兰治县城一直通到战场，其中弗吉尼亚州部分路况较好。这些路的最南段被称为奥兰治县城乡间路，北段被称为奥兰治收费公路。也有道路从战场东边一直通往斯波特西尔法尼亚县城，其中有一条起于钱瑟勒斯韦尔，在奥尔德里奇分岔；西边的岔路路过阿尔索普之家的皮内布兰奇教堂，从此处起，通过布罗克公路通向斯波特西尔法尼亚；东边的岔路通过盖茨之家，并从这儿通往斯波特西尔法尼亚。布罗克公路从赫马尼亚浅滩穿过战场一直延伸到县城。接近斯波特西尔法尼亚的时候，无数的道路在这一地区交错，一些直接通往城里，一些交错在一起，把广大农场与县城连接起来。

李的司令部在奥兰治县城里。从大楼到腓特烈斯堡，他走的就是上面描述过的两条道路，这两条路几乎平行着通往莽原。这给他提供了极大的便利，使他能占领这个地区，并把部队集中在他的右侧。这些连接着莽原的道路，通往赫马尼亚浅滩。

一旦确信步兵过了河，炮兵便可以继续前进。驻扎在莽原客栈的威尔逊师便沿着奥兰治乡间路向帕克斯多进军；格雷格朝左翼的钱瑟勒斯韦尔进发。沃伦跟随着威尔逊，中午时分到达莽原客栈，在那儿安营扎寨，并挖壕沟保护自己的阵地。塞奇威克紧随沃伦。他渡过了河流，日落时在南岸扎营，营寨位于沃伦的右翼。汉考克率领第二军，与沃伦并行，并在沃伦东边大约六英里

李的全名为罗伯特·爱德华·李（1807—1870），他是美国南北战争时期邦联军的主要将领，图为李和儿子卡斯蒂斯（左）及助手沃尔特·H.泰勒的合影，布雷迪摄

处安营。夜晚到来之前，所有部队都安全抵达河流南岸，5日傍晚，一大批由4，000辆四轮运货马车组成的车队，也抵达南岸。

在1864年的美国陆军军需部队中，没有谁比波托马克军团的军需部队组织得更好。由四轮马车组成的车队从拉皮丹河一直延伸到里士满，车队一字排开，每辆车按移动时所需的距离分开，除了弹药供应外，我们仍然只能携带三天的牛马饲料和十到十二天的配给。为了克服所有的

困难，总军需官鲁弗斯·英戈尔斯将军，在每一辆马车上都标出了军团的徽章，师的颜色和旅的编号。只需看一眼，这辆马车属于哪支部队便

鲁弗斯·英戈尔斯将军（1818—1893）和他的同僚在弗吉尼亚州
布朗迪驻地的合影，居中而坐者为鲁弗斯·英戈尔斯将军

一目了然。车上也标示出了物资的名称：假如是弹药，就标出给步兵的，还是给骑兵的；假如是饲料，就标出是谷物还是干草；假如是士兵配给，就标出是否是面包、猪肉、豆子、大米、糖、咖啡，或者其他的什么东西。空车不允许跟随队伍，或者停留在军营里。马车一卸空，就会回到补给基地，再装上一车完全与原先一样的物资。空车必须把路留给载货的车。到达部队营地后，车要停在离所属部队最近的地方。当晚一切物资都必须分发完毕。通过这样的系统，完全省去了为补给车队的搬运饲料环节，他们在仓库便消化了任务。

在所有部队都行动后，我离开库尔佩珀县城，迅速赶往前线，渡过拉皮丹河，赶在了塞奇威克军团的前面；接着，在河附近，建立了指挥部，指挥下午和晚上的行动。

早在这次行动开始之前，命令已经发布下去，军官和士兵的装备要削减得尽可能少。尽管如此，在沿着库尔佩珀到赫马尼亚浅滩的道路上，我看见部队把整车的新毛毯和大衣扔在了路边，以减轻他们背包的重量。这是我从未见过的奢侈。

波托马克军团正在行动，尽管李的警戒部队和通信兵在5月4日凌晨前就知道这个情况，但李很明显不知道我们会沿着哪条路向他的军队发起进攻，直到下午1点他才明白过来。沃伦到达老莽原客栈后，过了一个小时零一刻钟，也就是下午1：15的时候，我们的军官截获了叛军的信号，翻译过来，发现是李的一条命令，他命令自己的部队占领他们的迈恩河堑壕。从这个事实，我推断出李在下午1点才知道我们的进攻路线。

在这儿，晚上我们收到了急件，谢尔曼、巴特勒和克鲁克按计划已经行动了。

发现波托马克军团的动向后，李命令希尔、尤厄尔、朗斯特里特分别率领他们的军团，从右翼向我们发动进攻，希尔走奥兰治乡间路，朗斯特里特紧跟着他走同一条路。此刻——下午正好过半——朗斯特里特还在20英里之外的戈登斯维尔。尤厄尔奉命沿着奥兰治派克前进。到达迈恩河东四英里时，他在附近露营过夜。

通过米德将军，我命令部队在5日早上提早出发。沃伦行军到帕克斯多，威尔逊的骑兵——此刻正在帕克斯多——必须行军到克雷格教堂。塞奇威克在右翼紧跟着沃伦。波托马克军团一直朝着南方进军，只有遭遇敌军时，才向西行进。汉考克向西南方运动，最后与沃伦的右翼会合，他的左翼必须到达谢迪格罗夫教堂。

6点钟，还没有到达帕克斯多，沃伦就发现了敌人。他报告了大致消息，奉命停止前进，准备阻击敌人。赖特奉命率领塞奇威克军团的一个师，不管走哪条路，都要在右翼与沃伦的部队会合。沃伦正在抗击来自奥兰治乡间路和收费公路的敌人，格蒂接到命令，率领塞奇威克军团的一个师从沃伦的后方赶到沃伦的左翼。这是增援他最快的办法。

　　4日，当伯恩赛德接到波托马克军团已经安全渡过拉皮丹河的消息后，迅速出动。尽管一些部队要赶40英里的路才能到达河边，他夜里急行军，5日一大早，他和先头部队已在过河。天刚亮，能看见道路时，米德就把

米德将军的全名为乔治·米德，他是美国南北战争时期联邦军
方面的将领，图为米德将军和下属军官的合影，右4腰间佩带
指挥刀的为米德将军，摄于1864年

他的司令部移到了老莽原酒馆，位于河的南边四英里处。我留下没动，催促伯恩赛德过河，并把他安排在阵地上。此刻，伯恩赛德并不受米德指挥，而且职位比米德高。当我得到接近敌人的消息后，我通知了米德，

没有来得及与伯恩赛德见面，就立即把司令部搬到了米德的驻地。

每当我们没有堑壕，而有可能把敌人从堑壕里引出来的时候，我都会制订计划，采取主动，在任何其他情况下我都是这样。当沃伦发现敌人就在附近的时候，他并没有到达待命地点，而且双方都没有占领有利位置。因此，沃伦接到命令，准备好后要立即发动进攻。9点钟，汉考克接到靠近并增援格蒂的命令。汉考克本人正午时分到达格蒂的前沿阵地，但他的部队仍然在远远的后方。格蒂奉命不惜一切代价死守阵地，直至援军救援。此刻，沃伦已经准备就绪，并开始进攻，虽然没有决定性的战果，却也占到了便宜。格蒂远离沃伦，一度情况危急。威尔逊率领骑兵师，孤军深入，被切断了与其他部队的联系。下午两点，汉考克的部队陆续到达，接到命令，立即与格蒂会合并向敌人发起进攻。往常接到命令，他都会迅速出击，但这次森林茂密，道路狭窄，他无法进入攻击阵地。4点钟，他又接到进攻命令，而且格蒂将军几分钟后也接到米德的命令，要求他不管汉考克是否准备停当，都要开始进攻。他在离赫思城几百码的地方与敌人遭遇。

汉考克立即派出两个师，由伯尼和莫特率领，随后又派出两个旅，即卡罗尔旅和欧文旅，支援格蒂。由于支援及时，格蒂得救了。在战斗中，格蒂和卡罗尔受伤，但仍然轻伤不下战场。伯尼手下最勇敢的一个旅长——亚历山大·海斯——在战斗中牺牲了。

我与海斯在西点军校一起学习过三年，在墨西哥战争中与他一起服役，一段时期内曾同在一个团。他是一名非常勇敢的军官，随时准备接受命令并参战。与他一起，总是"战士们，冲啊"不是"撤"。

沃兹沃思师和第二师的巴克斯特旅前往增援汉考克和格蒂；但路途中的森林太茂密了，根本无路可走，直到晚上，他们才赶到队伍的前头，只好就地宿营，而没有进入阵地。

下午时分，谢里丹派遣格雷格骑兵师前往托德客栈，搜寻威尔逊，这次行动很幸运。罗瑟将军正率领一支更为强大的军队，与威尔逊激战，威尔逊只得不断后撤。会合后他们足够强大，从劣势转为优势，开始发动进攻。他们很快就把叛军骑兵赶回科尔宾桥以外。

汉考克与希尔之间的战斗持续到深夜才停下来。双方都没有取得特别的进展。

5月5日的战斗结束以后，第二天早上我发布了命令。我们知道，朗斯特里特正率领12,000人增援希尔，晚上他们可能会在布罗克公路与希尔的右翼会合，我很忧虑，绝不能让叛军在早上时占据主动权，于是我命令汉考克在凌晨4：30发动进攻。米德请求把时间改为6点。我尽自己的最大努力，满足了他的愿望，修改了命令，把5点定为行动的时间。

汉考克现在有足足一半波托马克军团。沃兹沃思师前天晚上已经到达，防线与希尔的垂直，位于汉考克的右翼。他奉命同时采取行动，进攻希尔的左翼。

沃兹沃思全名为詹姆斯·塞缪尔·沃兹沃思（1807—1864），
他是美国南北战争期间联邦军方面的一位将领，图为沃兹沃思
和下属军官的合影，摄于1864年

伯恩赛德带领两个师赶了过来，奉命插到沃伦和沃兹沃思之间，一进入阵地立即发起进攻。塞奇威克和沃伦在自己的前线发动进攻，要阻击尽可能多的敌人，敌人从驻地增援希尔时，他们要利用并充分利用这一机会。伯恩赛德如果想成功击破敌人的防守，他必须绕到左边，从而包围李的右翼军队。他把所有的军事行动都通知了汉考克。

伯恩赛德拥有三个师，但其中一个师——属黑人师——被派往保护运输车队，直到7月他才看到这个师。

很明显，李非常担心。朗斯特里特必须先做好准备，他的右翼才能作战，这一点可以从以下的事实得到印证。为了先下手为强，也为了打朗斯特里特一个措手不及，我命令早点进攻，尽管如此，李却提前对我们的右翼发动了进攻。他的目的很明确，但却失败了。

汉考克已经做好准时前进的准备，但很快知道，朗斯特里特分出了他军团的一部分力量，沿着卡萨宾路，威胁他的左翼，于是，汉考克派出一个步兵师，携带所有大炮，由巴洛将军指挥，监视朗斯特里特预定的行军路线。这个部署很及时，能随时进攻。汉考克沿着奥兰治乡间路左翼前进，沃兹沃思沿着右翼前进。激烈的战斗持续了大约一个小时，敌人在一片混乱之中瓦解了。

那时候我相信，到现在我也不改变这种观点，假如这一地区视野良好，汉考克和他的指挥部也许能看到敌人防线上的混乱和恐惧，他就会有效利用这个情报，那么，李就没有可能在他的里士满防御工事进行下一次抵抗。

吉本指挥着汉考克的右翼部队，依照命令发动进攻，但却没有获得大的进展。

6日早上，谢里丹被派到汉考克的左翼，联手攻击敌人的骑兵，敌人的骑兵此刻正在设法向我们的左翼和后方运动。他在弗尼斯与布罗克公路交叉口和托德客栈都遭遇了他们，并在两处都击败了他们。后来他再次受到攻击，但敌人又一次被击退。

汉考克听到了谢里丹和斯图尔特之间的枪战，认为敌人是沿着那条路来的，他仍然继续加固他的阵地，守卫着布罗克公路的入口。在白天发生了另外一件事，使汉考克进一步缩减了他的进攻部队。有消息传过来，说看见敌军部队正从托德客栈向他前进，于是，布鲁克旅被抽调出来，

托德客栈之战，联邦军击败邦联军

去迎战这股新的敌人。逼近的军队被证明是几百个康复的士兵，他们来自钱瑟勒斯韦尔，取道汉考克正在进军的道路，去加入他们各自的队伍。早上6点钟，伯恩赛德已经通过了莽原客栈，随后接到命令，要他派遣一个师支援汉考克，其余部队继续执行以前的命令。穿过茂密的森林非常困难，因此伯恩赛德没能在6日上午及时到达，而没有起到任何作用。

早上汉考克追击希尔撤退的部队一英里多，然后他坚守着这块阵地，下午的时候，朗斯特里特突袭了他。希尔的溃逃之师遇到了仍然未曾参战的增援部队，士气大振，并与援军一块返回战场。借助茂密的森林掩护，

他们逼近了我们正在奋力前进的部队，近到只有几百码时我们才发现。他们突然袭击了汉考克军团的一个旅的行进部队，并马上击溃了这支部队。敌人抓住这个有利局势，继续进攻，不久他们遭遇到莫特师，莫特师正在撤退，处于一片混乱之中。汉考克做出部署，想守住前方阵地，但只在前方阵地坚守了一段时间，就退入早上还固守的阵地，这个阵地堑壕坚固。在这场战斗中，英勇的沃兹沃思在设法集结部队时受了重伤，被敌人俘虏。敌人紧追过来，但没有马上发动进攻。

在这次战斗中，邦联军的詹金斯将军被杀，朗斯特里特受了重伤，他不得不离开战场，很多周过去了都无法指挥作战。这是李的一个重大损失，但这在很大程度上也减少了我们白天必然要承受的灾难，我们的误判也会少些。

朗斯特里特离开战场以后，李亲自指挥自己的右翼部队。然而，他无法集结部队进攻汉考克的阵地，只能从前线撤退，并对部队进行整改。汉考克派了一个旅，想在前线消灭掉朗斯特里特和希尔的残部。汉考克占据着堑壕，他从堑壕右侧集结的这个旅，沿着整个堑壕从左到右横扫过去。在这个过程中碰到了敌人的一个旅，但这个旅未做抵抗就土崩瓦解。

枪战断续进行，但枪声渐渐稀疏了。伯恩赛德还未筹备停当，帮不了多大忙。但此刻仅是早上9点左右，他即将进入汉考克右翼阵地。

下午4：15，李攻击了我们的左翼。他的部队迂回到离我们只有100码的地方，突然向我们猛烈开火。猛烈的攻击持续了大约半个小时，接着莫特师的一部分和伯尼师的沃德旅就顶不住了，在混乱中撤退。敌人在 R. H. 安德森的率领下，利用这个机会，突入了我们的防线，把他们的旗帜插在我们未起火的堑壕上。但在汉考克的反击下，他们的胜利只是暂时的。卡罗尔是吉本师的旅长，他带领自己的旅，以双倍的速度行军，把敌人赶了回去，但自己也遭受了重大损失。从早上5点，战斗就一直持续着，有时候整条战线都在打仗，有时候仅在某个地方交火。交战的地域在宽度上有所变化，但平均宽度为四分之三英里。双方死亡的士兵，受重伤的士兵，都躺在这一区域而无法得到救治。燃烧的炮弹点燃了森林，大火熊熊燃烧。受伤动不了的士兵或者窒息而死，或者被烧死。最后，在有些地方，火烧到了我们堑壕胸墙的位置。胸墙是木头做的，很快就大火冲天。战斗仍然在激烈进行着，我们的战士在火焰中射击，直到被火烧得疼痛难忍时，才不得不离开。

李现在处于危难之中。他的部队一片混乱，他竭尽全力，但部队的秩序并没有恢复。这些事实，是我后来才知道的，否则我们可能会利用这个机会，取得决定性的胜利。他的部队在撤退，而我也撤回了让汉考克进攻的命令，进攻命令是以前签署的，但他的部队目前已经耗尽了弹药，却没有时间从车队得到补充，因为车队离部队还有一段距离。

伯恩赛德、塞奇威克、沃伦在这段时间内都保持着进攻状态；但他们的进攻只有一个目的：阻止敌人从作战前线撤回部队增援其右翼。

5日，我已经命令部队占领拉皮丹河地区的所有桥梁，但赫马尼亚浅滩的那座桥还在敌人手里。

塞奇威克的右翼军队已经被调来增援我们的左翼部队。我们的右翼因此有被击溃的危险，这样的话，我们与现有所有补给基地的联系就会被切断。塞奇威克减少了右翼的力量，他挖了战壕来保护自己，抵御攻击。但是6日下午后，厄尔利带着相当多的部队从他的防线中冲出来，开始攻击塞奇威克的右翼，尽管已经采取了预防措施，敌人还是给我们造成了相当大的混乱。厄尔利抓了几百个俘虏，其中包括两名将官。当然，我们也在努力防守；夜晚降临，战斗在继续，敌人陷入了和我们一样的混乱状态。厄尔利在他的备忘录中说，如果我们发现了他的部队中的混乱状况，我们可能会派军增援，这会使他倍感艰难。很多军官没有遭到厄尔利的进攻，他们不停地跑到我的司令部来，带来一些灾难性的消息，即使塞奇威克稍微后撤了防线后，他们头脑中还充斥着这样一个想法：敌人正在向前推进，不久就会打到我这儿来。

夜里，李的所有军队都撤退到他们的堑壕里。7日早上，卡斯特将军把敌人的骑兵从卡萨宾弗尼斯赶到托德客栈。警戒哨和战斗小分队被派到了整个前线，搜寻敌人的阵地。有些小分队走了1.5英里才找到敌人。李没有显露出走出工事的意向。整个白天没有战斗，只在沃伦的前线，有一点点枪战；因为他在中午接到命令，进行火力侦察，随后暴发了激烈的枪战，但李没有做任何尝试，把他赶回来。莽原战役就这样结束了。

第三十六章
电报和信号服务

在这块大陆上，还没有看见过比 5 月 6 日和 7 日更激烈的战斗。我们取得了以下胜利：几乎面对着敌人，我们成功地渡过了一条令人生畏的河流；队伍又集结起来，成为一个整体。我们在 6 日早上占据了优势，假如乘胜前进，一定能取得决定性的胜利。夜里，敌人又取得了优势；但又被迅速击退。战斗结束的时候，我们发现，两支军队状态大致相同，与隔河相望时没有多大差别，但我们安全渡过河流就是一个胜利。

我们在莽原的损失非常惨重。我猜想邦联军的损失一定更大；关于这一点，我没有精确的方法来说明。赫马尼亚渡桥被移到了伊利浅滩，以便把伤员运送到华盛顿。

在这儿最好顺便说一下与波托马克军团所有调动有关的两件事：首先，每改变一个阵地，或者停留过夜，不管是否与敌人相遇，枪一旦架成三角形立起来，士兵们就得在堑壕里隐蔽。为了这个目的，只要在前方找到木头和篱笆，他们都会把这些东西堆起来，然后挖一个坑，把土堆在这些东西上面。挖掘工作非常重要，一方面可以形成一个深坑，人可以站在里边，另一方面，也可以提高身前的高度。他们能够以这种方式快速建造相当坚固的工事，这真是一件了不起的事情。当想向敌人发起攻击，或者前方发现敌人，想停下来时，在工程军官的指导下，可以加固这些工事，工事的位置也可以改变。其次，电报和通信兵的使用。没有什么能比组织和训练这些勇敢且聪明的士兵更圆满的事情了。绝缘线——与外界完全隔离，因此，他们能在暴风雨中，在地面上或者水下传递信息——这些绝缘线被缠在卷轴上，每卷重200多磅，派遣两个士兵和一匹骡子运输。卷轴被放在驮鞍上，驮鞍上安装了像锯木架一样的架子，横跨在驮鞍上，卷轴被抬上去后，线和轴都能够自由旋转。有一辆马车，配备了电报操作员，电池和电报设备安装好后，分配给每个师，每个军团，每支部队，我的司令部也有一辆。也有很多辆马车，上面安装着轻型杆子，长度和大小就同墙式帐篷的杆子，杆子顶部有一个向上弯曲的铁钩，布线时可以用铁钩把线撑起来，这样，马车和大炮就不会从线上碾过。能够负重的骡子被分配到各旅，这些骡子总是能够完成被分配的任务。操作人员也被分配到具体的指挥部，除非特殊命令，否则永远不会改变。

部队安营扎寨时，这个领域的所有人员就开始支起他们的电线。驮着一卷电线的骡子就会被牵到他所属旅最近的侧翼，在与该旅平行的方向布线，一个人拿着线的一端，当骡子被带离时，线就打开了。当骡子走完整条线的长度时，线就从地上延伸开来。在每个旅的后方，这项工作会同时进行。所有线的末端会被连接起来，在所有部队的后方，形成一个连续的线路。附属于各个旅和各个师的通信人员会立即开始用他们的电报杆把电线撑起来。把电线绕成一个圈，然后把这个圈套在挂钩上，再把杆竖直举起来，这件事就算完成了。每隔一段，线会被绑在树上，或者绑在某个永久的物体上，因此一个地方只需一根杆就够了。如果没有这些支撑物，就必须用两根杆子来支撑，每隔一段，把杆子以一定的角度竖起来，以保证电线能够拉紧。当进行这些工作的时候，电报马车就会停留在自己所属的拟建指挥部附近，并与其他线路连接起来。因此，当骡子走完这圈电线的几分钟时间内，所有部队指挥部的电报沟通将会被激活。建立电报联系从来不需要发布命令。

行军中，这些信号服务也能派上用场。构成这支部队的信号人员奉命完成各项具体的任务。行军的时候，他们会走在前面，或者侧翼，占据地形上的制高点，如果视野开阔的话，就能纵览这一地区的全局，如果视野不开阔，他们就会爬到制高点的大树上，并且通过信号标出本方部队各个部分的位置，同时也标出敌人的行军位置。他们也拦截敌人的信号并破译这些信号。有时候，破译电报花费的时间太长，我们可能得不到任何好处。但是，有时候却能提供有用的信息。

7日下午，我从华盛顿得到消息，宣称谢尔曼很可能在当天攻击了约翰斯顿，巴特勒已经安全到达锡蒂波因特，并在5日突袭并占领了这一地区。由于我害怕李可能会快速抢占里士满，在我没有到达之前击溃巴特勒，我已经命令左翼部队前进。

我的进军命令如下：

美国陆军总司令部，1864年5月7日，早上6：30

陆军少将米德，指挥波托马克军团

白天做好充分的准备，晚上行军，一个兵团占领斯波特西尔法尼亚的阵地，另一个兵团占领托德客栈阵地，第三军团从阿尔索普之家到达老县城，占领皮内布兰奇与斯波特西尔法尼亚的什字交叉口附近阵地。如果行动成功，队伍应该急速向前，清早时分到尼河。

我觉得这样的变化是很明智的：汉考克留在原地，让沃伦赶到前面。然后汉考克跟进，成为新战线的右翼。伯恩赛德会行军至皮内布兰奇教堂。塞奇威克可以沿着收费公路前行至钱瑟勒斯韦尔，然后再到达他的目的地。伯恩赛德会沿着乡间路，到达乡间路与奥兰治和腓特烈斯堡乡间路交叉的十字路口，然后跟着塞奇威克到达他的目的地。

在部队行军之前，应该事先准备好所有的交通工具，而不能让敌人注意到，然后安静地出发。

今天下午敌人很可能会集中力量对汉考克发动猛烈进攻。假如敌人进攻了，我们必须做好抵抗准备，假如我们在战斗中占据优势，我们必须集中全部力量，再接再厉，取得更大的胜利。

如果取得这样的成果，这些指令会有所改变。

所有的医院必须今天转移到钱瑟勒斯韦尔。

美国陆军格兰特中将

7日，谢里丹在托德客栈遭遇了叛军的骑兵，并击溃了他们，因此打开了一条线路，部队晚上可以从此线穿过。天黑之后，沃伦从前线撤了回来，塞奇威克随后也撤回。沃伦继续行军，很快就来到汉考克的部队

塞奇威克全名为约翰·塞奇威克（1813—1864），他是美国南北战争时期
联邦军方面的将领，图为塞奇威克与同僚的合影，从左到右分别为：艾伯
特·V.科尔伯恩、提洛·B.萨基特和约翰·塞奇威克，

在布罗克公路留下的工事后面。我在参谋们和一小队骑兵的护送下，走在队伍的前面。米德和他的参谋陪伴着我。当我们路过汉考克的部队时，

他们显示出了极大的热情。毫无疑问，我们向南行军这个事实激发了他们的激情。这显示出在刚刚进行的战斗中，他们已经经历了"终结的开始"。欢闹声如此喧嚣，敌人一定认为是一次夜间的攻击。不管怎样，欢闹引发了敌人一阵猛烈的炮击和步枪的射击，枪炮声清晰可辨，但我们却毫发无损。

米德和我提前骑马出发。我们刚刚超出左翼部队一点点，路就分岔了。我们环顾四周，设法辨出白天谢里丹与他的骑兵走的是哪条路。似乎是右边这条，因此我们也走这条路。我们没走多远，我的参谋，C. B. 科姆斯托克上校，以工程师的直觉，怀疑我们走的这条路会把我们引向敌

格兰特将军与参谋科姆斯托克上校及电报职员的合影，坐者左三为格兰特将军，坐者右一为科姆斯托克上校，马修·布雷迪摄于 1864 年

人的队伍，假如敌人也在行军的话。他策马扬鞭，从我们身旁疾驰而过。几分钟后，他回来了，报告说李正在行军，在不远处，我们走的这条路会让我们撞上他的部队。我们回到岔路口，留下一个人，假如沃伦的部

队出现在此处。他就可以给沃伦的先头部队指示正确路线，我们继续赶路，半夜以后，到达托德客栈。

我赶到斯波特西尔法尼亚有双重目的：第一，我不想让李及时回到里士满，然后在我到达之前试图击溃巴特勒；第二，假如可能的话，我想插在他的军队与里士满之间；假如不能实现这个目的，我想把他引到开阔地带。但是李，却在无意间比我们先到斯波特西尔法尼亚。在部队出发之前，我们的马车队奉命朝东行走，部队也会沿着这条路行军。基于此行动，李认为波托马克军团要撤退到腓特烈斯堡，于是他通知了他的政府。紧接着，他命令朗斯特里特军团——当前由安德森指挥——8日早上进军至斯波特西尔法尼亚。但因为森林仍然在着火，安德森无法露营，只好当晚直接到达了目的地。这次意外让李占领了斯波特西尔法尼亚。假如李的命令被严格执行，现在很难说会产生什么样的结果，但有一点是肯定的，我们会占领斯波特西尔法尼亚，并横在他与他的首都之间。我认为两支军队会展开一场竞赛，看谁先到里士满，而波托马克军团离里士满的距离要近一些。因此，自从渡过了拉皮丹河，我们有两次几乎能结束战役，就具体的战役而言，指从拉皮丹河到詹姆斯河或到里士满的战役。在6日早上，我们打败希尔军团后，没有乘胜追击，因此错过了第一次终结战役的机会。以前描述过，6日的战火驱使安德森在7日和8日晚上冒进，本来他奉命在8日早上才前进的。但意外问题决定着战役的命运。

谢里丹的骑兵在7日下午进行了很多场战斗，战斗从托德客栈开打，一直打到了晚上，战斗结束时他仍然坚守阵地。他发布了命令，要求抢占斯波特西尔法尼亚，并守住波河大桥，因为李的部队必须过桥才能到达斯波特西尔法尼亚。梅里特正在驻守大桥，米德到达托德客栈后，他改变了谢里丹下达给梅里特的命令，所以当安德森到达的时候，道路畅通无阻。威尔逊奉命占领这个城镇，他带领的骑兵完成了任务；但在邦联军的进攻下，没有能守住城镇，邦联军在波河渡口没有受到阻击，要不是梅里特的命令被不幸改变，邦联军会受阻的。假如梅里特有幸执行了谢里丹的命令，他就会一直带领两个旅的骑兵守卫着波河大桥，这是安德森的必经之地，他阻击安德森的时间就会足够长，足以让沃伦援助威尔逊，而保住城镇。

尽管以前确实没有修筑堑壕——但安德森不久就挖好并进入了堑壕——随后跨过堑壕，逼近沃伦的防线。沃伦没有意识到安德森来了，可能他认为这是白天早些时候与梅里特交战的骑兵。他立即进攻，但被击退了。当敌人不再追击的时候，他重新组织人马，发动了第二次攻击，这次出动了全部人马。在敌人的正前方前线他成功地夺得了一块阵地后，他立即掘堑壕固守。他的右翼师和左翼师——前者是克劳福德师，后者是沃兹沃思师，现在由卡尔特指挥——把敌人向后逼退了一段距离。

此刻，我的司令部已经前进到了皮内布兰奇教堂。在李没有支援安德森之前，我急于击溃安德森。为了达到这个目的，我命令驻扎在皮内布兰奇教堂的塞奇威克支援沃伦。汉考克在托德客栈，被告知沃伦正在交战，并受命随时准备参战。伯恩赛德，驻扎在奥尔德里奇（奥尔德里奇），处于我们的最左边，与马车队在一起，也接到了同样的指令。塞奇威克组织得慢一点——可能这是不可避免的，因为做重要的事情时，他从来不出错——结果，直到晚上，各路部队才做好了进攻准备。即使此刻，塞奇威克的部队并不是全部投入了战斗。沃伦指挥了最后一轮攻击，每次出动一个师，当然都失败了。

沃伦面临着双重困难：每当他接受任何一个命令的时候，他立即就想，怎样使所有的主力部队参战，自己如何与他们恰当配合。他的想法总体来说是好的，但他总是忘记了一点：给他发布命令的人在想到他的同时，也想到了其他人。以同样的方式，当他准备好执行一个命令的时候，他会给所有的师长下达最明智的指令，然后他将投入一个师的兵力，让其他师充当预备部队，直到他能够亲自指挥这些师的行动，他忘记了，他不到场的时候，师长们也可以执行命令。他的困难是天生的，并且自己无法控制。他是一个能力极强的指挥官，他有敏锐的洞察力和个人勇气，下一条小命令，他能完成任何事情。

李已经命令希尔军团——现在由厄尔利指挥——沿着我们行军过的道路前进。这标志着甚至在8日一大早，李还没有识破我的意图，而仅仅认为拉皮丹河部队已经去了腓特烈斯堡。他确实通知了里士满当局他已经占领了斯波特西尔法尼亚，处在我的侧面。安德森占领了斯波特西尔法尼亚，却并非出自李的深谋远虑。当厄尔利在托德客栈撞上汉考克的时候，他仅仅知道他一直紧跟着我们。他到来的当天就在斯波特西尔法尼亚战场上阻击了汉考克，但汉考克，以同样的方式，把厄尔利打了回去，并迫使他取道另外一条路线。

假如我命令7日晚上我的左翼出动，汉考克将会走在前面。我们也会有一个小时，或者出发更早一点。用这一个小时的时间，沃伦就会先把自己的部队从直接面对敌人的前线撤回来，再把他的先头部队调到汉考克的左翼。这一个小时内，再加上汉考克必要时用兵的能力，毫无疑问，将会在安德森没有得到援助前，就被汉考克击溃。但军队的调动是战术性的。调动使部队能以集团迎战敌人的进攻。我们的左翼据守堑壕，而右翼的两个军团向前挺进。如果敌人发动进攻，敌人就会发现第二军团固守着阵地，实际上，第五、第六军团也坚守阵地，充当后备部队，直到前面的部队全部通过。到左翼部队前进时，其他部队已经完全散开，且正在通过敌人的前线，到极右翼通过时，左翼部队已经完全暴露。那时候，我仍然没有了解各个集团司令官的特殊才能。那时候，我的判断是，假如米德，那个勇敢的战士发生不测，再也上了不战场，那么，我会建议沃伦来接替他的职位。我以前说过，沃伦是一个英勇的士兵，一个有能力的人；他不但一本正经，郑重其事，而且也非常看重自己履行的职责。

第三十七章
斯波特西尔法尼亚之战

马特波尼河是由四条河交汇而成：马河、特河、波河和尼河，最后一条河流在四条河的最北边。这条河起源于莽原客栈南一英里偏东一点的地方。波河起源于这个地方的西南方，但更长一些。斯波特西尔法尼亚位于分开这两条河的山脊处，两条河仅仅相隔几英里。从布罗克公路出发，不用横渡这些河流就可直达斯波特西尔法尼亚。李的军队从卡萨宾路直扑而来，但他们必须在木桥渡过波河。沃伦和汉考克从布罗克公路过来。塞奇威克在卡萨宾弗尼斯渡过尼河。伯恩赛德来自奥尔德里奇之家，前往盖茨之家，必须在敌人附近渡过尼河。他在桥上发现了警戒哨，但很快就被威尔科克斯师的一个旅赶走，然后顺利渡河。这个旅遭到敌人的疯狂进攻，但这个师的其余部队赶了上来，守住了阵地，并修筑了防御工事。

在我得到敌人这次进攻消息的同时，汉考克发来消息说，厄尔利已经撤离前线。厄尔利被赶到了卡萨宾路，在科尔宾桥渡过波河，在木桥又渡河一次。8日时，谢里丹已经命令骑兵占领这些桥梁，而用另外一个师占领斯波特西尔法尼亚。敌人的这些调动使我想到李打算前往，或者正向腓特烈斯堡前进，企图切断我们的补给。假如他设法执行这一计划，我便做好安排，攻击他的右翼，并插到他与里士满之间。伯恩赛德一到尼河南岸扎营，他的这个想法就被迫放弃了。

波河和尼河是很窄的小河，但很深，两岸陡峭，河边长着茂密的树木，河底湿软——我们到达的时候——除了搭桥——很难通过。周围的森林茂密，但偶尔有几片空地。在这样的地区，防守作战比进攻要容易得多。

9日中午，两支部队的位置如下：李占据了一个半圆形的区域，面朝北方、西北方和东北方，并包围了这个小镇。安德森在左翼，队伍一直延伸到波河，尤厄尔紧挨着，然后是厄尔利。沃伦占据着右翼，防守着布罗克公路和其他汇聚到斯波特西尔法尼亚的道路；塞奇威克在他的左边，伯恩赛德在最左翼。汉考克仍然在后方的托德客栈，但刚一知道厄尔利已经撤离汉考克的前线，汉考克就立即奉命直达沃伦的右翼。下午时分，他率领三个师在山顶形成一条战线，俯瞰着波河，随着又奉命渡过波河，到达敌人的侧翼。汉考克军第四师，由莫特指挥，当军团首次到达的时候，第四师被留在了托德客栈；但在下午，这支部队就被调往前线，并驻守在塞奇威克的左翼——左翼现在属于赖特的第六军驻守；早上，塞奇威克将军在他的堑壕右翼被叛军狙击手杀死。他的牺牲对波托马克军团是一个重大损失，对国家也是一个重大损失。赖特将军接替指挥他的军团。

厄尔利全名为犹八·A. 厄尔利（1816—1894），他是美国南北战争期间南方邦联的一位将领，约翰·威克利夫·洛斯福斯特绘

9日下午9点，汉考克在穿过李军队的侧翼时，两军并没有交火，汉考克也路过了驻扎在波河边的米德残余部队。要不是时间太晚，天太黑，他肯定会试图在木桥再次渡河，与敌人和朋友同在河一边。

波河朝正东方向流淌，汉考克在几处渡过河。部队从三个点渡河——在较下游的一个渡口——波河朝正南方流动，渡过河后，在木桥以下，河流不久就恢复了更正东的流向。晚上，这支部队在波河上建了三座桥；但部队都在后方。

汉考克部队占领了阵地，这迫使李在晚上增援他的左翼。因此，在10日早上，当汉考克继续渡过波河到前线的时候，他发现自己面对的是厄尔利指挥的部队，厄尔利的部队是晚上从最右翼调动过来的。汉考克成功地利用一座桥渡过河，却发现敌人在正前方挖了堑壕，更多的人无法渡河了。

10日早上，汉考克侦察了前方阵地，假如能有任何益处，他就打算强渡河流。侦察后发现敌人在河边的高地上建了坚固的工事，大炮从上向下对准了木桥。安德森的左翼部队在波河边休息，休息位置是波河向南流动的地方，因此，假如汉考克渡过河，——尽管能与一支军队会师在一起——会进一步使他与另一部分主力部队分离，必须在敌人面前二次渡河才能与主力部队再次会合。过河的念头因此被放弃了。

为了应付汉考克的调动，李弱化了自己防线的其他部分，我决定利用这个机会。早上，我发布了下午由沃伦和赖特军团进攻中路的命令，所有进攻部队都由汉考克指挥。汉考克的两个师被调到了波河北岸。吉本被调到了沃伦的右翼，伯尼留在他的后方充当预备部队。巴洛师被留在了南岸，同一个军团的莫特师仍然留在赖特军团的右翼。伯恩赛德奉命火力侦察前线，如果有机会，就发动猛烈攻势。敌人发觉巴洛师与大部队分离，遂出动，向其发动猛攻。巴洛击退了进攻，杀死了大批敌人，但自己也遭受重大损失。敌人看到了巴洛的损失，并继续猛攻。伯尼现在已经爬上了高地，俯视着我军建立的渡口，火力已经控制了渡口。敌人的第二次进攻又被击退了，敌人付出了惨重代价，巴洛撤军，再未受到干扰。T.G. 史蒂文森将军在这次行动中牺牲。

在沃伦即将发动进攻的区域，有一个深谷，谷里长着大树和灌木，人几乎无法穿过。两边的山坡上也长满了树木。在中午之前，沃伦两次火力侦察前线，第一次派了一个师，第二次派了两个师。两次都被敌人击退，但获得了一些地形信息，随后打报告，主张进攻。

赖特火力侦察了前线，并在原阵地的前面，夺取了相当靠前的阵地，然后，他组织了一支突击队，由12个团组成，指派埃默里·厄普顿上校指挥，厄普顿属于第121纽约志愿兵。大约下午4点，我发布了进攻命令，沃伦和赖特军团，汉考克军团的莫特师，同时发起攻击。行动迅速，几分钟之内，最激烈的战斗就开始了。战场上森林密布，任何人都无法看清战斗历程。米德和我占据着我们能到达的最好位置，处于沃伦的后方。

斯波特西尔法尼亚之战，联邦军队与邦联军队在密林中发生激战，
库尔茨＆艾利森出版公司印刷，现藏于美国国会图书馆

沃伦被击退，并遭受重大伤亡，J.C.赖斯将军等人牺牲了。然而，敌人并未追击，因此，沃伦一远离敌人的枪炮，就能重新组织部队。在左翼我们的胜利本来是有保障的，但优势因莫特软弱的行动而丧失。厄普顿率领突击队向前猛冲，打过了敌人的堑壕。他左冲右突，缴获几门大炮，抓了几百名俘虏。莫特受命援助厄普顿，但彻底失败。他设法组

织右翼部队援助，也浪费了过多的时间，因此我命令厄普顿撤退，但是他的军官们和士兵们对放弃已获成果的命令非常反感，我只得收回命令。为了安慰他们，我命令继续进攻。此刻，前往解救巴洛的汉考克和伯尼师已经返回，伯尼师归汉考克指挥。在最后一次进攻中，汉考克、沃伦和赖特兵合一处。他们一起勇敢作战，很多士兵冲到敌人的工事跟前，并攻克工事，但他们却守不住工事。晚上时，他们被迫撤退。厄普顿带回了俘虏，但被迫放弃他缴获的大炮。厄普顿取得了重要的进展，但其他人却缺乏他那种敢打敢拼的精神，因此我们丢失了他的作战成果。在离开华盛顿之前，我已经被授权，可以提升那些在战场上英勇作战的军官。有了这个授权，我当场授予厄普顿旅长的职位，这个决定获得了总统的首肯。在这次战斗中，厄普顿受了重伤。

左翼的伯恩赛德已经指挥部队行进到离斯波特西尔法尼亚县城几百码的地方，完全迂回到了李的右翼。他没有意识到他获得的这个有利点

当时波特西尔法尼亚县政府所在地，摄于美国南北战争时期

的重要性，我，一直指挥着激烈作战的部队，此刻也没有意识到这一点。他几乎没有作战，就获得了阵地，因此几乎没有损失。他的阵地把他与赖特军团远远隔开，虽然赖特军是离他最近的。晚上，他奉命与赖特军会合，我们因此失去了一个重要的优势点。我没有因此而责备伯恩赛德，但我确实责怪自己没有派一个参谋跟随他，负责向我报告他的位置。

除了攻击巴洛的那次，在任何时刻，敌人也不敢冲出防线，夺取更有利的位置，在那次攻击中，尽管敌人的整个军与我军两个旅的部队作战，但敌军两次被我军击退，且敌军损失惨重。在敌军整个军的面前，巴洛占据了桥梁。

斯波特西尔法尼亚之战，布鲁尔·图勒·图尔斯特鲁普（1848—1930）绘

11日没有战斗，只有小规模的交火；莫特尝试火力侦察敌人的前线，想了解敌人的防线是否有弱点。

我给哈勒克将军写了以下这封信：

斯波特西尔法尼亚县城附近，1864年5月11日早上8：30

陆军少将哈勒克，陆军参谋长，华盛顿特区

　　我们已经结束了6日艰苦卓绝的战斗。目前战果对我们非常有利。但与敌人一样，我们也损失惨重。目前，我们已经有11名将官被杀，受伤或者失踪者，也许有2万人的损失。（我认为敌人的损失更惨重）——我们在战斗中俘获了4,000名战俘，而敌人只是抓走了我们一些掉队者。我已经把我所有的车队都派回了贝尔·普莱恩，运送新的补给和弹药，假如战争要持续整个夏天，我会在这一线战斗到底。

　　对战士们来说，援军的到来会非常鼓舞人心，我希望援军尽快被派过来，数量越多越好。我的目的是把这些援军派到贝尔·普莱恩，让他们护送我们的供给车队。如果走铁路，把他们运送过来更方便的话，那就把他们送到贝尔·普莱恩或者腓特烈斯堡，就这么办吧。

　　我很高兴，敌人摇摇欲坠，我军军官们尽了最大的努力，才使他们达到这样的战斗水准，每占领一处阵地，我们都让士兵们隐藏在堑壕里。到目前为止，没有迹象表明李的部队放弃了里士满的防守。

美国陆军格兰特中将

　　同时，我通过陆军部，从巴特勒将军处得知，考茨率领骑兵部队，已经切断了彼得斯堡以南的铁路，把博勒加德和里士满隔开，并痛击了希尔，杀死、打伤和俘虏很多敌兵。他也告知我，敌人已经遁入堑壕，稳住了阵脚。同一天，谢里丹部传来消息，大意如下：他已经摧毁了里士满与李之间十英里的铁路和电报线路，并夺取了李军队的大部分药品储备。

　　8日，我口头命令谢里丹离开波托马克军团，迂回到李军队的左翼，并攻击他的骑兵和通信系统，这一命令被成功执行，我以前已经描述过执行过程。

第三十八章
汉考克的攻击与邦联军的伤亡

11 日，经过莫特的火力侦察，发现在右翼中央有一支部队，位置比较突出。我决定攻击这支部队。因此，汉考克在下午接到命令，在夜幕的掩护下，从沃伦和赖特的后方，把部队迁回至赖特的左翼，然后待命，准备在第二天凌晨 4 点发起攻击。夜很黑，大雨倾盆，道路泥泞不堪，因此半夜时分，他才到达预定待命地点。花了大半个晚上，才把士兵们安排好，准备第二天早上的进攻。士兵们几乎没有休息。伯恩赛德奉命在同一时刻在突出部左侧发动进攻。29 日我派遣了两个参谋，向他强调猛烈进攻的重要性。汉考克接到了这个通知。沃伦和赖特奉命等待，假如形势有利，随时准备加入进攻。我占据着中心位置，接受各点的信息非常便利。汉考克把巴洛安排在左翼、伯尼安排在右翼，排成两个纵队前进。莫特紧随伯尼，吉本留作预备部队。

12 日早晨大雾，进攻被推迟半个多小时。

汉考克要接近敌人，必须走一段上坡路，这段路林木茂密，离敌人的堑壕有二到三百码远。伯尼也要穿过前方的一片沼泽。尽管困难重重，但部队没打一枪，迅速推进，当他们离敌人的防线只有四五百码距离时，他们呼啸着发起冲锋，一下子冲上去，跨过了护墙。巴洛和伯尼几乎同时参战。这儿发生了一场惨烈的肉搏战。双方距离太近，无法射击，只能把枪当棍棒使。近身肉搏很快结束了。汉考克军团俘虏了大约 4,000 名敌兵，其中包括一名师长、一名旅长，还缴获 20 多门大炮，连带战马，弹药车和弹药，几千套士兵的全副武装和很多军旗。肉搏战一结束，汉考克就调转敌人的炮口开火了，并冲入了叛军的防线。大约 6 点，我命令沃伦军团支援汉考克。左翼的伯恩赛德，已经向突出部的东侧运动，到了敌人的胸墙边。波特率领一个师，获胜但没有守住阵地。然而，他使敌人遭受了惨痛的损失；自己反过来却没有多大损失。

这次胜利很重要，且李无法承受我们单边的胜利。他付出了极大的努力，想夺回阵地。他从左翼调集军队，对汉考克发起了疯狂的进攻。汉考克被迫撤退，但他退得太慢，面对着敌人，他遭受了重大损失，直到他进入已经夺取的胸墙之内。然后转过身来，以另一种方式面对敌人，并且稳住了脚跟。赖特奉命支援汉考克，6 点时他赶到。他过来后不久就受伤，尽管战斗持续到了第二天早上 1 点，但他没有放弃对军团的指挥。8 点钟，沃伦又奉命开往前线，但他部署得很慢，因此我的命令反复下达，措辞更加强硬。11 点，我给米德下达书面命令，如果沃伦不能快速行动，米德将接替沃伦指挥部队。汉考克把炮台设置在后方的高地上，向敌人发射炮弹时，炮弹从自己部队的头顶上飞过。

伯恩赛德在我们的左翼起的积极作用很少，但消极影响却极大。他的任务是阻止李从这一地区增援中部。假如第五军，换句话说，假如沃伦像赖特指挥第六军那么迅捷，将会获得更好的战果。

李从左翼抽调部队，把大量的部队集中在被击溃的防线上。白天他发动了五次疯狂的进攻，但并没有把我们的军队逐出新阵地。他的损失一定极大。有时候，交战双方相距仅仅几英尺。在某个地方，直径 18 英寸的树，完全被步枪弹丸打断。战线之间的所有树木，都被大炮和步枪打成了碎片。第二天早上 3 点钟，战斗才停了下来。我们有些部队已经持续作战 20 个小时。在这次战斗中，我军没有损失一个战斗单位，连一个连都没有。敌人损失了一个师，师长被俘，外加一个旅、一个团，其他地方也有重大损失。我们的损失也很大，但如前所述，没有整个战斗单位被俘的。晚上，李占领了以前阵地的后部，第二天早上，他在堑壕里站稳了脚跟。

　　沃伦军团暂时被拆散了，卡尔特师被派到赖特那儿，格里芬师被派到汉考克那儿。米德命令他的参谋长，汉弗莱斯将军，继续留在沃伦和剩余部队处，并授权他以自己的名义指挥。

　　白天我不断沿着防线从一翼到另一翼走动。在防线中部，有一栋房子，里边住着一个老太太和她的女儿。当我到达时，她毫不含糊地表示她支持北方联邦。她说她很长时间没有看到联邦旗帜了，再次看到使她非常高兴。她说她丈夫和儿子，都是联邦的士兵，战争早期就参战了，现在如果活着，一定还在某个联邦军队里。她没有吃的，或者说已经接近断粮的程度，我命令给她发放补给，并许诺尽最大的努力找到她的丈夫和儿子。

格里芬全名为查尔斯·格里芬（1825—1867），他是美国南北战争期间联邦方面的一位将领，图为格里芬和参谋人员的合影

　　13日没有战斗，仅仅有一些莫特师与敌军的小冲突。我怀疑李可能会出动，我不想看到这种情况：他出动了，而我却被蒙在鼓里。各种迹象表明他在行动，后来发现他向突出部位发动进攻，重新占领了一些新的阵地。这一天我们掩埋了死者。莫特师损耗了一个旅，被归入伯尼师。

　　白天，我写信给华盛顿，推荐谢尔曼和米德晋升到正规军的少将级别；汉考克到准将级别；赖特、吉本和汉弗莱斯升任志愿军少将；厄普顿和卡罗尔任准将。厄普顿已经被我提名为准将，但最终得总统提名，再被国会确认才能生效。

　　13日晚上，沃伦和赖特从后方转移到了伯恩赛德的左翼。夜很黑，雨下得很大，道路泥泞不堪，部队不得不砍伐树木，并铺成一段道路才能通过。半夜时分他们才到达要待命的地点，天亮时分部队才组织好，前往并占领他们的防线上的阵地。除了赖特的前方有点小冲突，其他地方没有发生任何战斗。这儿厄普顿必须争夺一个高地，我们想要，但敌人却不愿意放弃。厄普顿率先驱赶敌人，然后又被敌人击退。艾尔斯带领他的旅来支援（他属于格里芬师，沃伦军），他夺取了阵地并建了防御工事。14日没有战斗。这使得我们县城东边的防线向南北延伸，面朝东面。

14日到15日晚上，李反赴过来，想控制这片新的阵地。这样，汉考克的前方没有任何敌人。他被撤到了我们新后方的中心地带，需要的时候，随时准备前往任何方向。

15日，从巴特勒和埃夫里尔部传来了消息。前者报告说攻陷了詹姆斯河德鲁里布拉夫的外层工事，他的骑兵已经切断了里士满南部丹维尔路上的铁路和电报；后者报告说，他摧毁了都柏林和西弗吉尼亚州的供给仓库，炸断了在弗吉尼亚州和田纳西州铁路上的新河大桥。第二天，谢尔曼和谢里丹的消息也来了。谢里丹已经把约翰斯顿赶出了佐治亚州的多尔顿市，并向南追击。谢里丹报告了他经过里士满外围工事的行动。现在，里士满的前景一定很凄惨。通向叛军首都的道路和通信在各个方向都被切断了。除了信使，那座城市与外界的联系全都被暂时切断了。然而，这种状态只持续了很短时间。

我给哈勒克的信：

斯波特西尔法尼亚县城附近，1864年5月16日，早上8点。
陆军少将哈勒克，华盛顿特区：

雨几乎下了整整五天，天还没有晴的希望。道路变得无法通行，载着伤员的救护车不能从此处前往腓特烈斯堡。所有进攻行动必须停止，直到我们有 24 个小时的干燥天气。部队士气最为高涨，对最终的胜利充满着极大的信心……你可以让总统和陆军部长放心，天气因素仅仅延迟了对抗，它绝不会使我们虚弱或衰竭。

美国陆军格兰特中将

道路条件极其糟糕，17 日什么都没有干。但那天晚上，汉考克和赖特打算夜里行军，重新回到他们的老阵地，并在凌晨 4 点发起攻击。李及时调来了军队来保护他的老防线，因此攻击不成功。今天（18 日）坏消息对我们的打击几乎与两天前叛军首都所遭受的打击一模一样。如上所述，汉考克的赖特兵团的进攻并不成功。消息传来，西格尔被击败，损失惨重，正沿着河谷撤退。不到两个小时之前，我向哈勒克打听过，西格尔能否到达斯汤顿，阻止此处给李供应物资。我立即请求是否可以解除西格尔的职务，由其他人取代他的位置。有人提出亨特这个名字，我痛快地批准了。巴特勒传来另一条消息，他被赶出德鲁里布拉夫，但仍然坚守着彼得斯堡路。班克斯在路易斯安那州被击败，随后被撤职，坎比取代了他的位置。更换这名指挥官并不是我的主意。所有的消息都令人沮丧。敌人一定比我先得到消息。事实上，敌人一定会知道自己的好消息的。此刻，我认为他们正处在绝望之中，当我们正在享受敌人所谓的失败时，敌人的沮丧已经得到了缓解，但目前我们还没有时间伤心烦恼。19 日晚上，我立即命令左翼开始行动，向里士满进军。我也要求哈勒克寻求与海军合作，把我们的供应基地从腓特烈斯堡转移到拉帕汉诺克河上的罗亚尔港口。

到目前为止，我没有得到任何援军，除了 6,000 名未经训练的军队，他们在罗伯特·奥格登·泰勒准将的率领下抵达。他们还没有加入汉考克军，而是在我们的右翼。这个军团已经被调到了指挥中心的后方，随

时准备向任何方向调动。李可能正
在猜测我军的行动，他看到右翼完
全被放弃时，在大约下午 5 点，调
动尤厄尔军，把厄尔利军作为预备
部队，对这一地区发动了进攻。泰
勒从腓特烈斯堡开过来，驻扎在我
们防线右翼的道路上，接近沃伦军
的基钦旅。泰勒率领新军承受住了
打击，并守住了阵地，直到援军到达，
他们的表现堪称老兵。

罗伯特·奥格登·泰勒(1831—1874)将军像，
摄于 1864 年

汉考克能够迅速支援泰勒，是
因为他是一名战士，没有等待部署，
就开始行动了。伯尼被迅速派到了
泰勒的右翼，克劳福德到了左翼，
吉本作为预备部队；尤厄尔被迅速
击退，他损失惨重。

沃伦接到命令，集结到尤厄尔的侧翼和后方，切断他返回堑壕的退路。
但沃伦行动无力，尤厄尔在夜幕的掩护下，退了回去，除了被杀和受伤
的士兵，只有几百名士兵被俘。天黑以后部队还在战斗，我撤回了右翼
部队当晚的行军命令。

一发现敌人开始袭击，我自然想到他们可能要派遣一支部队摧毁我
们的马车队。汉考克从右翼撤退，不再掩护从斯波特西尔法尼亚到腓特
烈斯堡的道路，而我们靠这条路运送物资。这条路由黑人师保卫，由费
雷罗将军指挥，他隶属于伯恩赛德军团。费雷罗很快注意到这一点，并
命令警戒队向南边行进，假如敌人到来的话，准备好了与敌人交战；假
如敌人想向腓特烈斯堡撤退，他们也会攻击车队。敌人如期而至，夺走
了 25 辆到 30 辆马车，但很快就被我们重夺了回来。

由于过去几天降临在我们头上的灾难，李的实力可能会大大增强，而且我对这一点是毫无疑问的。当邦联军的首都处于危急之中时，博勒加德率领部队从南方赶来增援。尽管巴特勒被击退，但他的大部分军队都可以向李发起进攻。霍克不再需要留在北卡罗来纳州；尽管西格尔的部队精疲力竭地回到了锡达河，但很多部队可以从河谷抽调出来。

莽原战役和斯波特西尔法尼亚之战让我确信，每一次作战，我们有比以往更多的大炮可以投入使用。大炮在行军途中占据了大部分道路，给运送粮草的车队造成了很大负担。当大炮可以投入战斗的时候，是非常有用的，但当大炮没有用的时候，就会成为累赘的奢侈品。在离开斯波特西尔法尼亚之前，我把一百多门大炮送回到华盛顿防务部门，连同马匹和弹药也送了回去。这大大减缓了道路的拥挤程度，我们可以在路上行驶 200 多辆六匹马拉的车辆，我们仍然有占据优势地位的多门大炮可以使用。事实上，在到达詹姆斯河之前，我又大大削减了随军大炮的数量。

我相信，假如一个军团暴露在前往里士满的路上，并且与主力部队有一段距离，李就会在援军未到之前，尽力攻击暴露的军团。在这种情况下，主力部队必须紧追李，在他没有时间挖壕沟防护之前，攻击他。因此我发布了以下的命令：

> 斯波特西尔法尼亚县城附近，弗吉尼亚州，1864 年 5 月 18 日
> 陆军少将米德，指挥波托马克军团
>
> 在明天天亮之前，我计划把汉考克和伯恩赛德从阵地上撤回来，并把伯恩赛德派到赖特的左翼。然后赖特和伯恩赛德应向前推进，尽最大可能接近敌人，但不与敌人交火，或者不大规模交火，假如敌人冲出工事，就必须挖壕沟作战。汉考克应该前进，占据阵地，必要时支持两个左翼军团。明天晚上，在

12 点或者 1 点时，汉考克应率全部军队向东南边挺进，指挥他手里尽可能多的骑兵，到达腓特烈斯堡铁路沿线，尽量接近里士满，与可能遭遇到的任何敌人全力交战。如果敌人全力迎战，其他三个军团将紧追攻击，不给敌人挖壕沟作战的时间。

U.S. 格兰特中将

20 日，李没有攻出防线的迹象，我再次向左翼军队发布命令，命令他们晚上开始进攻。

第三十九章
北安娜河的激战

　　现在我们要在一个完全不同的地区作战，与我们以前在弗吉尼亚州看的地形完全不一样。道路宽阔，路况良好，良田遍布。除了军人，一个平民也看不见，甚至连黑人也被打发走了。然而，这一地区对我们来说，很陌生，我们没有向导，也没有地图，没人告诉我们路在哪儿，或者通往何处。工程师和参谋们处境危险，他们自己得绘制地图，充当向导。只有通过火力侦察，他们才能确定每个军团附近的道路。我们在所有朝南的道路上行军，因此部队之间不会相距太远。

　　汉考克是先头部队，他先向东行军，到达腓特烈斯堡铁路的吉尼车站，然后向南，到达鲍灵格林和米尔福德。他在21日晚到达米尔福德。在这儿他碰到了皮克特师的特遣小分队，从里士满赶来支援李。他们被迅速打散，几百人被俘。21日早上，沃伦紧随汉考克行军，当天晚上到达吉尼车站，一路没有受到打扰。伯恩赛德和赖特被留在斯波特西尔法尼亚佯攻，如果可能的话，拖住李的部队，而汉考克和赖特则继续向前，插入李与里士满之间。

　　李现在有一个绝好的占据主动权的机会，他或者只向赖特部和伯恩赛德部发起攻击，或者取道特利格拉夫路，进而攻击汉考克部和沃伦部，或者在援军未到之前，只攻击汉考克部。但他没有充分利用任何一个机会。他似乎确实被我的计谋所误导了。他只调动了自己的内线部队，也就是沿着特利格拉夫路的部队，他把这些部队插入首都与波托马克军团之间。

他再也没有得到重击我们的机会。

21日傍晚，伯恩赛德第九军出动了。赖特的第六军紧跟着。伯恩赛德打算走特利格拉夫路，但在波河上发现，斯坦纳德渡口有重兵把守，于是他转向东，取道汉考克部和沃伦部走过的路，没有尝试赶走敌人。21日晚上，我把司令部转移到了吉尼车站，在第六军附近，敌人的骑兵就位于我们与汉考克部之间。他们从主力部队的防线后出来，对伯恩赛德部和赖特部发动了小规模的攻击；但攻击被毫不费力地击退了。攻击的目的可能是确保我们不会留一支部队跟在邦联军部队的尾部。

22日早上，伯恩赛德部和赖特部都在吉尼车站。几天以来，汉考克部一直都在持续行军、作战，在晚上的大部分时间里也没有得到休息。因此，在22日，他们获准休息一天。沃伦部受命赶往位于米尔福德的正

沃伦的全名为古弗尼尔·肯布尔·沃伦（1830—1882），他是美国南北战争期间联邦军的一位将领，图为沃伦将军与同僚的合影，从左到右分别为：古弗尼尔·肯布尔·沃伦、威廉·H. 弗兰克、乔治·G. 米德、亨利·J. 亨特、安德鲁·A. 汉弗莱斯和乔治·赛克斯

西方的哈里斯斯托，途中路况良好，伯恩赛德被派往新贝塞尔教堂。赖特部仍然在后方的吉尼车站。

第二天部队就要行动，于是我签署了以下命令：

> 新贝塞尔，弗吉尼亚州。1865 年 5 月 22 日
> 陆军少将米德，统领波托马克军团。
>
> 各个军团司令们率队做好准备，明天早上 5 点行动。5 点时，每名指挥官要派出骑兵和步兵，在所有的道路上都向南挺进，并要搞清敌人在什么地方。假如第五军和第六军到达南安娜河以南的区域，就立即赶到道路的分岔处，一条岔路直通比弗丹车站，另一条岔路可达杰里科桥，然后沿着到达安娜河的路继续向南前行，假如能在霍金斯溪东侧找到路，尽量沿着河东的路和接近河东的路前行。
>
> 第二军团必须行至切斯特菲尔德滩地。第九军必须同时到达杰里科桥。地图上仅仅显示出了两条道路，四个军团都要走这两条路，但毫无疑问，乡间小道也可以走，也可以从向导那儿打听路，肯定可以找到其他路，四个军团各走一条。
>
> 部队必须跟随他们各自的侦察小分队行动。车队必须同时到达米尔福德车站。
>
> 司令部将跟随第九军。
>
> U.S. 格兰特中将

沃伦部从哈里斯斯托行军至杰里科浅滩，赖特部紧随。沃伦下午到达浅滩，5 点时，在狙击手的掩护下开始渡河，河水已经到了士兵的腰部。许多士兵过河后，有些保护渡口，有些搭建起浮桥，炮兵和其他部队随

后渡河。部队与河流流向几乎呈垂直方向——克劳福德部在左边，紧挨着河流，格里芬部在中间，卡尔特部在右边。李部沿着防线前方挖了壕沟。整个希尔军在沃伦军还没有到达阵地之前，就被派到沃伦的右翼备战。卡尔特师的一个旅被击退，敌人紧追，但援军冲上来，敌人随后就被击退，进入他们的壕沟，死伤惨重，大约500人被我们俘虏。晚上时，赖特部已经做好准备，增援沃伦。

23日，汉考克部到达木桥，木桥横跨北安娜河，腓特烈斯堡铁路在正西边跨过河流。部队到达时，已经接近傍晚。他们发现桥已被占领，

联邦军到达北安娜河上的木桥

敌人在桥的北边挖壕沟防守。汉考克派了两个旅，伊根旅和皮尔斯旅，到桥的右边和左边，部署完毕便同时发起了冲锋。木桥迅速被攻占，敌人匆忙撤退，过桥时很多人被推入河里，一些士兵被淹死。由于时间太晚，汉考克第二天才过河。

伯恩赛德部位于以上描述的两个军团之间，在中路行军。奥克斯浅滩位于特利格拉夫路和杰里科浅滩的中间，伯恩赛德从奥克斯浅滩向北

安娜河的敌人发起了攻击，到达时间太晚，因此当晚不能渡河。

24 日，汉考克部没有遇到抵抗，顺利渡过河，到达河的南岸，几乎面朝西形成一道防线。后方（西方）的铁路都被敌人占领，因此汉考克要尽可能摧毁铁路。赖特部同一天早些时候在杰里科浅滩过河，在沃伦军的右翼布防，防线沿弗吉尼亚中央铁路伸展。这条铁路的相当一段已被摧毁了，枕木被烧，在燃烧的枕木烘烤下，铁轨变得弯曲，缠绕在一起。然而，伯恩赛德发现自己的部队在奥克斯浅滩过不了河，因为李部已经占据一个阵地，阵地的中心位置就在河上，两翼向后退缩，他的防线形成一个锐角，俯瞰着河流。

我尚不清楚李的精确排兵布阵，于是我命令汉考克和沃伦每人派遣一个旅到奥克斯浅滩，沿着河流南岸攻击。他们发觉敌人太强大，正面进攻行不通。在奥克斯浅滩和杰里科之间发现了第三个浅滩。伯恩赛德受命派一个师从这个浅滩渡河，又派一个师支援汉考克。克里腾顿师长从这个新发现的浅滩过了河，整好队伍，沿河与克劳福德的左翼会合。波特通过木桥与汉考克会合。克里腾顿在过河时与希尔部的一些部队激烈交战，损失惨重。但他与沃伦部会合后，就不再受到敌军骚扰。伯恩赛德仍然在河的北岸据守着奥克斯浅滩。

李现在把所有的部队都部署在北安娜河以南。我们的战线位于他的前方，中间与两翼相隔各六英里，两翼仅各由一个师把守。从一翼到另一翼，必须渡过两次河流。李只需短途行军，就可以增援他防线的任何一个部位；也可以集中全部力量攻击他选择的任何一点。实际上，我们暂时以两支军队在包抄。

李的力量一直在增强，军力大增。此刻，我预测他的援军已经到达，或者正在抵达。皮克特率领整整一个师从里士满赶来，霍克已经率领一个旅从北卡罗来纳州抵达，布雷肯里奇已在阵中。总之，人数不少于 15万人。但李并不打算把我们从战场上赶走。

22 日或者 23 日，我接到华盛顿的电报，说谢尔曼领着金斯顿，渡过了埃托瓦河，正在向佐治亚州进军。

某个种植园里有一座漂亮的房子，此刻我正坐在门廊里，等着伯恩赛德部通过。除我与参谋外，米德和他的参谋也和我在一起。女房东、泰勒夫人和一个老太太也在场。伯恩赛德来看望我们，他走路的时候，大马刺和军刀咔嗒作响。他走到门廊跟前，脱帽向两位女士致意，并说他认为她们在一生当中，以前从来都没有看到过这么多"活着的北方佬"。老太太立刻大声回应说："噢，不，我见过，比这还多。""在什么地方见过？"伯恩赛德问道，"在里士满。"当然，大家都明白，她见的是囚犯。

我大声朗读收到的电报，年轻的女士因此流下了眼泪。我发现她所得到的消息是：我们士气低落，李正把我们从这个州赶出去；在西南方，我们部队的状况只比战俘稍强（我认定这通常是传遍南方的消息）。看到我们的部队向南方挺进，这个亲眼目睹的证据，表明她的一部分消息是不正确的。她问我，我从谢尔曼处得到的信息是否属实。我向她保证，毫无疑问，信息是真实的。我留下一名警卫，确保任何人不能擅自闯入房子，直到部队全部通过，并向她保证，如果她的丈夫正躲藏在某处，她可以把他领进房子，她丈夫也能受到保护。但我猜想，她丈夫一定在邦联军中。

25 日，我通过哈勒克向已经接替西格尔的亨特发布命令，命令他靠拢弗吉尼亚谷，跨过蓝岭，到达夏洛茨维尔，假如可能，可到达最远处的林奇堡，驻扎在这一地区，切断所到之处的铁路和运河。完成这些任务以后，可以返回基地，或与我会合。

同一天，消息传来，李军正在向里士满撤退。后来才知道，这个消息是假的。除非李军向我们发动进攻，否则我们只好留在原地，无事可做。于是我决定，撤出我们现在的阵地，再做一次努力，把部队插入李与里士满之间。然而，我现在并不期待此次行动会成功；但我期待把他尽量拖在西边，这样，我就能够到达地势较高的詹姆斯河。谢里丹现在指挥着波托马克军团。

26 日我通知了华盛顿政府两支军队的位置，敌人援军的情况，还有我打算采取的行动；并命令补给基地转移到位于帕芒基河的怀特豪斯。马车队和警卫直接从罗亚尔港向怀特豪斯前进。补给从水路前进，由海军保护。我已经通过哈勒克提前发布了命令，命令巴特勒派史密斯军到怀特豪斯。25 日这条命令被重新发布，命令他们在帕芒基河北岸登陆，然后继续行军，直到他们与波托马克军团会合。

把波托马克军团的右翼从北安娜河南岸的阵地调到敌人的面前，是一个困难的行动。为了完成这次行动，我发布了以下命令：

> 夸尔斯米尔斯，弗吉尼亚州，1864 年 5 月 25 日。
> 少将米德，指挥波托马克军团
>
>
> 命令沃伦将军和赖特将军明天把没有在阵地上的车队和大炮都撤到河流以北，把属于赖特将军的车队和大炮派到汉诺威镇，让他们上路，并奋力向前，但不要引起人们对这次行动的关注。同时，派遣赖特的王牌师护送。假如敌人没有注意到他们已撤退，就把他们在防线中的位置派其他部队填充起来。明天下午派遣骑兵，数量由你来定，如果可能，先监视，随后占领利特尔佩奇桥和泰勒浅滩，然后驻扎在河的一边，并在原地待命，直到步兵和炮兵全部通过。明天晚上天一黑，派遣你先从赖特部撤下来的师，急行军至汉诺威镇，不要携带运输队伍妨碍他们的行军。这个师开始行军时，从河的南岸撤下第五军和第六军的所有人马，要向同一地点前进。第九军的两个师现在并不在汉考克的队伍里，他们可能在沿着河的北岸行军，如果必要，支援汉考克是很方便的，也可以跟随第五军和第六军上路。汉考克指挥部队做好准备，当道路通畅的时候，随时跟进。

明天他没有任何事可做，但当条件允许时，应该让运输队和备用大炮上路，这是他必须采取的行动。当部队到达汉诺威镇时，必须占领附近所有能占领的渡口。明天下午，我认为可以让敌人在左翼看见我们的重骑兵。

U.S. 格兰特中将

威尔逊的骑兵师从左翼被调回来，在我们的右翼行军至利特尔河。把他调动到左翼是为了给李留下一个印象：我们会攻击李的左翼。

在夜幕的掩护下，我们的右翼撤到了河的北岸，李完全被威尔逊的佯攻欺骗了。26日下午，谢里丹出动了，他把格雷格和托伯特的骑兵派遣到泰勒浅滩和利特尔佩奇浅滩，并向汉诺威进军。天一黑，两个师都

汉诺威之一隅——中央广场，摄于美国南北战争期间

快速奔向汉诺威渡口，把小部分卫兵留在后面，造成早上试图渡河的印象。谢里丹紧跟着拉塞尔将军率领的步兵师。27日早上，渡河开始，我们损失很小，还抓了30或40人的俘虏。此外，我们还在帕芒基河南岸占领了一处阵地。

拉塞尔在渡口停了下来，而骑兵则继续向汉诺威镇挺进。在这儿遭遇了叛军巴林杰骑兵旅，也就是以前的戈登骑兵旅，但我们迅速击退了敌人。

沃伦部和赖特部被调到了伯恩赛德部和汉考克部后面。当前军不挡道时，后军跟了上来，只留警戒队与敌人周旋。威尔逊的骑兵被留到了最后面，承担各个浅滩的警戒任务，直到所有人都过了河；然后拆掉浮桥，毁掉其他桥梁，成了真正的后卫。

在这次行动中，部队走了两条路。赖特部占据着北安娜河和帕芒基河以北地区，走的是最近的一条路，汉考克部紧随。沃伦部紧跟着伯恩赛德部，走的是一条更北边的路，也更长一点。运输队走的是最北边的一条路，而且走的距离也最长。27日早上，所有的部队渡过了帕芒基河以后，剩下的一整天部队都在休整，而河流北边的部队继续向我军已经占领的渡口前进。

很明显，李被我们在北安娜河的调动迷惑了。在27日早上，他给里士满发了以下的电报："敌人渡河到了北岸，骑兵和步兵在汉诺威镇渡河。"那时渡过河的部队在25日晚上离开了作战前线。

在我们现在所处的地区，部队行军很困难。这一地区有无数的河流，河深，水流动缓慢，河流有时伸展出去，变成沼泽，里边长着无法穿越的树木和灌木丛。河岸通常低矮、湿软，除非有路或者有桥，过河很困难。

汉诺威镇离里士满大约20英里，有两条路可以通往里士满。最直接，最近的一条，要过奇克哈默尼河上梅多布里奇，这座桥位于弗吉尼亚中央铁路附近。第二条路要穿过新、老科尔德港。离汉诺威镇几英里，有第三条路，取道梅卡尼克斯维尔到里士满。新科尔德港对我们很重要，因为从新科尔德港出发，我们既可以返回到怀特豪斯的路（我们的补给来自怀特豪斯），也可以向东南方前进，到达里士满防御下的詹姆斯河。

28 日早上，部队很早就出发，到中午时，除了伯恩赛德部，所有部队都过了河。伯恩赛德部被暂时留在河的北岸，保护大批的马车队。一道防线立即沿着河岸形成，向南延伸，赖特部在右边，汉考克部在中间，沃伦部在左边，做好了准备，迎接进攻之敌。

与此同时，谢里丹受命火力侦察梅卡尼克斯维尔，试图发现李部的阵地。霍斯肖堡就在中路直达里士满之路的岔路口，谢里丹在此处遭遇了邦联军的骑兵，他们已下马，部分人守在战壕里。格雷格率领全师攻击，

格雷格的全名为戴维·麦克默特里·格雷格（1833—1916），他是美国南北战争期间联邦军的一位将领，图为格雷格将军与参谋人员的合影，右边坐于凳子上的为格雷格将军，摄于南北战争期间

但不能击退敌人。傍晚时分，卡斯特率领一个旅到来。攻击又重新开始，敌人骑兵下马，作为步兵冲锋。这次攻击成功了，双方都有很多士兵死亡。但当我方军队埋葬死者时，发现邦联军士兵比联邦士兵死亡人数多。由于我们的步兵就在附近，我们轻轻松松就占领了阵地。

29 日又进行了一次火力侦察，结果发现了李的阵地。赖特部向汉诺威县城挺进。汉考克部向托托帕托莫威溪推进；沃伦部向左翼推进，取道谢迪格罗夫教堂路，而伯恩赛德充当预备队。我们的左翼向前推进了三英里，仅与敌人小规模交火。敌军在我们左翼调动频繁，谢里丹奉命前往迎战。

30 日，汉考克到达托托帕托莫威溪，他发现敌人的防御工事非常坚固。赖特部前往汉考克部的右翼，伯恩赛德部向前推进，过了河，在汉考克部的左翼扎营。沃伦部在谢迪格罗夫教堂路，接近亨特利拐角。中路发生了一些小冲突。晚上时厄尔利猛烈攻击沃伦部，起初击退了沃伦，并威胁到我们左翼。汉考克部奉命攻击敌人的正面部队，这是支援左翼的最佳方法。敌人在散兵壕里坚持抵抗。当汉考克攻击时，沃伦组织好了部队，把厄尔利击退了 1 英里多的距离。

在这一天，我写信给哈勒克，命令把所有在华盛顿的架桥船都送到锡蒂波因特。

傍晚时得到消息，史密斯部到达怀特豪斯。我书面通知米德如下：

> 弗吉尼尔州霍斯店附近，下午 6：40，1864 年 5 月 30 日。
> 陆军少将米德，指挥波托马克军团
> 史密斯将军的军队今晚将在怀特豪斯上岸，可能在早上 3 点，向帕芒基河南岸进发。敌人可能会发现史密斯的行动，他们运动到我们的左翼，可能想切断他的行军路线，或者趁我们还没有注意，一鼓作气打垮他，再回到原来的阵地。通知谢里丹，密切注意敌人在科尔德港方向的动向，同时也要注意敌人在梅卡尼克斯维尔公路的动向。赖特部应该在汉考克军的右翼集结待命，当汉考克要向托托帕托莫威溪进军时，莱特可以随时顶替汉考克采取必要行动。
> 谢里丹如果派遣不了一个旅的骑兵，至少也要派半个旅的

骑兵，在凌晨5点联系史密斯并与他一起返回。我会让你派到
谢里丹处的通信兵，把谢里丹和我的命令，带给史密斯。

U.S. 格兰特中将

为了保护史密斯，我也提醒他注意所面临的危险，并提到了他要采
取的预防措施。

30日晚上，李部的阵地大体上从弗吉尼亚中央铁路的阿特利站延伸
到了科尔德港的东方和南方附近。我方阵地的位置如下：沃伦军的左翼
在谢迪格罗夫路，他的阵地一直延伸到了梅卡尼克斯维尔公路，离托托
帕托莫威溪南岸大约3英里。伯恩赛德在沃伦的右翼，汉考克在伯恩赛
德的右翼，最右边是赖特，整个阵地一直延伸到汉诺威县城东南6英里
的地方。我们的左翼前线面朝科尔德港，谢里丹率领两个骑兵师，监控
着这一线敌人的动向。威尔逊率领骑兵师在我们的右翼，奉命前往弗吉
尼亚中央铁路，并尽最大力量摧毁这条铁路。第二天，与扬的骑兵旅交火，
并占领汉诺威县县城。敌人袭击了谢里丹的警戒队，但援军到达，敌人
的袭击很快被击退，随后敌人保持一定距离，跟随至科尔德港。

第四十章

科尔德港之战

31日，谢里丹挺进到老科尔德港附近。他发现敌人的骑兵和步兵占领了这一地区，并挖了壕沟防守。接着，一场艰苦的战斗打响，但敌人仍然固守阵地。敌人非常清楚科尔德港对我们的重要性，似乎下定决心死守。大批敌人返回阵地，在如此不利的情况下，谢里丹打算撤军，不再努力夺取敌军阵地，但就在他开始撤退的时候，他收到一条命令，要求他不惜一切代价守住阵地，直到援军到达。他立即回到叛军的工事前，并把他的士兵部署在阵地上，准备迎击叛军。夜幕降临，敌人准备发动进攻。

赖特部在傍晚时，奉命从我军的后方，直接朝科尔德港进军，并期待着天亮之前到达，但天黑路远，到6月1日9点，部队才到达目的地。赖特到达之前，敌人已经向谢里丹发动了两次进攻，两次进攻都被击退，敌人损失惨重。赖特军到达后，敌人不再向科尔德港发动进攻。

史密斯正从怀特豪斯赶来，也奉命直接向科尔德港进军，预计6月1日凌晨到达，但出了一些差错，史密斯接到的命令是让他去纽卡斯尔，而不是去科尔德港。由于这个过错，史密斯直到下午3点才赶到目的地，他长途奔波，士兵们筋疲力尽。尽管他从巴特勒部队得到12,500人，但他的一个师被暂时留在了怀特豪斯，中途有很多士兵也掉队了。

31日天黑以后，在赖特军还没有从我们的右翼撤退之前，邦联军和联邦军的防线在某一点距离非常近，双方都能直接察觉到对方的动向。白天到来，李发现赖特部离开了前线，他预测赖特去了我们的左翼。不管怎样，6月1日天刚亮，琼·安德森率领着李的左翼军团，沿着沃伦的前线阵地移动。沃伦奉命从侧翼向敌人猛攻，而赖特部也奉命到达前线。沃伦打算炮击敌人，但他准备炮击的时间太长，等他准备停当，敌人已经过去了，3点钟他报告说，敌人已经在前线筑起了坚固的堑壕，此外，他的战线太长，没有办法集结大批军队向敌人进攻。他似乎已经忘记，一支部队的后方会保持不动，而部队的前方要奋勇杀敌。赖特在前线附近进行了火力侦察。敌人发现老科尔德港已被我军占领，于是停止前进，在西边远远地筑工事固守。

下午6点钟，赖特部和史密斯部做好了进攻准备。在两人的前方，都有几百码的空地，与树林相连。两人都冲过空地，冲向树林，占领并守住了敌人的第一道散兵坑，同时也俘虏了七八百名敌兵。

战斗在这边进行的同时，敌人向沃伦部发起了三次猛烈的冲锋，但

科尔德港之战，联邦军与邦联军在激烈交火，库尔茨＆艾利森出版公司印刷，现藏于美国国会图书馆

每次都无功而返，一些士兵丢掉了性命。当敌人向我方发起冲锋时，没有比沃伦更能干的军官，也没有人比沃伦行动反应更快。同时，汉考克部和伯恩赛德部也遭到了敌人的进攻，但攻势很弱，可能仅仅为了缓解赖特部和史密斯部施加给安德森的压力。

晚上敌人冲锋了好多次，目的是夺回我们已经占领的重要阵地，但他们的目标没有达到。

晚上，汉考克军从他的防线被调到赖特的右翼。我打算在2日早上进攻，但夜太黑，天太热，尘土太大，路况复杂，行军很困难，6点时先头部队仅仅到达老科尔德港，早上7：30才到达阵地。本来准备在下午发起攻击，但实际上第二天早上才进攻。沃伦部被调到右翼，与史密斯联手作战。汉考克部进入赖特部的右翼阵地，伯恩赛德部作为预备部队被调到贝塞斯达教堂。当沃伦部和伯恩赛德部在频繁调动时，敌人向他们发动了几次进攻，并抓了几百名俘虏。敌人的进攻被打退，但我军没有乘势进攻。没有做到应该做的事情，我很生气，于是命令米德告诉他的军团指挥官：当机会出现时，应该抓住所有的机会，而不应该等待命令，我们调兵遣将的目的，就是在敌人的部队没有掩护时，而一举击溃他们。

当天，威尔逊部毁掉了大部分弗吉尼亚中央铁路后，从前线归来。然而，正像我们自己一样，叛军们已经成了修理铁路的专家。谢尔曼在他的自传中，讲述了一则亚特兰大之战的逸事，证明了我所说的话。叛军的骑兵潜伏在他后面，烧毁桥梁，阻塞交通。他们刚烧掉一座桥梁，但几小时后，就听见火车拉着汽笛飞驰而过。他们非常气愤，他们想炸毁一些隧道。其中一个说："没有用的，伙计们，老谢尔曼随身带着备用隧道，他安装隧道的速度跟你炸毁隧道的速度一样快，最好还是省点炸药吧。"

谢里丹火力侦察了奇克哈默尼河岸，想搞清楚渡口和路况。他报告说，状况良好。

晚上，李把他的左翼调上来，想让防线能够应付我们的部署。他的防线现在从托托帕托莫威溪一直延伸到新科尔德港。我的防线从老科尔德港旁的贝塞斯达教堂延伸到奇克哈默尼河，一个骑兵师把守着我们的右翼。3 日的进攻，主要由汉考克部、赖特部和史密斯部承担。通过威胁李的左翼，沃伦部和伯恩赛德部间接策应着进攻，如果敌人想从左翼抽调兵马，增援其他要害地区，那么，沃伦和伯恩赛德应全力进攻。或者有其他的好机会，也应该全力进攻。

各军军长在他们各自的前线选点进攻。行动将在凌晨 4：30 开始。汉考克在指定的时间派遣巴洛部和吉本部进攻，伯尼作为预备部队。巴洛全力向前推进，双方处于激烈的炮战和步枪对射之中，枪弹穿越密灌木丛树和沼泽地。尽管遭到敌人的抵抗，还要跨越一些天然的障碍，他还是夺得了敌人的一块阵地，这个阵地在敌人主防线的外围，道路在此

战斗中联邦军临时用树木构筑的防护胸墙，摄于 1864 年

断裂，出现了一个深沟，沟岸正好为部队提供了一个掩体，好像就是为了这个目的而设。他在这儿夺得三门大炮，俘虏了几百名敌兵。他们立即掉转大炮口，对准了刚才还一直在使用大炮的人。没有人会来援助他，他（巴洛）在炮火下挖了壕沟，继续固守阵地。吉本部在前线的运气并不好。他发现前方的地面被深深的河谷隔开，还有一片沼泽，很难冲过去。但

他的士兵英勇战斗，一些人冲到敌人战壕的胸墙跟前。吉本部向前推进了一段距离，在离敌人更近的地方夺得新阵地，然后他挖了壕沟，并固守。

赖特部分两路前进，攻占了他们前线的外围散兵坑，但没有其他更多的战果。史密斯部也夺得了前沿散兵坑。第 18 路军要冲锋的区域，在所有的冲锋区域中，是最易受攻击的。在交战双方之间，此处是一段开阔的平地，暴露给直接射击和交叉射击。然而，史密斯发现了一条沟壑，通向前方，沟壑足够深，里边的士兵能免受交叉射击，也能阻挡一点直接射击，他派遣马丁代尔师进入沟壑，布鲁克斯部在左翼掩护，德文斯部在右翼掩护，从而成功地占领了外围——可能是警戒队的——散兵坑。沃伦部和伯恩赛德部也夺取了阵地——整个部队都处于一条战线上。

这次进攻的成本高昂，可能所得利益无法补偿成本：本来我们的进攻足以引发敌人的反攻，但这次并没有引发敌人的作战欲望。事实上，莽原战役之后，李部再也不愿意远离自己的工事作战。

早上 7：30 之后，战斗实际上已经结束了。11 点以后，我开始访问所有的军长，亲眼察看已经获得的阵地，并征询他们的意见，考察在他们各自的前线采取更多行动的可行性。

汉考克给出了这样的意见：在他的前线，敌人太强大，再进攻并不能保证胜利。赖特认为他能够攻克敌人的防线，但需要汉考克部和史密斯部的支援。史密斯认为占领据点是可能的，但不是很乐观。伯恩赛德认为他的前线还能有所进展，但沃伦与他的意见相左。因此，我决定，不再发动进攻，12 点

战斗之后拍摄的邦联军的阵地，摄于 1864 年

稍后，在以下这封信中，我命令停止所有的进攻。

> 科尔德港，1864年6月3日，下午12:30。
> 米德少将，指挥波托马克军团

一旦命令进攻，各军团司令们对胜利并不乐观，根据他们的意见，你可以暂时中止推进。守住我们最前沿的阵地，并加强防守。在防守的时候，如果可行，我们的防线可以在右翼收缩一点。

每个军团应该在正前方进行火力侦察，并通过常规方法向前推进，占领有利位置。为了协助亨特将军的远征，我们有必要缠住李现在所有的部队，直到前者顺利达到林奇堡。为了有效地做到这一点，最好是让敌人从里士满的壕沟防御阵地里出来，而不是让他们进入壕沟阵地。

敌人一旦冲破史密斯将军的防线，赖特部和汉考克部应该做好进攻准备，所有人都要尽力防御。

> U.S. 格兰特中将

这一天剩下的时间都花在了加固我们防线上。到晚上时，我们的防线和李的防线一样坚固。

晚上，敌人放弃了我们的右翼前沿，遗弃了他们的一些伤员，连死亡的士兵也没有掩埋。这些我们都会照顾的。但在交战部队的防线之间，有很多士兵死亡或者受伤，现在两军距离很近，在没有结束敌对状态之前，他们的伤兵我们是照顾不了的。

因此我写下了以下的信：

弗吉尼亚州，科尔德港，1864 年 6 月 5 日。

R.E. 李将军，指挥邦联军

我得到报告，有一些伤兵，可能双方军队都有，现在躺在两军的防线之间，无人照看，痛苦不堪。出于人的本性，我们必须达成一些协议，使这些人免受苦难。因此，我建议，自协议生效之日起，当双方不交战时，授权双方派非武装人员到警戒队之间，或者在冲突线之间，携带担架抬回死伤的士兵，此时双方不再相互射击。为了实现这一目的，你可以提出任何其他的方法，只要对双方同样公正，我都会接受的。

U.S. 格兰特中将

李回答说，他怕这样的安排会导致误解，并建议，当任何一方希望转移他们的死伤士兵的时候，应该举起停火的旗帜。我立即这样回复了这封信：

弗吉尼亚州，科尔德港，1864 年 6 月 6 日

R. E. 李将军，统领北弗吉尼亚军团司令

我收到你昨天发的信息了。我会立即派人，像你建议的那样，在两支军队的防线之间搜集死伤士兵，我也会命令我的部队允许你做同样的事情。我建议做这件事的时间介于今天中午 12 点到下午 3 点之间。我会命令所有部门带上白旗出行，不要跨越救死扶伤的区域，不要闯入或者超出你方军队所占据的地域。

U.S. 格兰特中将

李回复说，他不能同意我提出的埋葬死者和转移伤员的方式，但当任何一方想得到对方的许可时，应该以停战的旗帜提出请求，此外，我以前在信中提到过一些救援队伍，他说，他已经命令阻挡所有这些队伍。我回复道：

> 弗吉尼亚州，科尔德港，1864年6月6日
> R. E. 李将军，指挥北弗吉尼亚军团
>
> 了解到两军之间的伤员，由于没有得到救护，现在正在受苦，这一情况促使我再次请求中断敌对状态，留出足够的时间，比如说两个小时，用来救治伤亡士兵。请允许我这么说，我会同意你们为此事而规定的时间，同样的特权也会适用于你们希望派出的履行同样职责的队伍，只要没有其他意图即可。
>
> U.S. 格兰特中将

李同意了这份协议，但回信太迟了，直到7月7日才把消息带过来——从开始通信到收到最后消息，48个小时已经过去了——双方才开始搜寻留在战场上的士兵。在此期间，除了两名受伤的士兵外，其他人全都死了。我随后给李写了下面的信：

> 科尔德港，弗吉尼亚州，1864年6月7日。早上10：30
> R. E. 李将军，统领北弗吉尼亚军团
>
> 预先给定的清理死伤士兵的时间期限终止以后，你昨天下午7点的便条才抵达了最近的军团司令部和其他应该被送到的地方，我对此表示遗憾；晚上10：45，便条抵达军团司令部；

在 11 点到 12 点之间，便条抵达我的总部。结果，我们部队的士兵们没有看懂便条，不知道结束敌对状态的目的是救助死伤士兵，所以一名士兵也没有找到。北卡罗来纳州的第 8 和第 25 团的两名军官和 6 名士兵，他们出来搜寻各自部队的军官的尸体，被俘后被带到了我军的防御阵地，这是由于缺乏沟通造成的。对此我深表遗憾，当我了解到事实后，我命令不应该把这些人当作囚犯，而应当送回到他们的司令部。这些军官和士兵被随意带到了我们阵地的后面，他们也不知道自己是否会被按原路送回，或者会从其他路线送回。

很遗憾，为了减轻留在战场上伤员的痛苦，我付出的努力成了无用功，我仍然……

U.S. 格兰特中将

我经常会为科尔德港的最后一次攻击感到遗憾。对 1863 年 5 月 22 日的维克斯堡战役，我也会说同样的话。在科尔德港，我们没有得到任何好处，足以补偿我们遭受的重大损失。确实，邦联军有一些损失，但相比之下，得到的好处却更多。在这次战役之前，北弗吉尼亚军团似乎已经拥有了强点：勇气、忍耐力、军人素质，但这些也都是波托马克军团所拥有的。邦联军不再想把自己投入"一个邦联士兵对五个北方佬"的战斗。的确，他们已经放弃了在开阔地取得任何优势的想法。他们开始喜欢在前线构筑矮防护墙对抗波托马克军团。这种变化似乎暂时唤醒了他们的希望，打击了波托马克军团的士气。但这种变化持续的时间很短，当我们到达詹姆斯河的时候，科尔德港之战的所有影响似乎已经消失了。

进攻维克斯堡有更多的理由。我们在南方的气候中作战，天气开始热了。在前三周中，田纳西军团与维克斯堡驻军对抗，已经连胜五场。在攻击了他们位于格兰德湾的要塞侧翼以后，田纳西军团已经把敌军的一部分赶出了吉布森堡，敌军损失惨重。雷蒙德位于 50 英里外的本州腹地，他们攻击了在雷蒙德的这支部队的另一部分，把敌人赶入了杰克逊，除了轻重武器的损失之外，敌人大量被杀、受伤、被俘和失踪。他们攻陷了密西西比州的首府，获得了大量的战争物资和工业品。仅仅在几天前，他们击溃了首先被困在钱皮恩希尔的一个镇子里的敌军，然后又在大布莱克河桥大败敌军，除了缴获大量的武器弹药之外，歼灭敌军 15,000 多人（包括这些被切断退路的人）。田纳西军团开始认为他们在任何情况下都能击败对手。我们很难知道常规的包围会持续多长时间。如我已经说过的那样，南方气候已经开始炎热。每天工作生活在战壕里，喝着经过大量植物过滤的地表水，暴露在热带的太阳之下，很难预先知道联邦军的伤亡情况如何，假如能在 5 月攻陷维克斯堡，这不仅能使部队不再冒生命之险，避开敌人的枪林弹雨，而且还能让我们抽出一些卓越的部队，他们装备精良，军官训练有素，可以在其他地方作战。这些理由都证明攻击维克斯堡是正确的。我们得到的唯一好处，就是从此以后，士兵们在堑壕里愉快地生活着，满足于把敌人挡在外面。与巨大的牺牲相比，这种好处真是微不足道——假如没有进攻维克斯堡，毫无疑问，我认为大多数围攻维克斯堡的人会相信，如果进攻，肯定会成功，我们会拥有生命、健康和舒适。

第四十一章
跨过奇克哈默尼河和詹姆斯河

　　李部的阵地离里士满非常近，科豪莫尼河中间是面积很大的沼泽，在敌人对面行军的部队面临着巨大的障碍，我决定，下次左翼行军，一定让波托马克军团行至詹姆斯河以南。准备工作立即开始。这一行动很危险：必须穿过道路湿软、树木密布的奇克哈默尼河；李部东边的河道上的所有桥梁都被毁坏了；在我们渡河时，敌人阻击我们的道路更短，路况更好；我与巴特勒之间有50多英里的路，我必须走完这些路才能与他会合，途中要渡过没有桥梁的詹姆斯河与奇克哈默尼河；在最宽阔的地方，波托马克军团必须冲出阵地，离敌人仅几百码。假如敌人决定不追赶我，就可以迅速攻击巴特勒，并在援军没能到达之前击溃巴特勒，因为他们的行军距离更短，而且在詹姆斯河与奇克哈默尼河上都有桥梁。李也可以抽调足够多的部队攻击此时正逼近达林奇堡的亨特，亨特部驻扎在行军途中，除了他随身携带的弹药，没有足够的弹药补给。

　　我必须采取行动，我把赌注押在李没有像我一样，看到我所面临的危险。此外，我们在詹姆斯河两岸都有部队，而且离邦联军首都不远。我知道，假如首都的安全不是军事指挥官要考虑的第一要务，也是所谓的邦联军政府执法、立法和司法部门所要考虑的第一要务。但我采取了一切预防措施，谨防所有危险的发生。

　　谢里丹奉命率领两个师，与亨特协商，7月7日，一起炸毁弗吉尼亚中央铁路和詹姆斯运河，他把命令带给亨特，然后与亨特一起返回。亨特通过华盛顿的渠道得到了消息，同时谢里丹前往河谷时，也通知了他。运河和中央铁路，以及这些路线穿越的地区，对敌人非常重要，承载着北弗吉尼亚军团和里士满市民的大部分运输量。谢里丹7日出发前，亨特报告了一个消息，说他行进到了斯汤顿，5日在斯汤顿附近成功击败敌人，杀死了邦联军指挥官 W. S. 琼斯。6月4日，敌人撤走了左翼军团，我们右翼的伯恩赛德部行进到了沃伦部和史密斯部之间。5日伯尼回到汉考克部，现在汉考克部把他的左翼延伸到了奇克哈默尼河，沃伦部撤退到了科尔德港。赖特奉命派遣两个师到左翼，沿着河岸一直延伸到博特姆桥。骑兵向东延伸得更远，到了琼斯桥。

阿伯克龙比全名为约翰·约瑟夫·阿伯克龙比（1798—1877），他是美国南北战争中联邦军的一位将领，图为阿伯克龙比，摄于 1865 年

7日，阿伯克龙比——他在怀特豪斯担任指挥官，不管我们的供应基地如何变化，他一直就负责着我们的供应基地——他奉命从约克河铁路出发，携带武器，并把这些武器装船，做好准备从水路运往锡蒂波因特。

8日米德接到命令，沿着河岸构筑一道防御工事，俯瞰奇克哈默尼河，在这道工事的掩护下，部队便可过河。

9日，阿伯克龙比奉命派遣所有整编好的部队前往怀特豪斯，到达后不下车船，并向巴特勒报告。哈勒克此刻奉命全力增援锡蒂波因特。

在 11 日我发布了以下命令：

科尔德港，弗吉尼亚州，1864 年 6 月 11 日。

少将 B.F. 巴特勒，指挥弗吉尼亚州各单位和护理队

明天晚上天黑以后，把这支部队转移到詹姆斯河南岸。在行军间隙，敌人可能会出动大部队向你发动进攻，为了保证你的阵地稳固，有很必要特地派遣科姆斯托克上校，我的参谋，协助你。假如不能在百慕大翰卓德到达河的这一边，科姆斯托克上校能确定我们应该到达这条河的哪一点，才能渡河。科姆斯托克上校仍然没有回来，因此，我不能下达我期待的确切命令，但从此刻到星期天晚上，因时间太仓促，我不能把消息带给你，因为我必须尽力做好我的工作。登特上校去奇克哈默尼河时，会给你带去第 18 兵团。军团会尽量在明天傍晚早点离开其堑壕阵地，第二天早上 10 点，强行军至科尔码头或渡口。这个军团现在有 15,300 人。他们既不带马车也不带大炮；这些部队随主力部队行军至詹姆斯河。剩余的部队会在朗布里奇和琼斯码头渡过奇克哈默尼河，在锡蒂波因特最可行的渡口向守河敌军发起攻击。

几天前我已经下令，进攻部队的所有援军都派遣到你处。派往你处的具体数字我尚不知道，但我认为你会得到 6,000 到 10,000 人。敌人会从里士满扑过来，史密斯将军会与敌人同期到达你处。除非李的军队全力阻击，主力部队推后日期不会超过一天时间，到时你将会足够强大。

我希望你能配置得力的参谋人员、总工程师和总军需官，立即开始搜集所有能用的工具，在他们到达时渡河。假如在锡蒂波因特下游，有一处可以搭建浮桥，立即开始搭建。

预计星期天晚上 18 军就能到达，如果你认为你的力量强大的话，你就可以夺取并占据彼得斯堡，你现在就准备，部队到达时，你必须守住你目前的防线。我不想参观彼得斯堡，除非

你占据了它，我也不想占据它，除非你感到你有十足的把握能成功占据它。如果你向那儿进军，我建议部队随身不带任何多余的东西，以他们能够携带的东西为限，这取决于被占领区所能提供的补给。假如登特上校不能得到足够的交通工具，把18军运往你处，请你提供相应的差额。

U.S. 格兰特中将

又经过考虑，我会经由怀特豪斯把18军送往你处。他们行军的距离将会非常短，使他们能够同时到达你处，避免渡奇克哈默尼河时的不确定性。

U.S. 格兰特

科尔德港，弗吉尼亚州，1864年6月11日
米德少将，指挥波托马克军团

科姆斯托克上校视察了詹姆斯河，目的是确保在百慕大翰卓德南面找到最好的攻击点，他现在还没有返回。然而，现在时间已经太晚，不能再等了，要为明天晚上的行动做好一切准备。

到目前为止，行动将会按大家的一致意见展开，换句话说，第18军的步兵将单独迅速前进，他们的马车和大炮将随主力部队到达科尔码头或渡口，从那儿出发前往锡蒂波因特，直到他们抵达后点，才能休息。

第5军将夺取朗布里奇，然后沿着朗布里奇路行至魁克路，或者行至最终被敌人阻止。

其他三个军将按你的指令行事，其中一个军在朗布里奇渡

河，另外两个军在琼斯桥渡河。渡河任务完成以后，将取道最通畅的道路，到达波瓦坦堡附近。当然，行动的前提是敌人没有阻击我们。第5军夺取主力部队的通道后，会与主力会合或者跟在主力军后面，与主力一起通过同一座桥。马车队应该在队伍的最东边行军，如果能够发现渡口，或者在琼斯河下游建好渡口，马车队就应该从此渡口过河。

U.S. 格兰特中将

又考虑到需要长征才能抵达科尔码头，而且运输大批人马到达科尔码头具有不确定性，可能会改变第18军团的前进方向，改向怀特豪斯前进。他们应该优先搭乘交通工具，上车船后应该立即出发，不要等候整个军团，甚至不要整师一块走。

U.S. 格兰特

此刻，通过里士满11日的报纸我们得到消息，克鲁克部和埃夫里尔部已经合兵一处，正在向东前进。这个消息，连同亨特在斯汤顿附近的漂亮一仗，毫无疑问，李比我知道得更早。那时，谢里丹率领的两个骑兵师，对李的交通线和补给，看起来相当有威胁。他的大部分骑兵都奉命追击谢里丹，厄尔利部和整个尤厄尔部都被派到了河谷。里士满的供应开始变得紧张，而获取资源的途径却在我们手里。城外的人拥入里士满，吃光了城里仅剩的一点储备粮。恐怖笼罩着城市。

12日晚上，史密斯奉命向怀特豪斯进军，他一路没有休息，赶到了那儿后，立即准备了船只向锡蒂波因特前进，留下马车和大炮由陆路前进。

天刚黑，朗布里奇的一些骑兵发起渡河行动，他们在河水和泥泞中挣扎着前进，把马留在了后面，他们击退了敌人的骑兵警戒队，快速搭建起了一座浮桥，余留部队从浮桥上通过，并向前推进了一两英里，观察并阻击敌方可能发起的进攻。沃伦部跟着骑兵，到13日早上，整个军团渡过了河流。汉考克部跟在沃伦部后面。伯恩赛德部取道琼斯桥，后面跟着赖特部。费雷罗师，携带马车队，在更东边前进，取道温都谢兹和科尔渡口，我们的后队由骑兵掩护。

大家都知道，在里士满，敌人有些炮艇。这些炮艇可能晚上会沿着河跑，假如没有被我们的海军击沉和俘获，可能会给我们造成巨大的伤害。巴特勒将军已经在一些船上装上了石头，在紧急情况下，可以沉船来堵塞炮艇的航道。13日我发布命令，我们必须尽可能在河流的上游地段击沉这些炮艇，阻止敌人把炮艇在河里撤走。

沃伦部刚渡过奇克哈默尼河，就立即前进，与骑兵会合，部队通过时，留人扼守通往里士满的道路。敌人没有企图阻止我们的前进，但沃伦和威尔逊报告说，敌人在他们的前沿，构筑了坚固的工事。到13日傍晚的时候，汉考克部到了詹姆斯河上的查尔斯县城。伯恩赛德部和赖特部沿着奇克哈默尼河行进，晚上过了河，沃伦部和骑兵仍然掩护着部队。搭建浮桥的材料已经备好，在指挥着工程旅的贝纳姆准将的督导下，搭建工作立即开始。14日傍晚，渡河开始，汉考克部使用桥梁和船舶首先渡河。

当莽原战役开始的时候，波托马克军团共计116,000人，其中包括伯恩赛德军团——这个军团以前是个独立部队，直到5月24日，这支部队才归入了主力部队。在战役进行过程中，得到了大约40,000人的援军。6月14至15日，在横渡詹姆斯河时，部队总人数为115,000人。经过了大约六周的持续战斗和小冲突，除了伴随这些战斗的一般损失外，大约一半炮兵被派回华盛顿，有些人服役到期而退伍。在评估我们的力量时，每一个服役的士兵，每一个现役的军官都计算在内，不管他们在部队任何职，还是缠着绷带，在医院养伤，还是医院的医务人员，连队厨师等。在敌占区作战，必须长距离从基地补给，所以大量的特遣队从前线一直被派回去，不仅为了保护补给基地和通往补给基地的道路，而且要保护所有通往我们侧翼和后方的道路。我们在不熟悉的地区作战，没有合格的向导给我们精确地指明道路，也没有地图。

敌我双方数字评估的方式也有巨大的差异。在邦联军里，仅仅把持带刺刀枪的人算在内，我相信，他们从来都没有把使用大炮的人和使用步枪或者卡宾枪的人算在内。总之，后者在任何一场战役中，统计时都会把这些人统统排斥在外。军官和士兵的细节不会包括在内。在北方军队中，评估更加自由，包括所有与军队有联系的人和在军队领薪水的人。

用我们的方法进行评估，李的军队一开始不少于 80,000 人。在战役期间，减去退伍士兵和遣返士兵，他的后援人数与我们相当。他是防守

罗伯特·爱德华·李和他的战马

的一方，在这一地区，他与自己的军队熟悉每一条河流，每一条路，每一个行军障碍，每一个天然的防御物。平民对他和他的事业都很友好，能够也实际上给他提供了我军的每次行动的精确报告。后卫对他来说，

没有必要，身后总有铁路，不需要大批马车队。在数量上，所有的情况对我们都不利。

在所有的这些对抗中，李将军都领导着北弗吉尼亚军团，在邦联军和各州中，大家对他的评价都很高，在北方各州的人民和媒体评估中，他也享有很高的地位。他每次参战后，在整个北方，都会听到表扬他的声音：他的军队数量经常被低估，而北方军队的人数被夸大。他是一个身材高大，表情严肃的人，我认为他的下属很难接近他。每次交战后，他会受到南方媒体的高度赞扬，刻意让他树立起对自己军队的十足的自信，并使对手胆寒，北方的部分媒体也会以同样的热情赞扬他。我的参谋们从东边的军官口里听到这句话，"噢，格兰特永远也对付不了博比·李。"这样的事并非不常见。有些心地实在的军官现在相信，坦诚地说，北弗吉尼亚军团比波托马克军团好。我认为不是这样，只是上面提到的优势使他们强于我们。在战役结束之前，我相信两军的差别是相反的。看到战役结果后，北弗吉尼亚军团很不高兴、很沮丧。联邦军队看到了同样的事情，但深受鼓舞。

6月14日，波托马克军团抵达詹姆斯河。搭建浮桥和渡河的准备工作立即开始了。如前所述，我先前已经命令巴特勒将军装了两船石头，并逆流而上，到达由我们的炮艇控制的地点，这儿河道狭窄，把船沉在那儿，就能挡住通道，阻止邦联军的炮艇顺流而下。巴特勒已经在船上装满了石头，并开到指定位置，但在我到达之前，还没有把船沉下去。我命令他们沉船，同时也命令他，除了在河里用于摆渡部队过河的船外，把其他不用的所有船舶和材料，都揭翻在河里。

然后，我在14日乘坐一艘汽艇，逆流到百慕大翰卓德，来见巴特勒将军，目的是指挥进攻彼得斯堡的行动，而我们的波托马克军团正在渡河。

我已经把W. F. 史密斯将军从科尔德港调了回去，他取道怀特豪斯，然后乘坐汽艇到达锡蒂波因特，目的是给巴特勒将军输送更多的援军，让他取得像样的战果。巴特勒将军奉命指挥史密斯，并增援他的部队，只要方便，他还可以从詹姆斯河的其他部分抽调部队。他给了史密斯大约6,000人的援军，其中包括2,500名骑兵，由考茨率领，还有3,500名黑人步兵，由欣克斯领导。

史密斯部必须行军大约6英里，才能到达敌人防线，而邦联军前线防御工事离彼得斯堡只有2英里。史密斯打算在夜幕的掩护下行军，接近敌人的工事，天亮后立刻攻击。那时我相信，到现在我也相信，我们可以轻松占领彼得斯堡。城里只有2,500名士兵防守，再加上一些非常规部队，这些部队主要由城里的市民和雇员组成，他们在紧急情况下才拿起武器。史密斯按计划出发，但在锡蒂波因特和彼得斯堡城外工事之间遭遇叛军伏击。史密斯攻克了敌人阵地，打死打伤一部分敌人，但行军拖延了很长时间，直到天亮，部队才开始从那儿出发。此刻，我通知巴特勒将军，汉考克部会渡河，并向彼得斯堡进军，支援史密斯，一旦后者能成功，我会通知他们，我比李从他的阵地出发增援速度更快。

我沿河回到了波托马克军团所在的位置，以书面的形式，给米德将军传达了我发给巴特勒将军的指令，并命令他（米德）在夜幕的掩护下赶上汉考克部，早晨时命令他们向彼得斯堡推进；在某个指定的地点让他们停下来，直到收到史密斯的来信。我也通知了米德将军，我已命令在百慕大翰卓德给汉考克部配给定额的粮食，并希望他迅速发放粮食，绝不要浪费时间。然而，粮食配给没有到达，汉考克在晚上给部队传达了命令，等到了10：30，希望能得到配给。结果他没有得到配给就出发了，在路上他从W．F．史密斯将军那儿得到一个便条，让他快点。这似乎是汉考克将军得到的第一条信息，他知道他要去彼得斯堡，他负有特殊使命。否则的话，他可能会在下午4点才到达那儿。

15日早上，史密斯部到达敌人的防线前方，然后火力侦察表面看起来空荡荡的工事，一直到下午7点。敌人防线中的凸角堡，占据着指挥位置，与散兵坑相连。在彼得斯堡东边，从阿波马托克斯河起，有13个凸角堡，延伸了几英里，可能是三英里。假如恰当使用这些凸角堡，他们就可以对付任何一个攻击他们的力量，至少可以坚持到里士满从北边派来援军的时候。

史密斯用黑人部队攻击，他成功了。晚上9点时，他占据了5个凸角堡，当然，也占据了与此相连的散兵坑。凸角堡里边全都安装着大炮，大炮被我们全部缴获。汉考克接近前线，想攻占分配给他的任何一个地方；史密斯要求他更换守在堑壕里的士兵。

16日早晨，由汉考克亲自指挥，又夺取了另一个凸角堡。米德下午

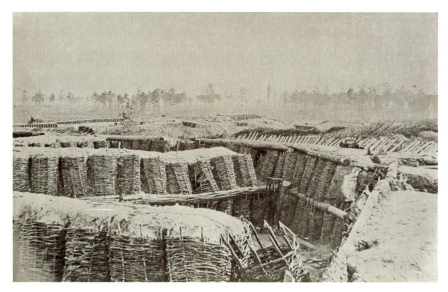

彼得斯堡之战中邦联军修筑的防御工事，马修·布雷迪摄

到达，并接替了汉考克，他必须暂时从指挥岗位上被换下来，因为他在葛底斯堡负的伤又复发了。白天时，米德发动进攻，占据他右边的一个凸角堡，左边的两个凸角堡。在这些战斗中，敌人的工事里人员配置并不是很强大，但里边都安装有大炮，所以我们损失惨重。炮手们曾试图击退我们的进攻，但都被俘获，大炮也落在了我们手里。

直到此时，博勒加德指挥着里士满南部地区战役，尽管他已经强烈敦促当局派遣援军，但除了霍克师16日早晨从德鲁里布拉夫赶来增援外，

他没有得到其他援军；他相信，彼得斯堡是我们可能追求的珍宝。

17 日的战斗非常激烈，我们损失惨重；晚上，除了波特在白天攻占的凸角堡还在敌军手里，我军占领了敌军早上已经占领的一个阵地。然而，晚上博勒加德后撤到他们已经选好的防线里，并开始加固防线。18 日，我们的部队前进到他已经放弃的防线跟前，发现邦联军的损失也非常严重，敌人的很多尸体仍然躺在沟里或被丢在了防线的前方。

张伯伦上校属于缅因州志愿军第 20 旅，18 日受了伤。当时他正在勇敢地率领部队作战，他在以前的战斗中，已经习惯了勇冲猛打，他已经数次因为勇敢和战功被推荐为准将人选。这一次，我现场给他升职，然后把我的一份命令送往陆军部，请求他们批准我的命令，并毫不迟疑地把张伯伦的名字送往参议院确认。这件事最终成功了，一位勇敢的，功勋卓著的军官得到了自己政府给予的公正待遇，以报答他的忠诚和优秀。

假如在 15 日，给汉考克的命令已经传达给他，毫无疑问，这位军官会以他惯常的敏捷，在 15 日下午 4 点就会早早到达彼得斯堡附近。白天很长，在天黑前，他有相当长的时间。有人认为，没有大损失，就攻克不了彼得斯堡，而我认为，这个论点是靠不住的；或者，至少，假如这道防线被内部的独立工事所保护，那么很可能这道防线就建在敌人目前防线的正后方。这会给予我们对韦尔登铁路和南塞德铁路的控制权。这也会省去了大量的 15 日到 18 日要进行的艰苦战斗，并给我们随后进行的长时间包围带来极大的便利。

现在我命令部队隐蔽起来，允许他们休息一下，很长时间以来，他们都需要休息。他们安静下来，每天只有零星的枪战，直到 22 日时，米德将军命令向韦尔登铁路前进。我们很着急，要赶到那条路，如有可能，甚至想赶到南塞德铁路。

米德调动汉考克部到了左翼，现在由伯尼指挥，目标是至少把敌人压在他们自己的防线之内。赖特将军，率领第 6 军，奉命沿着一条向南的道路，直接向韦尔登铁路进军。敌人插入这两个军之间，并发动了猛烈进攻，联邦军受到重挫，然后只能从前方的阵地撤退回来。

　　波托马克军团的任务是包围彼得斯堡，而詹姆斯军团必须占据百慕大翰卓德和所有詹姆斯河以北的区域。伯恩赛德的第9军，被调动到了彼得斯堡以东；沃伦的第5军与其紧邻；伯尼的第2军，也紧挨着；然后赖特的第6军，分头包围了东边和南边。这样，彼得斯堡包围战开始了。

第四十二章
谢南多厄谷战役

前面提及过，6月7日，在科尔德港的时候，我已经派遣谢里丹率领两个骑兵师，让他尽可能多地摧毁弗吉尼亚中央铁路。亨特将军一直在谢南多厄谷作战，并取得了初步胜利，他在斯汤顿附近也进行了一场战斗，抓了很多俘虏，杀死、打伤很多敌兵。这场战斗过后，他在斯汤顿建立了一个联络点，并与埃夫里尔部和克鲁克部在此会合，他们俩人分别来自卡诺瓦河或高利河。当谢里丹被派到达那儿，沿途搞破坏的时候，亨特将军也应该到了弗吉尼亚州夏洛茨维尔附近。

我给谢里丹下达了以下指令：一旦他在夏洛茨维尔附近遇见亨特，就与亨特合兵一处，并回归波托马克军团。李听到亨特在河谷打了胜仗后，立即派遣布雷肯里奇出发，加强河谷的防守。后来知道了谢里丹率领两个师进军河谷，他也派遣汉普顿率领两个骑兵师增援，其中一个师属于他自己，另一个师属于菲茨休·李。

谢里丹沿着北安娜河北岸向西进发，他刚一出发，就听到这邦联军在同一条河流南岸的动向。他继续向前，想到达特雷维利安站，并摧毁这个车站。10日晚上，他在特雷维利安站以东6到7英里处露营，而菲茨休·李同一晚上在特雷维利安站，汉普顿仅在几英里之外。

晚上，汉普顿命令部队向谢里丹部靠拢，毫无疑问，他想搞突然袭击，但螳螂捕蝉，黄雀在后。当时，谢里丹向反方向移动，派遣卡斯特快速穿插到敌人两个师之间和后方。他成功地做到了这一点，结果天刚亮，当敌人进攻时，才发现自己同时腹背受敌，于是在困惑中撤离。双方死伤损失都不大，但谢里丹俘虏了大约500名敌兵，并把俘虏送到了锡蒂波因特。

11日白天，谢里丹部进入特雷维利安站，第二天开始炸断东西两个方向的道路。白天一整天，战斗非常激烈，但破坏工作却在持续进行。晚上，敌人占领了交叉路口，谢里丹原打算离开特雷维利安站时，从这个路口向北行军，与亨特将军在夏洛茨维尔会合，但从俘虏口里得知，亨特将军在林奇堡附近，因此，没有必要再去夏洛茨维尔了。

12日晚上，谢里丹部开始返回，他先向北走，再朝东走，到达了怀特豪斯的北边，21日到达怀特豪斯。这儿他发现牲畜有大量的饲料，士兵有食物吃，可以放心在此休整。返回前，他被迫把大约90名伤兵留在他在特雷维利安站建造的战场医院里，后来这些伤兵和医院不可避免地全都落在了敌人手里。

此刻，怀特豪斯已是一座仓库；但现在我们的部队全在詹姆斯河，作为补给储存地，怀特豪斯已经没有用处了。因此，谢里丹奉命终结其使命；6月22日，他派人带走驻军和大量的马车，于本月26日到达詹姆斯河，随后谢里丹准备随部队到达詹姆斯河。

与此同时，米德派威尔逊师突袭，并毁坏韦尔登铁路和南塞德铁路。既然谢里丹已经安全撤离，汉普顿就带着骑兵返回里士满，但此刻威尔逊的阵地处于危险状态。因此，27日，米德命令谢里丹沿河声援威尔逊。威尔逊回来了，损失惨重，尽管他毁掉了两条路，但道路很快就被修复了。

此后，一直到七月底，彼得斯堡相对比较安静。我们把这段时间都花在了加固工事上，这样，我们的阵地更加安全，防止被敌人突然袭击。同时，我不得不关注其他部队，他们的情况并不像我期待的那样好。

林奇堡是美国南北战争中的战略要地，铁路、公路交通枢纽，图为林奇堡全景

亨特将军在谢南多厄谷接替了西格尔后，他立即发起了进攻。6月5日他在皮德蒙特遭遇并击败敌军。8日他与克鲁克和埃夫里尔在斯汤顿会合后，经由列克星敦，直接进军林奇堡，当日抵达并实施包围。到此刻，他还是很成功的；他在敌占区长途行军，无法携带足够数量的大炮，要不是由于这点原因，毫无疑问，他会攻陷林奇堡的。他毁掉了敌人大量的补给和工厂。为了应付亨特将军的这次行动，李将军派厄尔利部迎战，一部分部队在亨特之前到达林奇堡。17日和18日的激战过后，亨特将军由于缺乏弹药，从阵前撤了回来。不幸的是，由于缺乏弹药，他无法自

由选择撤退路线，只能从高利河和卡诺瓦河撤退，再从那儿到达俄亥俄河，经过巴尔的摩和俄亥俄州铁路到达哈珀渡口。他花了很长时间，才撤了回来，同时把河谷也留给了厄尔利和这一地区的其他敌军；华盛顿也失去了保护，厄尔利用这一有利条件，向华盛顿进军。

没有了亨特，总部设在巴尔的摩的卢·华莱士将军指挥谢南多厄谷的战事。可以迎敌的部队数量很少，而且大多数都是新兵，因此，比起

谢南多厄谷风光，威廉·路易斯·松塔格（1822—1900）绘

我们的老兵和厄尔利率领的老兵，差了很多。但华盛顿形势危急，华莱士以值得称颂的果断，在莫诺卡西河迎敌。他没有指望能击溃敌人，但他希望削弱或者拖延一下敌人，让华盛顿有足够的时间准备迎战。我以前曾命令米德将军派遣一个师到巴尔的摩，目的是增加华盛顿的防守力量，他派去了第6军（赖特）的里基茨师，于7月8日到达巴尔的摩。到达后，他发现华莱士已经带领部队走在了他的前面，里基茨立即率领全师乘车追击，终于在莫诺卡西河赶上了华莱士。如同预料的那样，他打了败仗；但他成功地阻击了敌人一天。第二天早上，厄尔利继续朝联邦首都进军，

11 日到达首都外围。

形势异常严峻，我命令米德将军下令赖特率余部到华盛顿解围，后者赶在厄尔利到达的前一天，抵达华盛顿。驻扎在路易斯安那州的第 19 军，奉命增援里士满附近的部队，此刻已经到达门罗堡，正在增援我们的路上。我让他们离开门罗堡，向华盛顿进军，11 日，由少将埃默里指挥的第 19 军，几乎与赖特同时到达华盛顿。

厄尔利进行了火力侦察，想在第二天早上，12 日进攻；但第二天早上，他发现我们的堑壕非常坚固，人员齐整。他立即开始撤退，赖特紧追。在卢·华莱士将军的领导下，原本被认为是一场噩梦般的战斗，很难搞懂怎么有了这样的结果。假如厄尔利提前一天，他就可能在我派遣的增援力量没有到达之前，进入首都。不管战斗有没有拖延一天时间，在这种情况下，华莱士将军所打的败仗，比起很多同等力量的军官所打的胜仗，给我们的事业带来了更多的好处。

在更西边一点的地方，危险也在迫近。斯特吉斯，统领着我们密西西比的一部分队骑兵，不久之前，他与福里斯特遭遇了，福里斯特向他猛烈进攻，获得大胜。这场胜利使福里斯特自由驰骋，切断了行军中的谢尔曼部的后路。谢尔曼完全有能力指挥身边的部队，他也能自如指挥其他只要能够联系上的部队。但我有责任保证他无后顾之忧。几个月之前，史密斯率领两个师，奉命前往路易斯安那州的班克斯。谢尔曼命令这些部队回师攻击福里斯特。史密斯大胜敌军。我随后命令史密斯缠住福里斯特，不要让他脱身；并尽一切方法，阻止他到达孟菲斯和纳什维尔铁路。谢尔曼已经预测到我在这件事上的态度，大体上发布了同样的命令；但接到我对史密斯的命令后，他重新发布了这个命令。

6 月 25 日，伯恩赛德将军已经开始从他前线的中央挖一条地道，通到他对面的邦联军的工事。普莱曾茨上校让他想到了这个办法，上校属于宾夕法尼亚州的志愿兵，他所在的团大部分由矿工组成，他自己实际上也是一个矿工。伯恩赛德把计划提交给米德和我，我们两个都赞成，我们认为这个计划是一种能让士兵们忙碌起来的好方法。他的阵地对开展这项工作非常有利，但要完成这项工作却困难重重。所处阵地的两条防线之间只有大约100码的距离，中间还有一条比较深的沟。在沟的底部，这项工作开始了。但要完成下面这项工作却很难：此处要再次进入敌人的防线，然而，地道前左边和右边都被敌人的防线所控制。此外，在邦联军防线的后面，有一段很长的山坡，很有可能敌人在最高点至少有一个独立的工事。工程继续着，7月23日，地道完成了，可以装上炸药了；我让他们推迟填装炸药，直到我们做好了准备。

彼得斯堡围攻战中联邦军使用的"独裁者"迫击炮

7月17日，几个逃兵过来说，里士满城里惊恐万分，李打算出城向我们发动进攻，他的目标是使我们处于防守状态，使他可以抽出部队前往佐治亚州，在那儿，正在与谢尔曼打仗的部队据说有了大麻烦。我把部队的司令员米德和巴特勒放在瞭望台上，但最后并没有进攻。

于是，我决定几天以后，我自己发动几次进攻，我筹划着达到与李一样的目标。赖特部和埃默里部在华盛顿，因此减弱了我们的力量，使李很想抽调一些防守部队去西部。然而，除了把李留在原地以外，我还筹划着其他的目标。地道已经挖好，随时就可能爆炸，而且我想利用这个机会，如果可能，攻陷彼得斯堡。为了实现这个目标，就要把李的部队尽可能多地调离詹姆斯河南岸。于是，26日，我们开始从迪普博特姆把汉考克部和谢里丹部骑兵调往北边，巴特勒搭建了一座浮桥。这个计划，主要是为了让骑兵放开手脚。隶属詹姆斯军团的考茨也带领骑兵加入，他们冲过李的防线，尽可能多地摧毁弗吉尼亚中央铁路，与此同时，出动步兵保护骑兵的后方，当骑兵完成他任务时，掩护他们撤回。像我们期待的那样，我们成功地把敌人的部队调到了詹姆斯河的北岸。我命令在地道里装上了炸药，7月30日早上被确定为引爆时刻。24日我给米德下达了详细的命令，指示他我想要如何发动进攻，他把命令扩展为总体的指导原则，供作战部队使用。

米德的扩展指令，当然，我非常赞成，是我现在所能看到的最有必要做的事情。下一步他所能采取的唯一措施，而且是他不能预见的措施，是让不同的人去执行这些指令。通道离坑道500多英尺长，这段距离指从通道进入地面，一直延伸到敌人工事下面的那一点，在敌人的防线下面，还有一条垂直的坑道，大约有80英尺长。坑道里有8个房间，每个房间可装一吨炸药。在我规定的时间内，准备完毕；29日，汉考克和谢里丹率领部队奉命回到詹姆斯河附近。在夜幕的掩护下，他们从迪普博特姆的桥上重新过河，直接行军到坑道前面的我军防线部分。

沃伦必须用足够数量士兵守住他的堑壕防线，紧挨着伯恩赛德部，并把重心放在右翼，而奥德将军现在率领着第18军，暂时在米德的领导之下，当伯恩赛德出击时，他在其后布阵。所有的目标是清除前方的胸墙和铁丝网，使空间尽可能开阔，当坑道爆炸，伯恩赛德占据阵地时，能够冲锋。伯恩赛德军团不能停留在弹坑处，而应该冲上山顶，左右两翼由沃伦部和赖特部策应。

谈到进攻准备，沃伦部和奥德部完美地执行了指令。伯恩赛德似乎根本没有在乎任何指令，他把所有的障碍物都留在了自己的前方，由部队想最好的办法跨越。他的四个师分别由波特、威尔科克斯、莱德利和费雷罗将军指挥。最后一个师是黑人部队，伯恩赛德选择用这个师进攻。米德对此进行了干涉。伯恩赛德然后换成了莱德利师——这个选择比上一个选择更差。实事上，波特和威尔科克斯是仅有的能胜任这种机会的两个师长。莱德利不但没有效率，而且不合格，他连普通士兵都不如。

坑道的爆炸有些推迟，直到大约早上5点，坑道才爆炸。爆炸非常成功，炸开了一个20英尺深，大约100英尺宽的弹坑。110门重炮，50门迫击炮，已经提前被放置在最高处的阵地上，能够覆盖部队进入敌人防线的左右翼的阵地，这些大炮立即开始轰鸣。莱德利师立即冲进爆炸后的弹坑，由于没有人下命令，所有士兵都停在那儿；他们的指挥官找到一些安全的躲避处后，才开始发出指令。左右两翼的冲锋因此被推迟，但也有一些部队进入弹坑后，像我期待的那样，向左右两翼攻击，占领了一些散兵坑。

联邦军对彼得斯堡发起进攻，福布斯出版公司印刷

我们早已知道，在彼得斯堡人们谣传我们将引爆一个坑道，这引起了巨大的恐慌。他们知道我们在挖坑道，但他们反挖的坑道没有切断我们的坑道，尽管博勒加德已经采取了预防措施，他能够看见我们的士兵在忙碌，在正对着我们士兵的防线的后面，他又匆匆挖了一条壕沟。从到我们这儿的逃兵嘴里，我们了解到，人们对我们这边进行的活动有各种不切实际的谣言。他们说我们已经挖空了整个彼得斯堡，他们正坐在一座沉睡的火山上，不知道什么时候火山会喷发。基于这种感觉，我做出了某种推算，期待着当坑道爆炸的时候，敌人左右两翼的部队会四散奔逃，如果我们的部队迅速行动，能够侵入敌人的阵地，在敌人没有认清形势之前，站稳脚跟。果然不出我所料，我们看到敌人没有明显的目标，只是在逃跑。半个小时以后，敌人的步枪开始向弹坑里我们的部队射击，并形成一点威胁。一个小时之后，敌人组织起大炮，向我们轰击；直到9点钟，李从右翼调来增援部队，合起来驱赶我们的部队。

这次努力是一个巨大的失败。我们损失了4，000人，大部分被俘虏了；这一切都是因为兵团司令没有效率，被派遣主导进攻的师长无能所致。

此后，我们确信坑道是一次失败，并发现李的那部分军队的大多数被引到了詹姆斯河以北，而且仍然在那儿，第二天早上，我命令米德派遣一个军团的步兵和骑兵，在李还没有把他的军队撤回来之前，毁掉了15到20英里的韦尔登铁路。但祸不单行。在同一个下午，我得到消息，赖特追击厄尔利的力量很单薄，因为他不断从华盛顿得到相反的命令，而我与他的直接联系被切断，因为我们穿越切萨皮克湾的电缆断了。然而，直到厄尔利到达斯特拉斯堡，他才意识到这个事实：赖特没有追赶他。发觉没有人追赶他，他转身前往温彻斯特，克鲁克带领一小部分部队驻扎在那儿，结果被赶了出来。然后他向北挺进，到达波托马克河，紧接着他派遣麦考斯兰到达宾夕法尼亚州的钱伯斯堡，想摧毁这个城镇。钱伯斯堡纯粹是一个没有防守的城镇，没有任何驻军，也没有防御工程；然而，麦考斯兰执行厄尔利的命令，放火烧了这个地方，使大约300个家庭无家可归。这件事发生在 7 月 30 日。我撤回了摧毁韦尔登铁路的命令，要求赖特乘船前往华盛顿。烧了钱伯斯堡后，麦考斯兰向坎伯兰撤退，我们的骑兵奉命追击。麦考斯兰遭遇到凯利将军，大败后，逃到了弗吉尼亚州。

谢南多厄谷对邦联军来说，至关重要，因为这是他们现在拥有的一个主要仓库，补给着里士满周围的部队。众所周知，他们会不惜一切代价，想要保住这个地方。迄今为止，要保住回北方的路，已经相当棘手。而棘手的原因，部分程度上是因为我们一些指挥官无能，但主要原因是华盛顿的干涉。

被烧毁的钱伯斯堡一隅，摄于 1864 年

这似乎是哈勒克将军和斯坦顿部长的政策，他们把所有派遣到华盛顿的军队都留在了首都，用来追击入侵之敌，向左右两翼前进，迎战侵犯首都之敌．总体来说，他们就是这样调遣军队的。当找不到敌人的踪迹的时候，部队留在原地，免费给自己补给战马、肉牛这些物资，他们可以从西马里兰州和宾夕法尼亚州带走这些东西。我决心要阻止他们的行为。我立即派遣谢里丹前往首都指挥作战，第二天又把他的一个骑兵师派到首都。

我以前已经请求让谢里丹来指挥，但斯坦顿先生反对，理由是谢里丹太年轻，胜任不了这么重要的指挥岗位。8 月 1 日，当我派遣援军保护华盛顿的时候，我发布了以下命令：

锡蒂波因特，弗吉尼亚州，

1864 年 8 月 1 日，早上 11：30

哈勒克少将，华盛顿特区

当敌人即将从边界被驱离时，我派谢里丹将军担任临时指挥。除非亨特将军亲自在战场指挥，我想让谢里丹指挥战场上的所有部队，命令他截断敌人的后路，把敌人一直追到死为止。敌人走到哪儿，我们的部队就要追到哪儿。一旦在河谷开战，我们就应该一直追击敌人，直到我们占领弗吉尼亚中央铁路。假如亨特将军在战场上，就让谢里丹指挥第六军和骑兵师。我估计，明天所有的骑兵，都会到达华盛顿。

U.S. 格兰特中将

总统从某种途径看到了我的这封快件，给战场上正与厄尔利作战的指挥官发去了一些指示，他给我发来了以下特殊的快件：

华盛顿特区，陆军部，美国军事电报办公室，1864 年 8 月 3 日

密码信 下午 6 点

格兰特中将，锡蒂波因特，弗吉尼亚州

我看到了你的快件，在信中你说："我想让谢里丹指挥战场上的所有部队，命令他截断敌人的后面，把敌人一直追到死为止。敌人走到哪儿，我们的部队就要追到哪儿。"关于我们的部队如何行动，我认为你说得极为正确。但请细看你从我们这儿收到的急件，即使你发出了命令，比如"截断敌人的后面"，

或者"把敌人一直追到死为止"，如果你有时间，请细究我们这儿的人在头脑里对这些命令会有什么样的想法。我对你重复一下，他们是不会执行这条命令的，除非你每天，每个小时，都在留意这条命令，并强迫执行这条命令。

A. 林肯

我给总统写了回信："两小时后，我会前往华盛顿。"不久我出发了，直接到了莫诺卡西河，路途中没在华盛顿停歇。我发现亨特将军在那儿扎营，沿着莫诺卡西河岸，在田野里散布着好几百辆车厢和火车头，属于巴尔的摩和俄亥俄铁路，他采取了预防措施，把这些物资带回来并

巴尔的摩是美国马里兰州最大城市，大西洋沿岸重要海港
城市，图为19世纪中期的巴尔的摩

收集在那儿。我问亨特将军敌人在哪儿？他回答说他不知道。他说事实是，从华盛顿发来的命令使他很尴尬，先把他调到了右翼，再到左翼，他找不到敌人的任何踪迹。

然后我告诉将军我会找到敌人在什么地方，我立即命令，组装好火车，让蒸汽机冒出蒸汽，向霍尔敦前进，此地在哈珀渡口上游大约 4 英里处，位于谢南多厄谷。骑兵和马车队即将出发，但所有能用火车车厢运输的部队都应该坐火车前进。我知道河谷对敌人有多重要，不管此刻敌人散布的范围有多大，在短时间内，敌人就会在我们向南挺进的部队面前现身。

我然后写下了给亨特将军的命令。我告诉他，谢里丹部在华盛顿，另外一个师仍然在路上；我建议他建立总部，在适合他的任何一地都可以，坎伯兰、巴尔的摩，或者其他地方，并给予谢里丹在战场上部队的指挥权。将军回复说，他想让别人完全接替他的职务。他说哈勒克将军似乎非常不信任他，怀疑他是否适合这个岗位，他认为其他人应该接任他的岗位。他不想以任何方式使我们的事业受损。他表现出的爱国主义，在部队里一点也不普遍。不会有很多少将，主动要求上交部队的指挥权，他们不会觉得，上交指挥权后，部队会变得更好。只要部队能变好，亨特不考虑任何其他因素。我告诉他："那好吧。"我立即发电报让谢里丹来到莫诺卡西河，并提议我在那儿等他，然后见面。

谢里丹立即坐专列出发，但当他到达时，部队全都离开了那儿。我前往车站，一直等着他。除了我和一两个参谋，周围全是联邦的平民，当谢里丹到达莫诺卡西河的时候，只剩下亨特将军和他的参谋陪着我们。我快速告诉谢里丹已经做完的事情，和我要他做的事情，同时，给了他书面命令，这条命令本来是给亨特将军准备的，并会下达给接替亨特的那位将军。

谢里丹现在可以调动大约 30,000 名士兵，其中 8,000 名为骑兵。厄尔利有相同数目的士兵，但北方联邦指挥官的能力比南方邦联要卓越得多，尽管后者处于防守方，占一定的优势，但被我们指挥官的能力所抵消，因此后者稍占下风。像我预测的那样，很快就发现厄尔利处在谢里丹前方的河谷里，宾夕法尼亚州和马里兰州的入侵者已经撤了出去。河谷对南方邦联非常重要，李增援了厄尔利，但力度并没有达到令我们担心的地步。

为了尽可能阻止李从里士满派出援军，我必须做点事情迫使李把他的军队保留在他的首都周围。因此我命令再向詹姆斯河北边进军，威胁里士满。汉考克军，伯尼第十路军的一部分，格雷格骑兵师在 13 到 14 日晚上，渡河到了詹姆斯河的北边。几天以来，部队都处在有威胁的阵地上，尽管我的目标和指令是尽量避免与敌人发生战斗，除非机会来临，且保证我们会获得胜利，但或大或小的冲突，和一些可以容忍的硬仗，还是时有发生。米德将军留在了彼得斯堡附近，指挥

伯尼全名为戴维·贝尔·伯尼（1825—1864），他是美国南北战争期间联邦军的一位将领，马修·布雷迪摄

着少量军队，战壕坚固；奉命密切注意那一带敌人的动向，因为那一部分的敌人可能会试图增援北方，他自己要充分利用这一可能削弱敌人的时机。双方都没有取得特别的胜利；但在那段时期内，敌人也没有把援军派往河谷。

我通知谢里丹，为了阻止敌人从里士满向他那儿增派援军，我已经做过的事情，也告诉他，我们原以为敌人的一个师已经去了河谷，但我们付出的努力迫使这个师仍然留在了里士满，因为我们俘虏了六七百名来自这个师的士兵，分别来自这个师的 4 个旅。我也通知他，还有一个师已经去了河谷，我很可能会阻止其他军队前往河谷。

顺便说一句，谢里丹此刻在亚特兰大，令我尴尬的是，他要求增援。

他非常愿意率领从西北部招收来的新军，说在他的部队一天可以教会新军的军事技艺，比在训练营里一个礼拜还要多。因此，我命令所有训练营里的西北军都派遣到他那儿。谢里丹也要我保证，让东边的部队不攻击他。我通知他我所做的事情，并向他保证我会稳住所有我能稳住的军队。到他要求的时候为止，没有一支敌军去他那儿。我也通知他，他真正的危险来自柯比·史密斯，史密斯率领着跨密西西比州部队。假如史密斯躲过斯蒂尔，然后渡过密西西比河，史密斯就可能攻击他。因此，我要求准备好一支远征军，从新奥尔良调到莫比尔对面，以防柯比·史密斯过河。这样会迫使他守卫那个地方，而不是向谢里丹进攻。

在这一切窘迫之中，哈勒克通知我，在北方有些人正在图谋不轨，他们抵抗征兵，并建议我从前线调集军队镇压。他建议我们减少活动，不要太着急。

在 20 日晚上，我军从詹姆斯河北岸撤走。然而，在部队撤走之前，李的部队在河的另一边，沃伦奉命率领第 5 军的大部分人马，想夺取韦尔登铁路。他带领队伍向敌人的后面，也就是南方前进，而留在战壕里的部队延伸开来，目的是占据撤走部队的防线。我们的左翼，在老防线附近，离韦尔登铁路大约 3 英里。我从彼得斯堡防线的右翼调来了一个师增援沃伦，也从詹姆斯河北岸调来一个师填补彼得斯堡防线右翼。

这条铁路对敌人非常重要。从这条路运来的补给量已经大大减少了，我知道敌人会拼死一搏，保护这条铁路。尽管双方都遭受了重大损失，沃伦还是攻占了铁路。他加固了新阵地，我们的堑壕因此从左边的主防线一直延伸，与这个新防线连接了起来。李反复进攻，想驱逐沃伦军团，但没有成功，且损失惨重。

当沃伦加固堑壕，援军也到达后，他的军队被派到南方，想摧毁韦尔登铁路的桥梁。行动非常成功，从此，敌人不得不赶着马车，行进大约 30 英里的距离，才把所有的补给从源头运来。21 日，似乎李已经放弃了韦尔登铁路，就好像铁路已经丢掉一样。但从 24 日到 25 日，他重新发动进攻，试图重新占据铁路。他又一次失败了，比起我们的损失，他的损失要大得多。

20日晚上，我们詹姆斯河北岸的部队撤退，汉考克部和格雷格部被派到南方，摧毁韦尔登铁路。25日在里姆站，他们受到了攻击，激烈的战斗过后，我们阵地一部分失陷，丢掉了6门大炮。但韦尔登铁路从8月18日起到战争结束，从来没有从我们手里失守过。

第四十三章
谢里丹在谢南多厄谷的胜利

　　我们把部队部署在韦尔登铁路沿线，与大批敌人对抗，敌人认为这条路很重要，他们愿意付出血的代价，以重新夺回铁路；谢尔曼进军到了亚特兰大，由于伤亡、退伍，沿途还要留下分遣队占领和守卫身后的道路，因此士兵损失很大；华盛顿先前在短期内受到了威胁，现在厄尔利在河谷得到支援，很可能想重新夺回铁路。我得为这些事情操心，因此非常忙碌。

　　8月10日，谢里丹向谢南多厄谷进攻，厄尔利退到斯特拉斯堡。12日，我获知李派遣两个携带20门大炮的步兵师和大量骑兵增援厄尔利。知晓这些信息对谢里丹非常重要，因此我给华盛顿发电报传达了这些信息，并要求派遣一个急件送信人，不顾一切危险，把这个信息送到谢里丹处。送信者是军队的一个军官，精神饱满地冲过去，及时赶到谢里丹处。这位军官穿过斯尼克加普，由一些骑兵护送。我发现谢里丹正准备在他选定的阵地攻击厄尔利。不过，现在他得撤退、防守。

　　9月15日，我开始在谢南多厄谷视察谢里丹将军。我的目的是让他攻击厄尔利，把他赶出河谷，并摧毁他部队的那块补给地。我知道，我不可能通过华盛顿把命令传达给谢里丹，让他进攻，因为我的命令会在华盛顿被改写，命令里会暗含哈勒克的谨慎小心，也会暗含这位陆军部长本人的命令，经过改写的命令会被传达下去，毫无疑问，这些命令将与我的命令背道而驰。因此，我没有在华盛顿停留，直接到了哈珀渡口上游大约 10 英里的查尔斯顿，并在那儿等着见谢里丹将军，我提前已经派了一个信使，通知他在什么地方见我。

当谢里丹到达后，我问他是否有地图，能显示他的军队的位置和敌人的位置的地图。他立即从侧面的衣兜里掏出地图，地图上显示了所有的道路、河流和两军的宿营地。他说如果能够得到允许，他会这么走这么走（指着地图说怎么走），向邦联军进攻，并且"痛击他们"。出发之前，我已经给谢里丹做好一个作战计划，我随身携带着；但是，看到他头脑如此清晰，对自己的观点如此肯定，对胜利如此自信，我没有提到我的计划中的一个字，也没有把我的计划从口袋里掏出来。

谢里丹的骑兵队伍在哈珀渡口安营，他所有的储备都在那儿。由于马车队在那个地方，他不需要把饲料运送给他们。但急需给士兵配备弹药，必需品和口粮，必须安排火车把这些储备运送到驻扎在温彻斯特的粮食部和军需处。了解到他准备在某个确定的日期行动时，不得不把马车队从哈珀渡口调过来，我问他是否准备在下一个星期二动身。"噢，是的。"

哈珀渡口，摄于 1865 年

他说，他能够在星期一天亮前动身。我然后告诉他就在那一刻进攻，并按照他的计划行事。我立即开始返回到我们里士满附近的部队驻地，然后视察了巴尔的摩和新泽西州的柏灵顿，我在 19 日回到了锡蒂波因特。

在去哈珀渡口的路上，我遇到了罗伯特·加勒特先生，巴尔的摩和俄亥俄铁路总裁。他急切地想知道，什么时候可以安排工人上路，修理铁路，并恢复铁路运输。这可是个闲置的大宗财产。我告诉他我不能肯定地答复，但过很长时间后才能通知他。我回去的时候，又碰见了加勒特先生，他问同样的问题，我告诉他，我认为到星期三时，他可以派工人上路了。然而，我没有给他更进一步的消息，比如我如何让铁路畅通无阻后，再交给他的工人，他对我的话没有起任何疑心。

谢里丹在已经确定好的时刻行动了。他在渡过欧佩昆溪时碰到了厄尔利，获得了决定性的胜利——这是振奋全国的胜利。厄尔利糟糕的指挥导致了这次攻击，我们轻而易举地获胜。在我去哈珀渡口之前，他已

欧佩昆溪之战，联邦军大获全胜，库尔茨＆艾利森出版
公司印刷，现藏于美国国会图书馆

经派遣安德森师去了蓝岭的东边。当我到达那儿的时候，他把另外两个师派到了马丁斯堡（营地里只留了两个师），目的是毁掉这个点上巴尔的摩和俄亥俄铁路。在马丁斯堡，厄尔利听到我与谢里丹在一起，猜想我们正在谋划一些军事行动，他一得到这个消息，就返回了。但他的部队是分散的，正如我以前说的，他溃败了。他退回费希尔山，谢里丹紧追不舍。

此处的河谷非常狭窄，厄尔利在横跨河谷的工事后面，又进行一次抵抗。但谢里丹击溃了他的两翼，逼得他沿着河谷向上急行，谢里丹紧追不舍。一直沿着河谷追到了杰克逊山和纽马基特。谢里丹俘虏了大约1,100名敌兵，缴获了16门大炮。沿途路过的房子挤满了厄尔利的伤兵，

费希尔山之战中联邦军俘虏的邦联士兵，摄于1864年

田野上遍地都是他的逃兵。最后，在25日，厄尔利从河谷向东边逃跑，把哈里森堡毫无争议地留给了谢里丹。

现在，远征军的主要目标之一，已经初步完成。谢里丹继续与他的部队一起，在河谷的上游集拢粮食、牛群和我们军队所需的一切东西，

特别是要带走对敌人有用的东西。这样敌人就会死心，不会再回到那儿。我祝贺谢里丹最近大获全胜，并鸣放百响礼炮表示敬意，炮口朝向彼得斯堡附近的敌人。我也通知了全国其他的司令官，他们也鸣放礼炮祝贺胜利。

我有理由相信当局有点害怕在此刻进行决定性的战斗，害怕战斗会引火烧身，并对 11 月份的选举产生负面影响。民主党总统候选人已经在召开过的大会上获得提名，大会宣布战争是一种失败。在芝加哥的那次大会上，就如同在查尔斯顿大会一样，有人在大胆地谈论叛国罪。现在的问题是，政府是否有能力逮捕并惩罚这些公开背叛的人，但这次决定性的胜利是拉竞选选票时最有力的证据。

谢里丹追得太远，华盛顿的官员们已经再也收不到他的信息，总统感到非常害怕。总统担心这次奋力追击有点像卡斯将军传说中的经历，在一次我们与印第安人的战争中，卡斯将军是一位部队的军官。卡斯在追击中离敌人太近，在前线他发现的第一件事是，印第安人在追击他。总统担心谢里丹追厄尔利时过了头，发觉厄尔利在他的身后。他担心谢里丹追得太远，里士满可能派出援军，厄尔利可能会击败他。我回复总统说，我已经采取措施阻止李增援厄尔利，我已经在李的阵地上向他发动了进攻。

9 月 28 日，为了把李压制在他的阵地上，我派奥德率领第 18 军，伯尼率领第 10 军，向里士满进军，威胁里士满。奥德与左翼部队一起到了查芬悬崖；伯尼率领第 10 军取道更北边的道路；而考茨取道达比马路，一条更北方的道路。第二天早上，他们渡过了河流，试图袭击敌人，然而，他们的袭击并不成功。

敌人的防线很坚固，而且很复杂。第 18 军的斯坦纳德师派伯南德将军旅打先锋，试着袭击了哈里森堡，最终攻陷了它，缴获 16 门大炮，俘虏了很多敌兵。伯南德在袭击中牺牲。接替他的史蒂文斯上校受了重伤；史蒂文斯的接替者也遭受了同样的命运。他们左右两边的部队也缴获了大炮——共 6 门——也俘虏了一些敌兵。右翼伯尼部队攻陷了敌人的堑壕散兵坑，但在进攻主防线时失败了。

我们的部队加固了新的阵地，把哈里森堡也纳入新防线，把防线延伸到了河边。这使我们离詹姆斯河北岸的敌人非常近，这两条对抗的防线保持着各自的阵地，一直到包围结束。

联邦军攻占哈里森堡后更名为伯明翰堡，图为联邦士兵在哈里森堡工事前的合影，摄于 1864 年

下午，奥德尝试着进行了一次进攻，但失败了。奥德受了重伤，不得不被人替换，指挥权到了赫克曼将军手里，后来，韦策尔将军被分配到了第 18 军的指挥岗位上。吉尔曼堡位于哈里森堡的右边，晚上，李增援了吉尔曼堡附近的部队。他从彼得斯堡又抽调了 8 个旅，共集中了 10 个旅，试图重夺被我们攻陷的工事。他们的努力失败了，进攻全部被我们击退，他们损失惨重。在他们的一次进攻中，守卫哈里森堡的军官是斯坦纳德将军，他很勇敢，失去了一条胳膊。在这些战役中，我们的伤亡情况是，死亡 394 人，受伤 1,554 人，失踪 324 人。

当激战正酣之时，米德将军奉命佯装把部队调到了我们的最左侧。帕克和沃伦保持着两个师的兵力，每个师都处于战备状态，给他们封闭的炮台配备好人员，有分散的线路与其他堑壕连接着，随时准备出发。这样做的目的是阻止援军前往河流的北岸。米德奉命密切注意敌人的动向，如果李的防线变弱，就发动攻击。

30日，这些军队在沃伦率领下出动，攻陷了皮布尔农场的一个前沿堑壕营地，把敌人赶回了主防线。我们的军队不断追击，希望能攻陷敌

雕版画——皮布尔农场之战，联邦军受挫

人的主防线，但这次他们不成功，并损失了大量的士兵，大部分被敌人俘虏。被杀和受伤的人不多。第二天部队又进攻，并站稳了脚跟，挖了一条新的堑壕，大约离敌人前沿1英里。这次进攻把沃伦的韦尔登铁路阵地大大向前推进了一步。

谢里丹把敌人赶出了河谷，带走了河谷里所有的物资，假如敌人想再次进入河谷，他们就不能从河谷里获得任何补给，他们得自带补给，谢里丹建议减少他军队的人数，把多余的士兵派往更有用处的地方。我同意了他的建议，命令他把赖特兵团派到詹姆斯河。然后，我命令他修

复从谢南多厄谷到前沿阵地的铁路，这样，我们就可以用少量的部队守住这些阵地。一部分经由库尔佩珀被派往华盛顿，以便监视蓝岭的东侧，并阻止敌人绕到谢里丹的后面，谢里丹仍然在做着毁掉敌人补给的工作。

然而，河谷对邦联军如此重要，与我们的预料相反，他们决心再进攻一次，在补给被全部破坏之前，尽可能再拯救一下。因此，在我们任何一支部队都没有撤退之前，援军已经被派到厄尔利处。厄尔利准备在哈里森堡攻击谢里丹，但后者没有在那儿。

10月6日，谢里丹开始沿着河谷撤退，带走或者毁掉所有的食物和饲料，赶着牛走在前面，厄尔利追赶。在费希尔山，厄尔利骑兵正在罗瑟的率领下紧追，谢里丹指挥骑兵杀了厄尔利骑兵一个回马枪，彻底击溃了敌人的骑兵，缴获了11门大炮，俘虏了大量敌兵。谢里丹仅仅损失了60名士兵。他的骑兵倒追敌人大约25英里。10月10日，谢里丹沿着河谷继续撤退，厄尔利又在追击。

现在，我命令谢里丹停止撤退。敌人的力量已经大大削弱，可以利用这个机会，再向后转身，切断詹姆斯河运和弗吉尼亚中央铁路。但这道命令必须通过华盛顿下达，结果被拦截了。当谢里丹得到命令，并宣称是我让他这么做的时候，这条命令已经是完全变了。哈勒克通告谢里丹，是我让他坚守一个前沿阵地，并以此为基地攻击夏洛茨维尔和戈登斯维尔。他还要构筑防御工事，做好补给工作。

谢里丹坚决反对这条命令。14日，我被迫给他发了如下的电报：

锡蒂波因特，弗吉尼亚州，1864年10月14日，下午12：30
谢里丹少将，锡达河，弗吉尼亚州。

我希望你以最恰当的方式，威胁弗吉尼亚中央铁路和运河，假如敌人撤走他们的部队，随时准备前进。如果你能使敌人保持与你同样的力量，保护这些大道，那么你就完成了与毁灭他

们同等重要的任务。如果你不能完成这个任务，那么，你所能
做得最好的事，就是把你的部队都派遣到我这儿。我认为一支
好的骑兵部队对进攻是必要的，同样，对防守作战也是必要的。
你派到我这儿的力量，不必超过一个骑兵师。

U.S. 格兰特中将

谢里丹被召进了华盛顿，15 日开始把指挥权交给了赖特。他的部队
那时在锡达河，位于温彻斯特南大约 20 英里处。第二天早上，在弗兰特
罗亚尔，谢里丹从赖特处得到一份急件，说拦截了一个从朗斯特里特发
给厄尔利的急件。它指示后者做好进攻准备，只要朗斯特里特一到，就
可击溃谢里丹。一收到这个消息，谢里丹命令骑兵进军河谷，加入赖特
的队伍。

10 月 18 日，厄尔利做好了进攻准备，晚上他成功地指挥部队绕到了
我们左翼部队的身后，我们的部队在一片混乱之中沿着河谷仓皇落逃，
丢掉了 18 门大炮，1,000 多名士兵被俘。我们的右翼由格蒂将军率领，
他的防线坚固且稳定，后来他退到了米德尔顿，占领一处阵地，并奋起
抵御。我们的骑兵到达阵地后方，夺取了通往温彻斯特的道路，坚守道路，
供我们的部队后撤时使用，赖特将军已经下令后撤到温彻斯特。

谢里丹 18 日离开了华盛顿，晚上到达温彻斯特。第二天早上，他开
始与部队会合。他刚一出镇子，就碰见了他的士兵，惊恐万分地从前线
撤下来，也听见南边有激烈的炮击声。他立即命令温彻斯特骑兵沿河谷
散开，成战斗队形，阻止掉队的士兵。他留下参谋们负责温彻斯特和那
儿的公共财产，自己带着护卫队到了战场。遇见逃兵时，他命令他们转身，
提醒他们方向走错了。他的出现，使恢复了士兵的自信。士兵们发现自
己与其说受到了伤害，还不如说受到了惊吓，他们转过身来。很多跑了
10 英里的士兵也及时转身，保住了自己前天晚上还是勇敢士兵的名声。

　　当谢里丹到达前线时，他发现格蒂和卡斯特仍然在稳守着阵地，阵地前面是邦联军部队，后面是我们撤退的部队。谢里丹命令所有的后方部队都开往前线，并马上开始在阵地上挖壕沟，等着敌人进攻。士兵们精神饱满地挖好壕沟，主要为了迎战在第一次攻击中遭受了重大损失的埃默里军团。到了1点钟，敌人的进攻被击退了。厄尔利遭到了重创，他似乎不愿意再次进攻，开始给自己挖壕沟，想守住他已经夺取的阵地。他认为，毫无疑问，谢里丹会很高兴，不会干扰他；但这次他错了。

　　午后刚过，谢里丹开始进攻。他派骑兵向敌军两翼进发，并穿透到了敌人的后方。战斗一度势均力敌，但最后敌人的左翼顶不住了，接着整条防线瓦解。厄尔利设法重新集合队伍，但追兵离他们太近，每次当他们想稳住阵脚的时候，却只能快速溃退。我们的骑兵，进军到邦联军的后方，除了重新夺回了早上失去的大炮外，又夺取了24门大炮。这次胜利基本结束了弗吉尼亚谷之战，所有邦联军都撤回了里士满，只有一

谢里丹率骑兵冲入敌阵

个步兵师和少量骑兵驻守城外。赖特部被召回到波托马克军团，另外两个师也从河谷里撤了出来。厄尔利部队中被杀、受伤、被俘人数，从第一项到第三项比谢里丹部队都要多。

在这些战斗中，R. B. 海斯将军，光荣参加了不止一次，他后来接任我，当了美国总统。他在战场上的勇猛人人可见，同时，他也展现出了更高层次的素质，不仅仅是个人的勇猛。"任何适合在部队任职的军官，在这次危机中，放弃他的军队岗位而去竞选国会议员的席位，这样的人应该被解职"，当时，能说出这些话的人，很可能会做到这一点。在战争开始的时候，海斯将军刚入伍，是一个志愿兵的少校，通过他服役时的优良表现，到战争结束时，他获得了名誉少将军衔。

10月7日，敌人在詹姆斯河北岸袭击了考茨的骑兵，考茨被击退，死伤惨重，很多士兵被俘，并损失了所有大炮。接着敌人攻击了我们在堑壕里的步兵，但被击退，敌人死亡惨重。13日，巴特勒将军派队火力侦察，想把敌人从他们正在建设的工事赶出去，结果导致我军损失惨重。

24日我命令米德将军设法占领南塞德铁路，为达到此目的，27日进军。然而，这次尝试被证实又是一次失败，我们最前方的部队还没有接近到目的地6英里之内的地方。看到不可能完成任务，我命令部队撤退，第二天，他们退到了他们以前的阵地。

为了支持这次行动，把那儿的邦联军拖住，巴特勒奉命在詹姆斯河北岸摆出进攻架势。这次，他成功了，但没有进一步的战果，他没能穿越敌人的左翼，进入达比马路，因为遭遇了敌人左翼的阻击。

这一战役后，里士满周边的主要冬季战役结束了。当然警戒队之间也有频繁冲突，但在彼得斯堡或者里士满附近都没有大战发生。仔细描述在彼得斯堡周边和其他地区我军的小冲突，会使本书的篇幅增大，而且即使这样做了，普通读者也不会感兴趣。喜欢军事的学生可以在斯克里布纳出版社出版的系列图书中找到所有这些细节，也可以查看我军的巴多历史，和美国陆军部的出版物，从中找到联邦和邦联政府的报道。

11月后半月，汉考克将军的职位被陆军部长接替，他不再指挥第2军，而是奉命前往华盛顿，组织并指挥老兵兵团，这支部队被命名为第一军。我们期待着，在春天时，他会拥有更多的参战部队。我期待着，到那个时候，在最后的战役中，汉考克或者沿着河谷前进，或者沿着蓝岭到达林奇堡；在春季战役后，我们会结束这场战争。我期待，谢尔曼从南方进军，米德从彼得斯堡以南和里士满附近出发，而托马斯的部队驻扎在田纳西州，他的补给站建在这个州的东部，他从华盛顿或者从河谷向林奇堡进军。那时候，我们会包围李，他的补给将被完全切断，他再也支撑不起邦联军部队。

汉弗莱斯将军是波托马克军团的参谋长，他被任命为第2军司令官，接替汉考克。

第四十四章
谢尔曼向海岸进军

让我们现在回到密西西比的军事战役，并陪伴着谢尔曼向海岸进军。

我们占领亚特兰大，大大缩小了敌人的领土，切断了敌人剩下的从东向西的两条道路中的一条。

亚特兰大陷落之后不久，戴维斯先生访问了帕尔梅托和梅肯，并在每个地方都做了演讲。9月20日，他在帕尔梅托演讲，22日在梅肯演讲。由于他已经解除了约翰斯顿的职务，并任命了胡德，而胡德立刻采取了行动，人们很自然地认为戴维斯先生对约翰斯顿将军的策略感到失望。我个人认为约翰斯顿的行为非常明智：他保住了有生力量，并尽最大可能守住了领土，他没有与我们决战，因为一旦决战，他可能会全军覆没。正如我陈述的那样，随着谢尔曼行军里程的增大，他的部队会分散开来，如果继续行军，他很容易被敌军彻底消灭。我知道，谢尔曼和我听到这种变化的时候，都很高兴。毫无疑问，胡德是一位勇敢、侠义的战士，并不缺乏能力。但不幸的是，他的策略是见到敌人就与之拼命，完全不考虑战败的后果。

在戴维斯先生的演讲当中，他用毫无顾忌的语言，谴责了佐治亚州的布朗州长和约翰斯顿将军，甚至暗示他们对南方事业的忠诚都是值得怀疑的。谈到约翰斯顿将军，我认为戴维斯在这一点上对他太不公正了。我在战前就认识这位将军，我绝对相信他不可能为了得到一个更高的职务而背叛他为之奋斗的事业。听着，正如我以前所说的，我认为他的策略是整个南方所能奉行的最好的策略——拖延战争，这是他们要做的一切，一直拖到最终获得北方的承认。正如南方人厌倦战争一样，北方人也已经厌倦了战争，但南北方也有以下这种差别：在北方人民说了算，每当他们决定停止补给时，就会结束敌对。南方是一座军营，完全由政府控制，以士兵为后盾，不管人民不满意到何种程度，即使接近到士兵自己都哗变的程度，战争也能够拖延下去。戴维斯先生的演讲诚恳地呼吁佐治亚州的人民和那一部分的南方地区放下心来。他设法使惊恐的听众们相信，北方佬正在迅速地给自己挖掘坟墓，南方已经采取措施来切断他们从北方来的补给；前方有军队，后方被切断，他们很快就会被敌对的民众饿死。这些演讲被发表了，包含着这些演讲的报纸迅速抵达北方各州。当然，只要通信工具还掌握在谢尔曼手里，演讲就不会引起恐慌。

胡德被迫从亚特兰大撤退，他撤到了西南方，被一部分谢尔曼的部队追赶。他很快就出现在谢尔曼身后的铁路旁，并命令军队摧毁铁路。同时，戴维斯先生在帕尔梅托和梅肯向他的听众保证会发生的事情也在田纳西州和肯塔基州开始了。为了实现这个目标，他命令福里斯特（他大概是南方最能干的骑兵将军）向北前进。福里斯特和惠勒执行了他的命令，他们或多或少都在搞破坏，偶尔夺取一个要塞。福里斯特取得了非常杰出的功绩，他用骑兵夺取了两艘炮艇，很多货车，这种功绩很难解释。由于布朗州长为了收获本季的庄稼，供军民使用，撤走了佐治亚州军队，

胡德全名为约翰·贝尔·胡德（1831—1879），他是美国南北战争期间邦联军的将领，摄于南北战争期间

因此胡德的军队已经被削弱了。这不仅使胡德的军力空虚，而且正中我们下怀，在部队的行军途中，我们也能收获粮食和饲料，供自己使用。谢尔曼被迫领军推进，亲自带着一部分军队东征西战，直到他清楚地认识到，就靠他那时所拥有的部队，守住从亚特兰大起往后的防线，再用剩下的部队进攻是不可能的。假如要坚持这个计划，大批援军是必不可少的。戴维斯先生消灭敌军的预言也会实现，或者谢尔曼将被迫全军撤退，戴维斯先生在他的演讲中说，比起拿破仑从莫斯科的撤退，谢尔曼的撤退将会遭受更大的灾难。

戴维斯先生的这些演讲不久就传到了谢尔曼那儿。他利用演讲给出的信息，做了尽可能多的准备，来迎接预料中的事情：敌人企图切断他的补给。他必须做些事情来应对。对谢尔曼这样一个聪明而又英勇的人来说，认识到这点并没有花很长时间，不但必须做些事情，而且必须知道这些事情是什么。

9月10日，我给谢尔曼发了以下的电报：

> 锡蒂波因特，弗吉尼亚州，1864年9月10日
> 谢尔曼少将，亚特兰大，佐治亚州
>
> 你的人休息充足后，就要做好准备，进行另外一场战役，这是对我们有利的。我们要不断地攻击敌人，直到战争结束。当战争持续的时候，如果我们让敌人得不到休息，结束战争的时刻就不会离我们太遥远。既然我们有整个莫比尔湾可用，我确信把坎比的部队调到萨瓦纳是一步好棋，而你要前往奥古斯塔，然而，在这件事情上，我想听听你的意见。
>
> U.S. 格兰特中将

谢尔曼立即回复道：

如果我确信在奥古斯塔，或者在佐治亚州的哥伦比亚能找到粮食和弹药，我就能够赶到米利奇维尔，这会迫使胡德放弃奥古斯塔或者梅肯，然后转向其他地方。……假如你能把萨瓦纳河控制到上游的奥古斯塔，或者占领塔胡奇河到哥伦比亚之间的地域，我就能横扫整个佐治亚州。

12日，我派了一个特殊信使，他是我自己的一名参谋，带着一封信，征求谢尔曼对下一场战役的意见。

锡蒂波因特，弗吉尼亚州，1864年9月12日

W. T. 谢尔曼少将，指挥密西西比州的米尔师

我派陆军中校波特，我的参谋，带来这封信。由于书信的限制，波特中校将比我能更好地给你解释这儿的确切状态。尽管我感到自己足够强大，能够发动进攻，我还是静静地稳守在这儿，想利用新兵和恢复的伤兵，他们很快就会前来。我的战线当然也很长，从詹姆斯河以北的迪普博特姆，跨越由阿波马托克斯河、詹姆斯河形成的半岛地区和阿波马托克斯河以南地区，直至韦尔登铁路。这一线工事牢固，用相对较少的人就能守得住，但由于防线很长，所以需要的总人数也多。当我进攻时，我提议向左翼延伸，以便控制所谓的南塞德铁路，或者林奇堡和彼得斯堡铁路，然后如果可能，切断丹维尔铁路。在采取这一行动的同时，我想派一支6,000到10,000人的队伍，进攻威尔明顿。

我完成这种进攻方案的方法是，让部队登陆菲舍尔堡，并

守住这一据点。与此同时，大量的海军舰艇将聚集在那儿，铁甲舰如同在莫比尔一样，连续猛击。这样我们会获得威尔明顿港口的控制权，就如同我们现在有莫比尔港口的控制权一样。你如何指挥你的部队，我不了解。我清楚地看到了你补给的困难，除非你不断行军，离开你现在的驻地。要不是普赖斯的行动，坎比会增派 12,000 多名士兵去莫比尔的。同样数目的士兵，也可能从你的密西西比的部队中抽调出来。对于这些军队，我的意见是把他们分开，一半派往莫比尔，另一半派往萨瓦纳。然后你就可以按你电报中说的那样行动，同时威胁梅肯和奥古斯塔。敌人抛弃的任何东西，你都可以捡起来，开创新的补给基地。我派遣一个参谋的目的，不是告诉你如何作战，而是想听取你的建议，制订一个成熟的计划，把一切都安排妥当。很可能到 10 月 5 日，此处简要说明的计划才会被执行。

　　如果你推荐任何人晋级，把名字送过来，我会批准他们晋升的……

U.S. 格兰特中将

这封信在 9 月 20 日到达谢尔曼处。

9 月 25 日，谢尔曼向华盛顿报告，胡德的部队在他身后。他已经对此采取了预防措施，派了一个师去查塔努加，另一个师去佐治亚州的罗马，这两个地方都在胡德身后，谢尔曼猜想胡德将会沿他要抵达的铁路的方向撤退。同时，谢尔曼和胡德保持着通信联系，信件内容涉及交换战俘，对老百姓的态度和其他适合战场敌对双方指挥官协商的事情。9 月 27 日，我给谢尔曼发去以下电报：

锡蒂波因特，弗吉尼亚州，1864 年 9 月 27 日，早上 10：30

谢尔曼少将：

我已经把所有来自西部各州的新兵和新组建的军队派往纳什维尔，他们归你指挥……

U.S. 格兰特中将

29 日，谢尔曼把托马斯派到查塔努加，随后又派到了纳什维尔，让他指挥另外一个已经出发的摩根师。谢尔曼随后提议，当他准备好的时候，先向米利奇维尔，然后向萨瓦纳进军。他那时期望着，他一安排好补给，立即前进。胡德正在他自己的领土内行军，他轻装前进，他走 2 英里，谢尔曼才走 1 英里。他依靠自己的领土来征集补给，因此行军速度没有受到影响。

正如我已经说过的，除非有意外之事发生，莫比尔一直被看作谢尔曼军队进攻的目标。从 1862 年起，这一直是我最喜欢的一步棋，我首先向当时的总司令建议，路易斯安那州的军队，不能把时间消耗在跨密西西比州上，而应该向莫比尔进军。我不断推荐这一军事行动，直到 1864年 3 月底，我成为这支部队的统帅为止。我手里有了权力之后，我现在命令把军需品，补给品和军队集中在新奥尔良附近的海湾地区，在这一战区其他作战部队的支持和协助下，再向莫比尔进军。在我统领部队之前，这些军队散布在跨密西西比州的地区，他们不可能，也没有及时返回原地，参加一些有独创性的军事行动。因此，自从谢尔曼离开亚特兰大以后，谢尔曼就把莫比尔选为进攻的目标，给他的军队找到下一个军需品基地的想法，已经不复存在。

道奇将军，一个效率特别高的军官，受了重伤，不得不在 10 月 1 日左右离开部队。他指挥着由两个师合并而成的一个加强师，属第 16 军。

谢尔曼把自己的部队分成了左翼和右翼，右翼由霍华德将军指挥，左翼由斯洛克姆将军指挥。道奇将军的两个师，分别给了左右翼各一个师。霍华德的部队包括第 15 军和第 17 军，斯洛克姆的部队包括第 14 和第 20 军，分别由戴维斯将军和威廉斯将军指挥。洛根将军和布莱尔将军指挥

洛根将军参加竞选时的海报，右为洛根，左为布莱恩

右翼的两个军。此刻他们离开部队参加总统竞选，那一年是选举年，他们把部队留给了奥斯特豪斯和兰塞姆。我确信，他们俩离职是美国陆军部恳切游说的结果。布莱尔将军及时返回，恢复了他的指挥，一直指挥部队到了海边，然后回到华盛顿参加军队的大检阅。洛根将军没有及时归队，部队到达萨瓦纳后，他才回来。

　　霍华德将军来自波托马克军团，当时属于西路军，他被调到田纳西军团担任指挥官，洛根对此深感伤心，洛根将军从贝尔蒙特之战起，到攻陷亚特兰大，一直在田纳西军团服役——他的职务一路升迁，从指挥一个团的上校，到指挥一个旅，一个师和一个军的将军，直到麦克弗森

牺牲后，在一场白热化争夺战中，整个田纳西军团的指挥权落在了他的肩上。他认为在那场战斗中他已经尽到了作为指挥官的职责。而且我个人的观察证明，作为一个士兵，他已经证明了自己能够胜任所有他担任过的职务。谢尔曼用另外一支部队的军官替代洛根将军，我不会故作姿态，质疑他此举的动机。我对他没有任何怀疑，他认为他的做法是为了部队好，部队的利益比不让一个人伤心更重要。尽管我怀疑谢尔曼是否有一名军官，可以像洛根那样，填充这个岗位。即使在好朋友之间，对战争政策和一个人是否合适的判断，也一定会存在不同意见。所以，应该允许一名掌握着指挥权的军官判断手下的一个人是否合适，除非他犯了显而易见的错误。

经历了历次大战的伤亡，谢尔曼的部队还有大约6万名善战的士兵。所有的弱兵都被留下守卫后方，剩下的人不仅健康，而且强壮又勇敢，因此他有6万名勇士，与有史以来的任何勇士一样好，比任何欧洲士兵都好，因为他们打起仗来像台机器，但这些机器会思考。欧洲士兵对打仗的目的知道得很少，而且更不关心。这6万人的部队也包括两个小骑兵师，人数大约为4,000人。胡德大约有3.5万到4万人，不受福里斯特管辖，像戴维斯先生许诺的那样，福里斯特的部队在田纳西州和肯塔基州活动。根据我的判断，戴维斯先生这部分军事计划是极好的，承诺了他所能做到的一切。我这样说是因为我批评过他的军事判断，他换掉了约翰斯顿，任命了胡德。然而，我意识到，那时戴维斯对他的这位下属有着很深的感情，我也认为胡德是他最能干的陆军中尉之一。

10月5日，胡德指挥军队袭击了亚特兰大铁路，这一段铁路严重受损。天黑之后，谢尔曼从某一高点发现几英里长的道路都在燃烧。为了保住铁路，我们的军队非常勇敢，但挡不住胡德军队的进攻，守不住堑壕阵地之间的区域，事实上他们也没有试图这样做。但总体来说，堑壕阵地守住了，重要的桥梁，堑壕周围的仓库也守住了。比如守住了阿拉图纳，科斯将军是一位在战争中成长起来的志愿军军官，他不但极其干练，

科斯将军在阿拉图纳守卫战中起到了关键作用，
上图为战前的阿拉图纳附近的联邦军一处阵地；
下图为阿拉图纳守卫战中守军与邦联军激战

而且效率极高，他率领很少的守军，守住了阿拉图纳。他与自己的军队，被敌人从北方联邦的其他部队中分割包围，受到数倍于他的敌人的猛烈攻击。谢尔曼从高处的阵地能看见激烈的战斗，邦联军就在他与下属之间。他当然想派部队去解围，但到达科斯所在地必然要耗费大量的时间，等援军到达时，所有战壕里的士兵可能已经战死。科斯是一个永远都不会投降的人。谢尔曼的一些信号兵从一个高处的阵地发现一面信号旗在摇晃，信号旗在从阿拉图纳的一个木板房洞里伸出来的。这是科斯的旗帜。他被子弹打穿了面部，但他给长官发来了一个信息，让长官不要怀疑他的决心，他会不顾一切危险，守住自己的阵地。可能到了此刻，谢尔曼才第一次认识到，假如他想保持足够的力量在亚特兰大之外发动进攻，以他手里的力量，不可能保持与北方运输线的畅通。因此他认为，当他准备好要行动的时候，必须摧毁回到查塔努加的道路，并派兵驻守查塔努加。然而，在放弃这条铁路之前，很有必要修理已经毁坏的铁路，并守住铁路，直到他把补给、军需品储备和少量粮食运到前方，他想带着这些物资踏上已经定好的征程，把在战场上用不到的多余大炮都运回北方，轻装前进。

谢尔曼认为胡德会追赶他，然而他也为后者向相反方向前进的偶然性做好了准备，他加强了托马斯的力量，使他强大到能守住田纳西州和肯塔基州。我本人非常高兴胡德会去北方，他真的去了。11月2日，我给谢尔曼发电报，明确授权他按原定计划行动：脱离他的基地，放弃亚特兰大和回查塔努加的铁路。为了加强托马斯的力量，他派斯坦利部（第四军）返回，也命令斯科菲尔德向托马斯报到，斯科菲尔德指挥着俄亥俄军团，共1.2万人。除了这个，A. J. 史密斯率领着谢尔曼军队的两个师，在密苏里州援助罗斯克兰斯，把敌人赶出了这个州，然后奉命回归托马斯部，在最不利的情况下，也可以早在胡德到达纳什维尔之前，抵达那儿。

除了这支部队，正在西北征募的新兵队伍也已经快速登记，并配上装备，前往托马斯处。即使没有以上提到的援军，托马斯在查塔努加有一支驻军，这支驻军已得到了一个师的增援，他在布里奇波特、史蒂文森、迪卡特、默弗斯伯勒和弗洛伦斯也都有驻军。在纳什维尔，他已经有整整一万人的兵力，在军需处和其他部门，也有数千人的雇员，这些人可以进入纳什维尔前的堑壕，参加战斗。不算以上列举的援军，托马斯此刻有大约 4.5 万人，加上这些援军，他有大约 7 万人，还不算上面谈到的新兵给他增加的人数。

大约在这个时候，博勒加德到达战场，他并非要接替胡德指挥，而是总体负责胡德和谢尔曼要交战的整个区域。他狂热地呼吁公民在每个方面都提供帮助：通过派遣援军，通过毁掉侵略军前进路线上的补给，通过毁掉敌人要跨过的桥梁，使用任何一种方法，阻塞敌人前方的道路。但他很难说服百姓，百姓们也不愿毁掉这些补给，因为他们自己也需要这些补给，而且每个人都希望他们的财产能够不受损失。

胡德不久向北前进，在亚拉巴马州的迪卡特扎营，一直停留到 10 月 29 日，没有攻击那些地方的驻军。

田纳西河从马斯尔沙洲群往东，河上有炮艇巡逻，且巡逻从第二个沙洲群延伸到俄亥俄河。胡德决定渡河的任何一点，都可能受到沿河驻军的阻击，加上这些巡逻的炮艇，胡德不可能在任何可以航行的地点渡过田纳西河。马斯尔沙洲群是不能航行的，在此地以下，是另一个渡口，航行也被阻塞。胡德因此向下游走，到了弗洛伦斯和亚拉巴马对面的一个地方，他在此渡过了河流，并驻扎了一段时间，收集粮食、饲料和弹药补给。所有这些补给都必须从遥远的南方运输，因为他所在的地区多山，尽管有一些小河谷，但物产匮乏，而且河谷的粮食很久以前就已经被消耗殆尽。11 月 1 日，我建议谢尔曼，并随即征询他的意见，在胡德开始进军之前，消灭胡德是否恰是时机。

11 月 2 日，像往常那样，我明确同意了他向佐治亚州进军的建议，把胡德留给托马斯的军队小心伺候。谢尔曼把 11 月 10 日定为出发的日子。

那一天，谢尔曼返回亚特兰大，15 日，真正开始向海岸进军。右翼在霍华德的带领下，伙同骑兵前往琼斯伯勒。米利奇维尔那时是佐治亚州的首府，也是谢尔曼的目的地，他想把这个地方作为通往萨瓦纳的歇脚地。左翼向斯通山进军，沿着比右翼更东边的道路前进。斯洛克姆担任指挥官，目标直指奥古斯塔，但他会转入另一条路，在米利奇维尔与右翼部队会合。

在出发之前，亚特兰大被毁掉了，从军事角度看，这座城市已经没

被毁后的亚特兰大一隅和被毁的铁路，摄于 1864 年

有用处了，谢尔曼停留了一天时间，亲自监督这项工作，谢尔曼下达了完美的命令，确保能出色地完成这项工作。出发之前，他把所有生病的、残废的和虚弱的士兵都送了回去，只留下勇敢、强壮的战士随行，参加计划中的长征。炮兵减少到了 65 门大炮。随身携带的步枪和大炮弹药各为 200 发。为了行动迅速，少量的粮食是用小四轮马车运输的，马车满负载前进。部队预计要在这一地区生活，所以让马车装满饲料和粮食，即使补给滞后几天也能应付。

左右翼部队大部分都是沿着铁路沿线行进，并沿途摧毁铁路。完成这一任务所采用的方法是，烧毁所有的桥梁和涵洞，在很多地方，拔起铁轨，折弯轨道，而且要破坏足够长的距离。要迅速完成这件事情，士兵在铁路的一边排成一行，把撬杠和杠杆插入铁轨的下面，一次性抬起

谢尔曼部的士兵们破坏亚特兰大的铁路，摄于 1864 年

所有的铁轨，把铁路的枕木同时翻过来。枕木然后被堆放在一起，铁轨被卸下来后，可以扛起来横放在这些枕木堆上。当足够数量的铁轨被放置在这些枕木堆上的时候，就可以点火了。铁轨的中部会大量受热，因为火烧的是铁轨的正中央，而不是尾部，因此铁轨就会在自身的重力下自然弯曲。但是士兵为了增加毁坏的程度，会带上夹具，铁轨的每一端有一个或者两个人，扛着铁轨撞向最近的树，把铁轨撞弯，因此环状的铁轨，装饰着佐治亚州森林的树木。所有的工作都是同时进行的，而且

派遣了足够的人员。一些人堆木头、点火，一些人把铁轨放在火上，而另外一些人把已经烧得炽热的铁轨折弯。当下一段路被掀起来，要在某个地方销毁的时候，先前掀起来的铁轨已经被毁坏了。

给部队提供补给的组织也非常完整。每个旅都配备一个连，为所属旅的部队运输饲料和粮食。部队颁布了严格的命令，禁止抢劫，或者无故扰民；要带上所有人的食物和畜生的饲料。先把补给上交到旅物资供应站和军需处，然后由他们分发给相应的部队，精确得就如同这些物资是买来似的。战利品主要包括牛、羊、家禽、熏腌肉、玉米粉，经常还有蜜糖，偶尔还有咖啡或其他的少量给养。

部队把这些士兵称为"游荡者"，他们自己也这样称呼自己。他们收集物品，然后把这些物品运回各自部队的技巧是卓越无比的。当他们早上出发的时候，经常步行；但他们晚上回来的时候很少有不骑马或骡子的。马和骡子会被上交，归军队统一使用，第二天这些士兵又会步行出发，傍晚回来时又骑上马或者骡子。

这些人的很多故事都极富传奇色彩。如果把这些人的故事讲出来，恐怕故事会比真实的情况更加荒诞，如果以逸事的方式讲述这些故事，故事的真实性就更少了。我怀疑大多数故事都是虚构的，只是为了让故事更动听。据说，有这样一个故事。谢尔曼的部队路过一所房子，他们发现房子里有几只鸡。他们立即开始抓鸡充当他们的补给。房东正好在家，满脸可怜相，乞求把这些鸡给她留下，说这几只鸡是其他士兵允许留下的，前面来过一小队人，已经把其他鸡都抓走了。士兵似乎被说得心软了，但再看一眼鸡，他们又心动了，一个士兵回答说："为了镇压叛乱，哪怕邦联军的最后一只鸡都被抓走，我们也在所不惜。"于是他们抓走了最后一只鸡。

再讲一个那段时间的典型逸事。在反叛前，南方养了大猎犬，用来追踪躲藏在附近沼泽里的奴隶，也用来追踪逃犯。联邦军于是发布了一条命令：碰到这些动物，一律杀死。有一次一个士兵偶然见到一只长卷毛狗，这是一个主妇最爱的宠物，士兵打算把这只狗带走处决，这时女主人强烈乞求士兵宽恕这只狗。士兵回答说："夫人，我们的命令是杀死每一条大猎犬。""但这不是一条大猎犬。"这个妇女说。"好吧，夫人，假如我们留下它，我们不知道这只狗会长成什么样子。"士兵说。接着士兵把这条狗带走了。

我们在敌占区，除了乡村里提供的这些东西，没有任何补给。这些故事和逸事都暗示出我们所经历过的困难，但我相信我们没有多少令人难以容忍的抢劫。

23日，谢尔曼率领左翼到达米利奇维尔。右翼愈加接近目的地萨瓦纳，他们边走边破坏道路。左翼部队在米利奇维尔停留了一天，毁坏了用于军事目的的工厂和建筑等设施，然后继续前进。

在我们到达之前，总督一直在挑战戴维斯先生，现在他仓皇而逃，州立法机构和所有的州官员也都逃跑了。总督非常细心，甚至把他菜园的蔬菜都带走了，而他却把州档案留给了我们。唯一对抗谢尔曼前进的武装力量是佐治亚州民兵队伍，这个民兵师归史密斯将军指挥，还有哈里·韦恩率领的一个营。他们的部队无论从质量，还是数量上说，甚至都不足以推迟谢尔曼部队的进军速度。

此刻，北方横扫佐治亚州，南方人气得发狂，他们让军事院校的学生入伍，让他们加入士官的行列。他们甚至释放了本州的罪犯，只要罪犯们答应在军队服役。战争中的很多恶行都被归到了谢尔曼军队身上，其实这些都是罪犯所为，或者由那些应该受到审判的其他南方人所为，我对此没有任何疑问——这些人在每一个社区都能找到，不分南北——他们利用自己的国家被入侵的机会，从事犯罪活动。他们的犯罪被发现的概率很小，或者即使发现了，被捕的概率也很小。

南方的报纸评论了谢尔曼的行动，并描绘了他的悲惨状况：报纸说他的士兵们在挨饿，士气低落，没有目标地乱窜，只想到达海岸，得到海军的保护。这些报纸传到北方，对人们的心理或多或少有些影响，所有诚实的人都感到极度沮丧，那些丈夫、儿子或者兄弟在谢尔曼部队服役的人特别担心。林肯先生看到了这些报道，给我写了一封信，问我能否给他些东西，这样他就可以讲给那些诚实的人，安慰一下他们。我告诉他没有任何理由害怕。谢尔曼带着6万名像他一样的士兵，像他这样的一个指挥官不可能在开阔地带被分割包围。他很可能受阻，不能到达预定要到达的地点，但他会到达某个地方，而且最终会到达他选定的目的地。万一出现了最坏的情况，他可以向北返回。我随后听到了林肯先生的说法，他向那些打听谢尔曼部队情况的人提出了自己的看法，他说谢尔曼安然无恙："格兰特说有这样一个将军领导部队，他们是安全的，假如他们不能到达自己想到的地方，他们会从钻进去的洞里爬回来。"

在米利奇维尔的时候，士兵们在州议会大厦里会面，组织了一个议会，完全像他们就是佐治亚州立法机构那样，开始讨论政事。辩论非常紧张，主题是目前南方的形势，特别是佐治亚州的形势。在充满活力的激烈辩论后，他们甚至废除了南方各州脱离联邦的法律。

第二天（24日），谢尔曼继续前进，经过韦恩斯伯勒和路易斯维尔，米伦是下一个目标，两支部队（左翼和右翼）将在此会合。左翼部队在直达道路的左侧前进，骑兵离直达道路更远，初看起来奥古斯塔似乎是他们前进的目标。通往米伦的所有道路上，谢尔曼的部队在行军。骑兵奉命先行，希望在联邦囚犯被转移之前突袭米伦，但他们没能如愿。

米利奇维尔到米伦的距离大约是100英里。这时，惠勒奉命从田纳西州抵达，与谢尔曼对抗的军队数量增加，效率

惠勒全名为约瑟夫·惠勒（1836—1906），他是美国南北战争期间南方邦联军重要的骑兵将领，图为晚年的惠勒将军与参谋人员的合影

也提高了。哈迪是佐治亚州本地人，他也来了，但没有带领军队。人们期待着他能够集结起一支尽可能多的军队，挡住谢尔曼。后来，他的确成功地招募到一些军队，这些军队，加上惠勒和韦恩的部队，足以骚扰一下谢尔曼，但不会推迟谢尔曼的进军速度。我们的骑兵与惠勒骑兵激烈交战，惠勒被赶到奥古斯塔，因此给人一种印象，谢尔曼可能会向奥古斯塔进军。

萨瓦纳包围战中，谢尔曼将军在观察敌情，指挥士兵破坏铁路

谢尔曼于12月3日到达米伦，第二天继续向最后的目标萨瓦纳进军。布拉格现在奉命带领一些军队赶往奥古斯塔，韦德·汉普顿也在那儿，他想招募足够的骑兵，以消灭谢尔曼的军队。等他招募到了一支军队，想完成期待的任务已为时太晚，目前，哈迪的全部人马可能还不到1万人。从米伦到萨瓦纳的区域土地贫瘠，多沙，除了正在生长的稻草，找不到其他牛马的饲料，但稻草完全可以当饲料用，而收获的稻米也补充了士兵的粮食供应。一路上谢尔曼没有碰到值得留意的抵抗。在离萨瓦纳几英里的地方，有部队驻守，还挖了战壕。谢尔曼到达后，立即包围了这

个地方。他发现敌人在地上埋了地雷，人畜踩上就立刻爆炸。一个地雷在一位军官的马蹄下爆炸，把马炸得血肉横飞，这位军官的一条腿也受了重伤，不得不截肢。谢尔曼立即命令俘虏列队走在前面，或者踩爆地雷，或者把地雷挖出来，幸运的是，再没有地雷爆炸。

12月10日，萨瓦纳包围战开始了。攻陷萨瓦纳之前，谢尔曼先派遣一些军队开辟通往海军交通路线，他期待找到南方的某个港口，或者找到敌人打不到的要塞。在前往海岸的路上，他路过麦卡利斯特堡，要从海军得到有用的补给，就必须攻陷这个要塞。黑曾将军率领他的师发动攻击，很快就攻陷了麦卡利斯特堡。与舰队的交通线就这样打通了。接着，只用了几天时间就攻陷了萨瓦纳，部队的伤亡并不大。萨瓦纳守军弃城渡河，向东逃走了。

当谢尔曼打通与舰队的交通线时，他发现海军那儿有一艘汽船，船是我派给他的，装载着给他的部队积攒的信件，也运去了我认为他需要的补给。J. G. 福斯特将军率领着所有北卡罗来纳州的部队，驻扎在大西

洋沿海地区，他在谢尔曼打通与舰队的交通线之前，为了确定他能给谢尔曼什么样的帮助，访问了谢尔曼将军。随后福斯特立即返回了他在希尔顿黑德岛的总部，目的是给谢尔曼运输大炮，包围时用得上。假如发现他有多余的布料，硬面包等，他也会运过去，因为他认为这些物品可能在其他地方找不到。我派的汽船上的邮件，是由 A. H. 马克兰上校收集的，他在邮政部门工作，他前往战场，负责这件事。陆军中尉邓恩是我的一名参谋，我派他搭乘这艘汽艇，给谢尔曼将军带去了一封信。

锡蒂波因特，弗吉尼亚州，1864 年 12 月 3 日
谢尔曼少将，指挥佐治亚州萨瓦纳附近的军队

从南方媒体上收集来的一点点信息，说明你并没有遇到太大的障碍，我已经把你的信件送到了城外正在封锁萨瓦纳的骑兵中队，信件是以前在巴尔的摩由马克兰上校收集的，他是邮

麦卡利斯特堡一隅，摄于美国南北战争时期

政部门的特定代理人。刚从海岸听到你的消息，就把这些信件给你送过来。

在没有确保胜利之前，我不愿意庆祝，我有意避免祝贺你和你领导下的部队，直到你毁掉了他们的根基，我才祝贺你。我相信，我们一定会实现这个目标。

自从你离开亚特兰大后，我这儿没有什么大的进展。然而我们密切留意着敌人的动向，阻止他们从我们这儿脱身，而向你进攻。敌人除了1,200或者1,500名弃马的骑兵，其他任何人都没有离开我们这儿。布拉格从威尔明顿撤走了。利用他撤退的机会，我在想办法占领威尔明顿，但这次远征被推迟了，因为舰队司令波特和巴特勒将军正在准备炸毁菲舍尔堡（尽管我对此寄予了最好的希望，但却没有一点信心）。我希望他们能够在7日准备好，而到那时布拉格还没有回来。

在这封信中，我不想给你下一步行动的任何指令，但我会说明我的一个总体设想，当你在海岸边站住脚后，我想听听你的看法。目前敌人还占领着仅有的两条从东到西的直通道路，我希望你用老兵队伍，在攻陷亚特兰大之前，控制这两条路。占领萨瓦纳和奥古斯塔，或者占领萨瓦纳和布兰奇维尔以东的任何其他港口，就可以实现控制这两条路的目标。如果攻陷了威尔明顿，那儿的一支部队就可以配合你的行动。

托马斯被胡德包围了，他得再次保卫纳什维尔。他已经放弃了迪卡特，除了一条通往查塔努加的主要道路外，其他的道路也都放弃了。毫无疑问，有必要从一些地方撤退，全面撤军可能是迫不得已。然而，依我看来，事情并不一定如此。我认为，托马斯的步兵比胡德的步兵数量要大得多。在骑兵方面，胡德在士气和数量上有优势。我仍然希望假如消灭不了胡德，也得让他受到重挫。你会从报纸上得到大概的情况，报纸给的消息比我的要好。

一切安静下来后，这儿的路况变得极差，一两周内可能什么事也干不了，我会去海岸见你。如果你愿意，我会邀请谢尔曼夫人跟我一块去。

U.S. 格兰特中将

我引用这封信是因为它能使读者对当时的事件有一个全面的了解。

谢尔曼此刻（15 日）返回萨瓦纳，想完成包围，并确保驻军投降。萨瓦纳周围地区地势较低，多沼泽，从河流的上游到下游，萨瓦纳市都有堑壕保护；除了沿着一条相对狭窄的堤道，无法从其他地方进攻。因由于这个原因，进攻肯定会造成联邦军队的重大伤亡，也可能完全失败。因此，谢尔曼决定团团包围这座城市。当他认为已经完成包围的时候，他要求驻军投降。哈迪将军指挥着驻军，他大体上回答说事态并不是谢尔曼描述的那样。他说他与各部门的交通完成畅通，而且不断地接到补给。

实际上，哈迪被完全切断了与河西的交通，河流本身也切断了他与南北的交通。南边是卡罗来纳州，这一地区全都是水稻田，补给是无法从稻田里运过来的，因此除了一条起源于河西的失修的乡间道路，哈迪不可能有通往外部世界的交通线。得到这样的答复后，谢尔曼亲自去了海岸边的一个地方，福斯特将军有军队在那儿驻扎，部队由哈奇将军指挥，谢尔曼的目的是与哈奇将军合作，沿着南卡罗来纳州的一部分海岸，穿过无数条通向内陆的航道中的一条，到达哈迪将军仍然占据的乡间道路，假如不能切断交通的话，就切断他得到补给的最后一个渠道。

当这些行动正处在策划之中，还没有付诸实施的时候，谢尔曼从他的一个参谋那儿得到一信息，说前天晚上，敌人已经从萨瓦纳撤退了。这是 12 月 21 日的晚上。从这个地方撤退之前，哈迪炸毁了海军船坞。一些装甲舰也被毁掉，还毁坏了一些可能对我们有用的财产，但他留下了大量的补给品，原封未动，包括棉花、火车车厢、小工厂、无数的大炮和几千套轻武器。

萨瓦纳陷落后不久，发生了一件小事，谢尔曼在他的回忆录里讲过，也值得在这儿重复一遍。萨瓦纳是遭偷渡船硬闯的地方之一。这座城市落入我们手里之后不久，一个偷渡船平静地驶入城市，毫无疑问，船上的人认为南方军队仍然占领着城市。没人干扰他们进城，直到他停泊好船，进入海关大楼，才发现了自己搞错了，在那儿他们才发现大楼已经易主，变卖船舶和货物后，并没有赚到期待中的那么多钱。

当谢尔曼的书面世的时候，这本书的批评家们讨论了谢尔曼向海岸进军计划的发起人问题，对于这个问题，我这儿想说明的是，在我与谢尔曼将军之间，这个主题从来没有引发任何争议。谢尔曼原定的行动计划不再适合当时的情况，作为一支部队的指挥官，他必须设计一个新的行动计划，只有这样，成功的可能性才会更大，因此他建议摧毁返回查塔努加的铁路，而且授权他立即采取行动，他从亚特兰大起，就是这么做的。尽管华盛顿当时并没有同意这些计划，我还是最后批准了他的建议。甚至到了开始执行这个计划的时候，总统也感到非常担心，拿不准该不该打这场仗。我想，总统一定受了他的顾问的影响。总统最后让我把谢尔曼的进军日期推迟一到两天，让我再考虑一下此事。尽管找不到记录来证明，出于对总统的尊重，我确实给谢尔曼发过一个急电，请他再等一两天，或者我们之间的联系已经被切断，我联系不到谢尔曼了。不管当时情况如何，谁设计了从亚特兰大向萨瓦纳进军的计划这个问题，很容易回答：很明显是谢尔曼设计的，出色执行这个计划的功劳也属于他。新作战计划只能由亲自参战的人来设计，局外人想废除不切实际的旧战役计划，而设计新计划，几乎是不可能的。

从谢尔曼第一次给我提交计划的那一刻起，我就赞成他的计划。然而，我的参谋长，强烈反对这个计划，我后来才知道，当他发现不能说服我的时候，就求助于华盛顿当局来阻止这个计划。

第四十五章
富兰克林之战与纳什维尔之战

　　正如我们所见，1864 年 10 月底，胡德利用马斯尔沙洲群到下游沙洲群之间的区域，成功地渡过了田纳西河。托马斯派斯科菲尔德率领第 4 军和第 23 军及威尔逊的 3 个骑兵旅，在珀拉斯凯监视胡德。11 月 17 日，胡德开始行动，他小心谨慎地躲过了斯科菲尔德的监视，迂回到他的阵地的侧面。胡德有 3 个步兵军团，分别由斯蒂芬・D. 李、斯图尔特和奇塔姆率领。这些部队，加上他的骑兵，共计大约 4.5 万人。斯科菲尔德的所有部队共计 3 万人。托马斯命令斯科菲尔德监视敌人的行动，如果能避免，就不要与敌人交战。一旦遭遇进攻，就向纳什维尔且战且退，尽量延缓敌人推进的速度，直到托马斯本人来援助他。斯科菲尔德一接到这条命令，就把他的辎重队派到了后方，但直到 21 日他本人才撤退，刚撤到哥伦比亚就与敌人发生了一次小冲突，但没有大战。然后，他率部从哥伦比亚退到了富兰克林。他让马车队提前撤退，斯坦利带着两个师随行保护马车队。胡德麾下的奇塔姆部为了追赶马车队，于 29 日晚上在斯普林希尔扎营。

　　29 日，斯科菲尔德从哥伦比亚撤退，晚上路过奇塔姆在斯普林希尔的营地，尽管那里不足 1 英里，但没有受到敌人攻击。30 日早晨，他到达富兰克林。

　　胡德紧紧追赶，当天就到了富兰克林，发动了攻击。双方拼死相搏，战场血流成河。邦联的指挥官们率领士兵反复冲锋，损失异常惨重。惨烈的战斗一直持续到深夜，邦联军这才撤退。斯坦利将军率领两个师的联邦军队，在战斗中打先锋。虽然他负了伤，但仍然坚守指挥岗位，没有下火线。

根据托马斯的报告，富兰克林之战中敌人的损失如下：1,750 人战死后，他们的尸体后被我军直接埋在战场上；3,800 名伤兵被俘后送往医院；另有 702 名俘虏，是没有受伤的士兵。斯科菲尔德的损失，据官方报告如下：189 人被杀，1,033 人受伤，1,104 人被俘或失踪。

托马斯根本没有前往富兰克林支援斯科菲尔德，那时在我看来，他应该去支援，而且要在那儿战斗到底。他只是命令斯科菲尔德继续向纳什维尔撤退。当天晚上到第二天，斯科菲尔德遵命撤退。

这时，托马斯正在准备迎战胡德。去查塔努加一路上，强大的驻军仍然固守着默弗斯伯勒、史蒂文森、布里奇波特和查塔努加四地。托马斯先前已经放弃了密苏里州的迪卡特，A.J. 史密斯从密苏里州返回，带回两个师的援兵，接着又从前线撤回了斯蒂德曼师和 R.S. 格兰杰师。他的军需部队大约有 1 万人，由军需主管 J.L. 唐纳森将军负责，已经组织起来，并配发了武器。军需部队部署在工事里，总体上由美国国家工程部队的 Z.B. 托尔将军指挥。

胡德获准进攻纳什维尔，而且几乎没有受到任何干扰，就包围了这里。托马斯阵地上的工事异常坚固，当胡德发起进攻时，他应该是安全的。他甚至有足够的军队在开阔地歼灭胡德，但我不明白他为什么总是龟缩在工事里——等着被敌人包围，最终为了突围，不得不与坚固工事前的敌人厮杀。天气糟糕透了，雨一直下个不停。雨水一落地就结成了冰。现在，路上已经结了一层冰，在上面行走非常困难。不过，我担心敌人会找到办法，克服困难继续行军，从而避开托马斯，进至坎伯兰河以北。一旦敌人成功，我们势必要从东边抽调军队来拦截。在这种情况下，北方战役的后果是非常严重的。尽管托马斯将军的防守是有效的，但他行动前总是过于深思熟虑，而且行动后也非常迟缓。

富兰克林之战，上图为富兰克林之战爆发前的联邦军阵地；下图
为富兰克林之战中邦联军与联邦军展开激战，库尔茨＆艾利森出
版公司印刷，现藏于美国国会图书馆

　　我从锡蒂波因特给托马斯频繁地发电报，催他立即发起进攻。现在，整个国家慌了，政府各部门慌了，我也慌了，唯恐我上文提到的灾难会发生，那就是胡德部会进入北方。一切努力都无济于事，我只收到托马斯发来的几封急电，说他一准备好，就立即行动，他正在准备等。最后我只得对托马斯将军说，除非他立即行动，否则无可奈何之下我只得撤他的职。他回复说，他很抱歉，但他一准备好，就立即行动。

　　此时，洛根将军碰巧正在锡蒂波因特访问，我知道他是一个行动敏捷，既勇敢又高效的军官，于是就命令他前往纳什维尔，接替托马斯。不过，我指示他，在到达那儿之前，不要私下公布命令，也不要公开发布命令。如果托马斯已经开始进攻，那么绝不能公开他的任命，而是与我通过电报联系。洛根走后，我反复研究战局，烦躁不安，最后决定亲自去。我走到华盛顿城时，收到托马斯将军发来的急电，说他终于准备好了，要进攻了，选定的进攻时间为12月15日。我决定等到他进攻之时。他确实进攻了，并且一开始就攻得很好。进攻开始时，洛根将军正在路易斯维尔，他发电报向华盛顿报告了这件事，他就不再前行。

　　15日的战斗异常激烈，一直打到夜幕降临，但联邦军占到了便宜。第二天战斗又重新开始。托马斯成功袭击了堑壕里的胡德军队，敌人或被击溃，或被打散，仓皇而逃，尸横遍野，丢下大量的大炮和轻型武器，还有很多伤兵被俘。我们的骑兵没有骑马，他们变成步兵作战，结果当敌人撤退时，我们的骑兵无法追击。他们随后返回，骑上战马，经过格兰尼怀特路，想提前抵达富兰克林，拦截胡德的散兵。由于追击前的准备工作耗时太长，离开战场后，刚刚追了几英里，就发现敌人的骑兵下马，进入堑壕，封锁了他们前进的道路。我们的骑兵下马，步行作战，与敌人又是一场恶斗，邦联军又被击溃，四处奔逃。晚上时，我们的骑兵露营，第二天早上继续追击。太迟了。敌人已经占领了富兰克林，我们的骑兵望尘莫及。邦联军现在开始掌握了运动战的先机。

　　我们的部队追击到了离哥伦比亚只有几英里的地方，才发现叛军已

纳什维尔之战,上图为邦联军西尔威斯特·希尔率军进攻联邦军守卫的多面堡;
下图为纳什维尔之战中联邦军远离战场中心的地方,摄于 1864 年

经摧毁了铁路桥梁和其他所有建在达克里弗河上的桥梁。几天前的大雨把河流变成了汹涌的波涛，没有桥无法渡过。不幸的是，不知什么原因，也许由于命令措辞的失误，本来应该由火车运往富兰克林的浮桥和援军，因此被运到了查塔努加。由于以上这些原因，他们只能以旧铁路桥为基础，建造了新桥梁，这导致了 4 天的延误。尽管我们继续追赶，但一点用处都没有，胡德这次被吓破了胆，我们再也追不上他了。

第四十六章
第二次远征与攻陷菲舍尔堡

　　直至 1865 年 1 月，敌军还占领着流经威尔明顿市东侧的开普菲尔河的下游要塞——菲舍尔堡，该堡地处开普菲尔河河口，对邦联军至关重要，是军火贩子们用来进口弹药等战争物资的咽喉要道，而这些物资国内无法自给自足，特别紧俏。如果我们夺取了这个要塞，就可一举两得，既可借此切断他们的物资供应，迅速结束战争，又能解除来自外国政府，尤其是英国政府的持续威胁，如果我们不能严密控制海岸线，他们很可能会乘虚而入。基于此，在征得海军部同意后，我决定于 12 月派一支部队远征，夺取菲舍尔堡。

　　对海岸线的控制可谓困难重重，菲舍尔堡被攻陷之后，各种意想不到的情况时有发生。有一次，有两艘英国走私船趁着夜色偷偷越过封锁线，领头的人还不知道这个堡已经被我军攻陷，便想方设法躲过了我们的防御舰队来到河中，然后给菲舍尔堡守军发信号。堡上有位黑人，他之前是邦联的守军，深谙这些信号的含义，将这个情况汇报给特里将军，他建议特里将军将计就计，将这些人骗进堡里，特里将军同意了。小船划进来时，他们的头领尚未意识到菲舍尔堡已易其主，即已落入我军手中。在被带去见特里将军时，这些人甚至还在愉快地聊着天。直到被告知船和货物都会被扣押，他们才恍然大悟。

　　我特派詹姆斯军团的韦策尔将军率军远征，但具体战斗部署由巴特勒将军负责。巴特勒将军掌管菲舍尔堡地区的所有部队，这段海岸线上诸如博福特等其他各个据点的部队也都在他麾下，因此配合远征军夺取菲舍尔堡，他是最佳人选。

巴特勒将军对如何夺取菲舍尔堡有个想法，如果将满载炸药的轮船运送到海岸附近离菲舍尔堡很近的地方并将其引爆，肯定能产生巨大的威力，菲舍尔堡或许唾手可得。海军上将波特觉得这个主意不错，华盛顿也默许了此次行动；船只很快准备就绪。我当时对这个计划实在没有信心，也向华盛顿明确地表达了我的担忧，但政府认为不妨一试，我觉得也没什么坏处，就同意了。轮船被送到位于北卡罗来纳州的博福特，在那里装载炸药，并为它即将承担的任务做各种准备。

巴特勒将军决定亲自参与此次行动，时间定在 12 月 9 日（1864 年）。但天不遂人愿，连续几天的暴风雨，部队 13 日、14 日才得以出发。先遣部队于 15 日到达菲舍尔堡。其他海军分队也陆续到达、集结。必要的军需品、煤炭等物资都必须从最近的博福特供给，炸药船也还没有完全准备好。因此船队打算 18 日开拔。但直到此刻巴特勒才发觉，15 日至 18 日的几天时间里，船上携带的煤炭、淡水等一应物资都已消耗殆尽，必须先回博福特补充。另一场风暴又耽搁了好几天的时间，不过在此期间，陆军和海军敲定了配合作战的时间。

菲舍尔堡全景，摄于美国南北战争期间

　　23 日晚，炸药船被小炮艇拖曳到尽可能靠近菲舍尔堡又来得及撤离的地方。然后在离海岸 500 码远的地方让炸药船靠自身马达的推动将自己推进。定时装置按照预计的时间设定好之后，所有人撤离，船只也都退到安全的地方。凌晨 2 点，炸药船如期爆炸，但没有任何杀伤力，其威力就好比一个锅炉在大西洋上爆炸，对菲舍尔堡及其周边都没有撼动分毫。　事实上，据后来了解到的情况，菲舍尔堡的守军当时听到爆炸声，确实以为是哪艘船上的锅炉爆炸了。

　　菲舍尔堡地处开普菲尔河北部一个地势较低、坡度平缓的半岛之上。半岛上大部分地方土壤松软，草木茂盛，到处都是淡水沼泽。堡垒横跨这座半岛，宽度大概 500 码，绵延海岸线大约 1,300 码的长度。靠着陆地这边的武器包括 21 门大炮，3 门迫击炮，靠海那边则是 24 门炮。戍守堡垒的只有 4 个步兵连， 1 个弗拉格庞德炮台和不到 700 人的重炮炮手，半岛南部 5 英里的地方还有不足 1,000 的后备力量。邦联的怀廷将军负责指挥这支部队，布拉格将军负责威尔明顿的部队。一发觉我军有登陆的企图，他们都给上级报告要求增援。北卡罗来纳州的州长呼吁普通民众加入他们的队伍。这样一来，菲舍尔堡的守备人员又增加了两三百人；霍克的一个师，五六千精兵从里士满被派来支援，其先遣部队赶到时恰

逢巴特勒将军发起进攻。

24 日，我方海军舰队在距离岸边最近的地方集结，船体与船体之间靠得很近，形成半个铁桶之势向菲舍尔堡逼近，在船体之间留有空隙使得炮船可以从此处向敌开火。波特每分钟能发射 115 发炮弹。但即便如此，对堡垒的破坏却微乎其微，只炸掉堡垒里面的两三门大炮。好在这种火力使得堡内温度急剧上升，堡内的士兵实在无法忍受都躲了出去，因而也就无力向我们还击了。

第二日，巴特勒将军麾下的埃尔伯特·埃姆斯将军率其部队在堡垒菲舍尔堡射程以外的地方轻而易举地着陆，当然这主要得益于炮艇的掩

埃尔伯特·埃姆斯（1835—1933）将军与参谋人员的合影，左边的坐者为埃尔伯特·埃姆斯将军，摄于美国南北战争时期

护以及为让他们顺利登陆而发起的新一轮猛攻。登陆后他们与其他队伍形成一道完整防线并向前推进，部分往北，部分直接向菲舍尔堡行进，整个过程尽可能地隐藏自己的行踪。柯蒂斯旅来到菲舍尔堡附近，俘获了驻守在弗拉格庞德炮台的守军。距柯蒂斯不远的韦策尔，他们从距离

堡垒半英里的地方，观察到堡垒还很结实，就将这个情况汇报给巴特勒将军，建议对其展开猛攻。半岛北部的埃姆斯部俘获了 228 名俘虏。据俘虏透露，里士满派遣了霍克一个师的援军，其中 1,600 名士兵已经抵达、整休并做好了随时战斗的准备。

巴特勒获知这些情报后决定立刻撤军，将半岛上的军队撤回到船上。那时候我方除了被一枚炮弹碎片误伤的人员外还无一人受伤。柯蒂斯此时已经几乎完成了任务。他的手下有的已经将夺下堡内的敌方旗帜，有的抢走马厩里的一匹马。晚间，巴特勒命令波特撤军，并说明了原因，带兵上船去往汉普顿罗兹时又说了自己的打算。波特自告奋勇说他已经派人从博福特弄来更多的弹药。他可以做到更快地发射炮弹，将敌人逼得不敢现身，以此掩护我们的人能够到达距堡垒 20 码的距离，他恳求巴特勒留下一些作战勇敢的士兵作为敢死队，比如那些勇夺敌方旗帜，还有从堡垒抢夺马匹的人。

但巴特勒刚愎自用，不为所动。他命令除了柯蒂斯旅，其他所有部属登船撤退。但这么做，其实是犯了致命的错误。我对此次参与行动的所有军官们都曾明示，能抢滩登陆本身就已经是个巨大的胜利，无论有何种状况发生，据点绝不能放弃。非但如此，必须马上展开对堡垒的全面进攻，并克服暴风雨带来的干扰，一旦我军登陆，所有武器弹药等都必须立即跟进。但是巴特勒将军似乎忽视了这部分的指令，于 28 日返回到门罗堡。

我向总统致电如下：

弗吉尼亚州锡蒂波因特 1864 年 12 月 28 日晚上 8：30
华盛顿 A. 林肯总统：

事实证明，威尔明顿远征是我军重大的败笔。如今军队已返回。时机延误以及公开讨论远征话题，使得敌方钻了空子，乘机调援兵至威尔明顿将我军打败。远征军当时从门罗堡出发后，本来有3天好天气，可惜被白白浪费掉，因为当时菲舍尔堡守军势单力薄、毫无防守之力，本来唾手可得。我真想知道，此次失败，谁是罪魁祸首！

U.S. 格兰特中将

波特将军给海军部发电报，痛心疾首地说菲舍尔堡本来唾手可得，谁知节骨眼上却被大部队抛弃于半岛，孤掌难鸣。他恳请派队支援，但要求必须换指挥官。我收到电报立刻派人给波特送信要他坚持住。我告诉他，我深刻了解他的失望之情，感同身受，我会即刻派另一位军官带领之前的队伍返回菲舍尔堡，并增加兵力以对抗敌人的援军。我告诉他，援军到达需要一些时间，但只要有合适的将领，我会立刻让其出发接应支援，绝不耽搁。这次我派A.H.特里将军领军前往。

运送军队的准备工作完成，部队能上船开拔时已经是1月6日。部队这天从门罗堡出发。第二次远征的目标与目的地只有海军部和陆军部队几个相关人士知情，对外一概保密。特里将军对他要去哪里以及要干什么都毫不知情。他只知道受命出海并随身携带命令，具体内容只有在到海上之后才能打开。

他收到的命令是要与波特随时保持联系，也可以任意调用陆军与海军，因为此次任务需要所有陆军、海军通力协作。8日他们到达博福特。一场大暴雨又将他们耽搁，直到13日才得以登陆到菲舍尔堡外围部分。海军已经做好进攻菲舍尔堡以及协助陆军登陆的准备。这次他们距菲舍尔堡5英里。装甲船首先开火，目的是吸引敌人火力以确定敌军的位置。位置一确定，火力全开，枪炮隆隆。堡里没多久就偃旗息鼓，显然堡内守军已受重创。

特里部署他的部下跟上次一样横穿半岛，第二日凌晨两点的时候，

菲舍尔堡之战，上图为参与炮轰菲舍尔堡的联邦海军军官在军舰"马赫派克号"
上的合影；下图为联邦陆军轰炸菲舍尔堡用的重炮

他们已经到达距离堡垒两英里的地方，这里遍布铁丝网，坚固异常，难以通过。他的炮队那天也同时抵达，即 14 日。埃姆斯麾下的柯蒂斯旅再次负责开路，到中午时他们已经拿下一座未完成的工事，这个工事距离堡垒不到半英里，之后就如猛虎般向菲舍尔堡猛攻。

此时，特里已与波特会面并商定于第二日发起攻击。二人定好联络信号以便互相支援。破晓时分，舰队开始进攻。联合作战的时间约在下午三四点钟，指挥官埃姆斯将时间确定在 3：30。波特带领一支由海军和海军陆战队组成的队伍登陆到海岸以配合埃姆斯。他们是海军布里指挥官的部下。猛攻开始前，这些海员和海军陆战队已经到达距堡垒仅几百码的地方。信号发出，总攻开始了，但他们遭遇敌军负隅顽抗，死伤280人。

柯蒂斯旅虽然也遭遇强大火力但进展顺利，他们有些人是从齐腰深的沼泽中涉水到达堡垒的。在这个进程中，很多人受了伤，也有人丢掉了性命，但他们还是克服重重险阻，很快抵达堡垒附近的栅栏地带。他们砍掉栅栏，将其推到一边。后续部队也依次到达，彭尼帕克紧跟柯蒂斯，还有负责埃姆斯师第3旅的贝尔紧跟彭尼帕克。但是，尽管围墙被攻破，堡垒仍然没有被拿下。

这座堡垒面积很大。围绕着它的护墙看起来不起眼，到跟前时才发现大有玄机。一道道小护墙互相贯穿、交错的小堡垒群最后形成一个复杂的，易守难攻的大型堡垒。敌军凭借地利优势做困兽之斗，我军别无他法，只能将这些小堡垒逐个攻破，这样一来，战斗持续很久，到 10 点钟的时候，才终于攻下了整个堡垒。在这场战斗中，为了确保特里在北线的进攻，海军损失惨重，但他们的苦战使特里的进攻没有了顾盼之忧。舰队的任务是对堡垒内部仍被敌人占据的地方进行持续不断的火力猛攻。他们彼此通过发送信号来获知炮弹的攻击方位。

随后的几夜，敌军炸毁了位于开普菲尔河对岸的卡斯维尔堡，放弃了开普菲尔河中史密斯岛上的两个巨大工事。

我方缴获大量战利品，包括169杆枪，许多小型武器，大量的弹药武器，

菲舍尔堡之战，上图为联邦军进攻菲舍尔堡，库尔茨＆艾利森出版公司印刷，
现藏于美国国会图书馆；下图为邦联军反击进攻菲舍尔堡的联邦军

还有俘虏 2,083 名。伤亡人数方面，邦联军死伤共计 700 人。我方死亡 110 人，伤 536 人。

在这场菲舍尔堡之战中，我们的一位指挥官，贝尔旅长，阵亡。还有两位旅长，柯蒂斯和彭尼帕克，受了重伤。

我军攻破菲舍尔堡后不久，斯坦顿部长，在从萨瓦纳返回的路上到访菲舍尔堡。在他听到这个好消息后，他给所有军官都提了军衔来鼓励他们在战场上的英勇无畏。特里曾被提名少将，但未获批，这次战争无疑确认了这点。不久我推荐他为正规军陆军准将，这一切都是因为此次战斗中取得的胜利。

第四十七章

攻陷南卡罗来纳州的哥伦比亚

当谢尔曼军夺取萨瓦纳的消息传到北方的时候，许多著名的政客，蜂拥而至前去拜访，这其中就包括陆军部长，他对谢尔曼此次大捷非常满意。同去的还有德雷珀先生，纽约海关的征收员，与斯坦顿同属民主党，他负责保管被遗弃或缴获的公共财产。此次战役后，萨瓦纳交给福斯特将军掌控，这样一来谢尔曼大军就可以保持机动，以备不时之需。我派遣波托马克军团（巴纳德将军部）的首席工程师带信给谢尔曼将军。他在谢尔曼那里待了一些时日，回来时带来了谢尔曼的回信，其中一封谈到他北征时我如何与他进行配合的一些想法和建议。

在此，我必须陈述一些不能被历史忽略的事实：我当时对是否让谢尔曼从萨瓦纳远征至里士满，甚至到北卡罗来纳，根本拿不定主意。天气很糟，道路几乎无法通行，如果不是他带领的军队，我真都不敢想会去下这样的行军命令。为了协助他，我下令搜集船只，打算将谢尔曼和他的军队通过水路送至詹姆斯河，然后把我这个打算告诉他。收到信他就立刻着手准备，但是看到搜集船需要很长时间，就提议不如步行穿越卡罗来纳州往北，这个建议令我喜出望外。因为如果成功，将会占尽所有优势。首先，他的部队穿越佐治亚州，行军过程中能彻底破坏掉该州所有运输线，这样就彻底切断了敌人往佐治亚西部的所有物资供给。其次，如果南卡罗来纳州也无法保证李将军的供给，里士满的邦联军将不得不将缩小范围，或许只能局限到弗吉尼亚境内以求自保；而且，尽管弗吉尼亚州土壤肥沃、物资丰富，但那里的粮草几乎已经消耗殆尽了。考虑到以上诸多的因素，我立刻批准了谢尔曼的建议。

准备工作冗长、乏味，因为要装载到马车上的辎重，必须从很远的地方运来。谢尔曼军步行路过的乡村远比出海时经过的乡村贫瘠，根本无法自行补给。而这次行军将要遭遇的敌人却比他之前出海遭遇的敌人更多更强。另外，此次他的必经之路于邦联军而言，是事关生存的最后地盘的争夺，因此敌军必然背水一战，殊死搏斗，其艰难程度可想而知。

因此，谢尔曼在整理必备物资的同时与海军上将达尔格伦制定了作战安排，达尔格伦将军负责指挥南卡罗来纳州罗来纳和佐治亚海岸的部

达尔格伦全名为约翰·阿道弗斯·伯纳德·达尔格伦（1809—1870），他是美国南北战争时期联邦海军的重要将领，图为达尔格伦将军在军舰"波尼号"的照片，摄于 1864 年

分海军，他和福斯特将军前去查尔斯顿地区的海岸线，带领他们的部队拿下海岸线上的几个敌方据点并守住。

为谢尔曼大军准备的这批物资，能保证他万一遭遇强敌无法前进时，可暂时退守到海岸。他给我写了封信，提及在他北征更深入时他可能需要的其他支持。这封信由巴纳德将军带到锡蒂波因特，那时我正打算去华盛顿，事实上，我是1月21日抵达华盛顿。我为配合谢尔曼作战所做的准备，内容庞杂，还是从我给他的回信内容来了解吧。

华盛顿特区美军司令部　1865年1月21日

密西西比军区司令 W.T. 谢尔曼少将

将军，您托巴纳德将军所带之信已阅，甚感欣慰。由于我未将信带在身边，因此对您在信中所提建议未必能做到面面俱到的回复。我1点钟刚到此，6点必须走，其间还要与部长及哈勒克将军进行3小时的会面。时间紧迫，所有只能简要说一下。在您最后一次请求中让托马斯进攻亚拉巴马州腹地之前，我已经命斯科菲尔德带着他的部队至安纳波利斯。其先锋部队（6,000人）将于23日抵达海岸，后续部队会从辛辛那提乘火车以最快速度赶到。部队人数21,000多人。我做这样的安排是因为我不相信托马斯能赶在春季来临之前出发。之前在追击胡德部队时，他行动迟缓、拖沓，所以我不愿意让他参与您的任何战斗。他把追击胡德军的命令下达给他的下属，自己却落在后面很远。胡德已经越过了田纳西州，追击的队伍才到，托马斯所带军队赶到田纳西州的人数还不到一半，从那里他又返回纳什维尔，并从那里乘船去了伊斯特波特。他为人判断力极佳，头脑冷静，非常忠诚，但他确实不擅长追击。他打报告说他的部队疲惫不堪，需要补给。绝不能让敌人有喘息之机，所以看了这份报告，我决定还是将他的部队留作他用。

若是指挥得力，托马斯的剩余兵力本足以攻打塞尔马。我已发电报给他问他是否可以去，如果去，会选择哪条路线。但至今未收到回复。坎比已经接到命令，从海岸线向内地的蒙哥马利和塞尔马发起进攻。托马斯的部队如果不能及早南下，就派他的部分兵力去增援坎比。如果没有进一步的增援，坎比目前有2万兵力。

你知道菲舍尔堡已经被我军攻陷。那里有我们8,000精兵。在新伯尔尼大约有4,000。据逃兵传言，威尔明顿也已经陷落。我认为这个谣言是真的。因为17日我们获悉敌人炸毁了他们卡斯维尔堡周边工事，接着18日特里向威尔明顿发起进攻。

如果威尔明顿已经被拿下，斯科菲尔德也就会去那里。否则他会被派至新伯尔尼。无论哪种，这两个据点所有的剩余兵力都会移师内地至戈尔兹伯勒与你配合行动。无论是哪个点，都可以使用铁路交通，这里有充足的火车来运送兵力及物资。

李军之前向南方派兵1.6万。菲舍尔堡伤亡人数2,000多人的，如果威尔明顿敌军失守，剩余的1.4万人必然全力对付你。

所有您能联系上的部队都会听您号令，受你调配。我会给他们下达相关命令。另外，我会密切关注里士满周边李军的动向，如果他增派兵力，或企图撤退我会立即增派兵力。同时如果您的队伍受困，我会立刻从里士满派两个军，大约3万精兵前去支援。

总而言之：坎比将军已受命从墨西哥湾向内地发起进攻。A.J.史密斯可能会南下，但我还不能肯定。2.8万或者3万人的兵力会在新伯尔尼或威尔明顿与您打配合战，也有可能是两地同时。您可以根据情况请求支援。

这封信会由我的参谋赫德森上尉交给您，有回信可托他带回。如果需要我往海岸任何地方运送物资，我必全力保障，请直说无妨。

您真诚的 U.S. 格兰特中将

我曾在 1 月 18 日给谢尔曼将军写信，告知他纳什维尔大捷的消息。他听后非常高兴。托马斯竟然使胡德部队跨过田纳西河并且几乎跨越整个田纳西州，最终在纳什维尔才被打败，对此他感到十分失望。但和我一样，还是给托马斯写了一封热情洋溢的贺信。

1865 年 1 月 10 日，国会通过了犒劳谢尔曼大军的决议并获批。

谢尔曼在攻克萨瓦纳之后，立刻开始着手清理战场。河岸上的木桩和地雷被清理掉，所有安全防范设施重建。随后他围绕整个城市挖起战壕，如此一来只需少量部队就能守城。到 1 月中旬，所有工事完工，只剩征集补给，为下一步部署做准备了。

他建议两路并进，一路从萨瓦纳沿着同名的萨瓦纳河行进，另一路从东边走陆路往北，直逼查尔斯顿。右翼军向南卡罗来纳州的博福特进发，然后从水路抵达波克塔里格。右翼军挥师北上，逼近查尔斯顿，实际上，我们事先并未计划要攻占此地。但南卡罗来纳州之前大造南方独立舆论，对公众心理影响很大，并且一直积极促成南方独立的决议，因此北方从政府到民众，都有一种感觉，包括南方大部分人也有此意，那就是，应该对南卡罗来纳州、查尔斯顿，这个蠢蠢欲动的分裂思想诞生的温床，施行铁拳政策。实际上，因为没有将查尔斯顿考虑到此次行军当中，差点遭到激进派的谴责，是后面发生的决定性的战果免除了他们对军队此次行动的声讨。那就是，只要进入内地，就能迫使敌军放弃这座城市，海军和福斯特部队就可不费吹灰之力将其占领。然而，这个位置恰处两条大河之间，据此地利，在粮草充足的条件下，只需少量部队就可据守，可谓易守难攻。因此谢尔曼最终决定先放过此地。

2月1日一切准备就绪，首要目标是南卡罗来纳州的哥伦比亚；其次是北卡罗来纳的费耶特维尔；戈尔兹伯勒以及邻近地区是最后目标，除非有进一步的决定，否则就按此部署。右翼军从波克塔里格出发，左翼军从萨瓦纳河上的哈迪维尔出发，两路纵队都直奔哥伦比亚。骑兵则同时兼顾、震慑其右侧的查尔斯顿和左侧的奥古斯塔。

1月15日菲舍尔堡被攻陷，谢尔曼在远征开拔前夕收到此消息。我军当时已经有了新伯尔尼，继菲舍尔堡之后，威尔明顿也很快归我们所有。在谢尔曼过费耶特维尔时，联邦军一鼓作气攻占海岸线上多个据点，并在那里做好与谢尔曼军配合作战的准备。

1月18日，我向新奥尔良军统帅坎比下令，进攻莫比尔、蒙哥马利

蒙哥马利位于美国亚拉巴马州中部，为纪念美国独立战争中战死的理查·蒙哥马利而得名，图为19世纪中叶的蒙哥马利

和亚拉巴马的塞尔马，破坏其公路、工厂等。2月8日，我命驻扎在弗吉尼亚谷的谢里丹，只要天气允许，即刻袭击里士满西部的运河或者林奇

堡附近。2月20日，我更改命令，只要路况允许立刻前往林奇堡，原话是："只要路况允许，我想先带领骑兵抵达林奇堡应无困难。破坏那个通往各个方向的铁路和运河，绝不能给叛军任何可乘之机……此外，还有三支军队正攻向塔斯卡卢萨、塞尔马和蒙哥马利，一支骑兵四五千人马从田纳西东部出发，由斯通曼指挥；一支骑兵从密西西比的伊斯特波特出发，人数1万；还有一支1.8万的混编军由坎比指挥，从莫比尔湾出发。谢尔曼大军咬断南卡罗来纳州的命脉，这样一来，叛军势必无法立足。因此我希望你能排除万难，完成任务。另外，敌军上周二已从查理斯顿撤走。"

2月27日，距离坎比收到以上命令已逾一月，我再次写信给他，说我对他还未赶到亚拉巴马州感到极度焦虑。同时告知他，我已经派骁勇善战的格里尔森去指挥他的骑兵。我进一步建议他，福里斯特很有可能在密西西比，如果他确实在那里，可以向福里斯特推荐一位英勇善战的军官。

格里尔森全名为本杰明·亨利·格里尔森（1826—1911），他是美国南北战争时期联邦军的一名骑兵将领，图为格里尔森与参谋人员的合影，手托下巴者为格里尔森，摄于美国南北战争时期

我还告诉他，托马斯已经受命于2月20日或随后几天率一支骑兵前往密西西比，但这支部队目前还未启程。

所有这些精心部署都是为了配合谢尔曼的进军，目的是阻止西部的邦联军逃离。但是坎比和托马斯都没能及时动身。在此之前，托马斯未遵照命令动身去参与远征，我遂派遣托马斯军队去支援坎比。坎比与托马斯性格相似，做事优柔寡断，瞻前顾后。我命他亲自前去，他却让其他人带一个分队去。格兰杰将军不知何故，南下至新奥尔良，我写信给坎比叫他绝不能让格兰杰掌管军队。他却置若罔闻，向陆军部请求让格兰杰将军去掌管一个军。

没能让这部分军队为我们的事业发挥应有的作用，这令我几乎绝望，我对坎比说："我收到电报……通知我，说你请调一支工程兵以及相关物资准备修建70英里长的铁路，我已经明确指示，不会派一个人去。托马斯的部队已经派至你处，以便你们在冬季展开行动，至少可以牵制敌军在西部的兵力。如果你们真的要修复铁路，从北部开始要好很多，因为我们有部队驻扎在那里。我本希望你们能与谢尔曼在上次的行动中相互配合，现在已经彻底失败。我很久以前给你写信，督促你快速行军，就地取得供给，破坏铁路而不是建设铁路。攻取莫比尔，留下部分兵力驻守，主力部队继续向内推进至蒙哥马利和塞尔马。毁掉铁路、车辆，以及一切能为战争所用的东西，之后，占据用水路运输物资的要塞。就凭这一种方式，你就可以占据一些重要据点，内地的敌军铁路都会被牢牢控制。"

他们最终还是成行了，可惜为时已晚，根本没有起到任何的预期效果。

敌军——哈迪的步兵与惠勒的骑兵，可能总共不到1.5万人，准备拦截谢里曼大军；我确信，为了阻止谢尔曼的行军，里士满会做垂死之斗。他们千方百计地筹集军队。李将军派遣曾经支援菲舍尔堡的那支部队来阻拦谢尔曼，这支部队，包括港口及周边地区的守军，扣除2,000的伤亡及被俘人数，大概还有1.4万人。托马斯在纳什维尔大败胡德军之后，残兵败将很快被重新集结起来并尽快东进与李将军打配合战；同时，约瑟夫·E. 约翰斯顿将军——南方军的最得力统领之一，只是不受政府青睐（或者至少是不受戴维斯先生青睐），受命掌管北部及南卡罗来纳州的所有军队。

斯科菲尔德于1月下旬抵达安纳波利斯，在派兵往北卡罗来纳之前，我与他一起前往海岸视察，因为只有实际勘察才能给出更全面、更准确的指令。我们很快就返回，派部队从海路前往往开普菲尔河。新伯尔尼和威尔明顿两地，通过铁路与罗利连接，最后在戈尔兹伯乐会合。斯科菲尔德打算在史密斯维尔登陆，这个地方地处开普菲尔河河口西岸，行动便利，可保威尔明顿与夏洛特维尔铁路无虞。部队携带浮桥以便登陆到威尔明顿市南部的岛，北边也派出大批部队与他们配合。2月22日，威尔明顿被攻克。这些预防措施，都是为谢尔曼大军做准备，以防他万一被迫向海岸线撤退时，补给可以及时送到。我也给他送去了火车与车厢，弗吉尼亚的铁路我军已不再使用，因此火车头和车厢大量闲置。北卡罗来纳铁路与弗吉尼亚改造过的铁路规格相同，这些火车无须改造，可以直接使用。

斯科菲尔德全名为约翰·麦卡利斯特·斯科菲尔德（1831—1906），他是美国南北战争时期联邦军的一位将领，图为斯科菲尔德将军

我本来下令让托马斯南下至亚拉巴马和佐治亚（我之前已经分出他的一部分军队给特里以缩减他的兵权），1月31日，我撤销了此命令，让他派斯通曼穿过东田纳西，南下往南卡罗来纳州的哥伦比亚推进，配合谢尔曼的行动。托马斯没能让斯通曼及时启程，相反，当我以为他已

经在支援谢尔曼的行军路上时，却听说他到了肯塔基州的路易斯维尔。我立即更改了命令，让托马斯派他前往林奇堡。最终，3月12日，他率军到达到南卡罗来纳州的西北边远地区，成功给邦联军制造了一些恐慌气氛。我又命令托马斯派遣斯坦利部到布尔加普，不要破坏由此往东的道路。考虑到他的部队可能会通过这条路前往林奇堡。我命他将物资给集中到诺克斯维尔。

戈尔兹伯勒距萨瓦纳425英里。谢尔曼在行军途中并没有遇到大的麻烦，只是因为途中不得不修路铺桥来保证大军行走，耽误了不少时日。双方骑兵不断有摩擦、冲突事件，然而这并未影响到步兵的行程。2月17日，大军到达哥伦比亚，彻底破坏哥伦比亚南部的主干铁路耽搁了4天，河流水位暴涨冲垮了桥梁又耽搁了些时间。哥伦比亚附近有条大河是必经之路，河水暴涨，渡河困难，邦联的韦德·汉普顿将军又率部在对岸把守，所以又耽搁了些时间。谢尔曼到达的时候，汉普顿已率军逃离，哥伦比亚一片火海。

这把火究竟是谁放的引发了人们刻毒的抨击与揣度。谢尔曼矢口否认，汉普顿也抵死不认。但有一点可以肯定：我方刚占领哥伦比亚，就立刻采取措施，全力扑救。不管怎么说，邦联军有纵火前例在先，他们曾火烧宾夕法尼亚州的钱伯斯堡，那只是个没有驻防的小村镇，因此此次火烧州政府所在地的行为或许是民众在发泄其怒火，因为政府应该为这场战争负起所有责任。

邦联军已经撤出哥伦比亚，市长总揽全局，他出发前去与联邦军司令官会面商谈投诚事宜，条件是保护民众财产安全。谢尔曼对此并不在意，没有提任何条件。他把部队开进城里，与市长协作扑灭大火，并且为那些因为大火而家园被毁的人们提供物资。他离开时，甚至还给市长500头牲畜以分给当地居民，提供各种物资帮助他们挺过难关。他滞留哥伦比亚，一直到道路、公共建筑、工厂以及一切能为敌方利用的设施都被破坏殆尽才离开。在此期间，谢尔曼才得知是胡德将军的余部正在博勒加德将军的指挥下与他对抗。

2月18日，敌军撤离查尔斯顿，福斯特率军入驻。22日威尔明顿被攻陷。哥伦比亚和奇罗地处北方，查尔斯顿和奥古斯塔的有钱人认为这两个地方地处偏远，不会受到战争侵扰，因此将金银细软等转移至此。这其中包括价值连城的地毯，成吨的马德拉陈年葡萄酒，精致的银餐具和家具等。我估计这些财产都已经落入我军手中。除此之外，在哥伦比亚还发现了大量的炸药、一些大炮、轻型武器和整装式弹药等。当然这些也属于要被毁坏的物品。也是在这哥伦比亚的时候，谢尔曼得知约翰斯顿已经重获指挥权，负责指挥所有南、北卡罗来纳州的军队，这个前面已经提过。在哥伦比亚的公共设施被破坏殆尽后，谢尔曼继续行进到奇罗，在此期间并没有遭到重大抵抗，也没有重大事件发生。沿线的铁路，当然被彻底破坏掉了。谢尔曼在奇罗停留了一两天，最后，3月6日，他率军渡过皮迪河，直达费耶特维尔。哈迪部和汉普顿部原本戍守该城，但最终侥幸逃脱。谢尔曼军到达费耶特维尔的时间是3月11日。之前他从奇罗派侦察兵送信给在威尔明顿的特里将军，要他派船送些补给来，诸如面包、衣物及其他物品。侦察兵顺利完成任务，一艘船，满载着谢尔曼要求的物资及邮件，从威尔明顿发来。然而糟糕的是，其中没有包括衣物。

4天后，即15日，谢尔曼离开费耶特维尔前往戈尔兹伯勒。这次行军，必须万分谨慎，因为离李将军的部队越来越近，到敌占区了。另外，他本该在途中遭遇的敌军，如今在此集结，即将全部登场了在行军途中早就该相遇的所有敌军，沿路驻军以及胡德军余部的力量也不可小觑。并且邦联一直在疯狂招募，扩充兵力。但是尽管如此，据我估计，约翰斯顿的兵力，总数不会超过3.5万，最多4万。人们早已厌倦了战争，逃兵人数远远超出招募的人数。

16日约翰斯顿与谢尔曼在埃弗里斯博罗打了一仗，双方各有损伤。3月19日、21日在本顿维尔又有一战，但22日在天亮前约翰斯顿撤出了这场战斗。这几场战斗下来，谢尔曼军中死、伤及失踪人数共计约 1,600 人。23 日，谢尔曼军抵达戈尔兹伯勒，安营扎寨。在那里他的人马终于可以得到一个长时间的休整。斯科菲尔德率领曾被派往威尔明顿的那支军队与谢尔曼会合。

　　谢尔曼已脱离了险境。虽然他曾与约翰斯顿交战，但约翰斯顿军队，无论是人数还是士气，都完全无法与谢尔曼军匹敌。李将军的部队在北部的兵力虽然远胜谢尔曼军，但我用更强的兵力牵制着他，即使他要南下增援约翰斯顿，谢尔曼现在有斯科菲尔德和特里的支援，完全有能力与邦联军无限期抗衡。李将军部背水驻军在海滨，而我军则占据着海港。李将军掌控一条可以通往威尔明顿和新伯尔尼的铁路，两翼有河流的保护，河流切断了这块区域，并且越靠近海河水越深。谢尔曼很清楚，如果李将军企图逃跑，我定会紧追不舍，如果他们企图与约翰斯顿联合与我军对战，他们必会被我军一同歼灭。如今首都失守，李军人数恐怕没有他初到北卡罗来纳的时候多了。约翰斯顿的军队屡战屡败，士气低落，即使强求他们履行职责，也难以发起像样的进攻。李将军和约翰斯顿的部队，和他们北方同胞们一样英勇善战，但即使他们自认为是正义之战，面对诸多的挫败和打击，估计也很难做到依然充满斗志、意气风发吧。

第四十八章
林肯总统与议和特使

1865 年 1 月 31 日，几位自称是所谓邦联政府（美利坚联盟）的议和使者出现在我军彼得斯堡外的防线，并立刻被带到我在锡蒂波因特的总部。原来他们是邦联的副总统亚历山大·H. 斯蒂芬斯，陆军部副部长坎贝尔法官，还有前美国参议员 R. M. T. 亨特，时任邦联参议院议员。

他们到达我的司令部的时候，天都快黑了。我立刻派人将他们送往赫德森河，那里有一艘叫"玛丽·马丁号"的船，非常舒适。安顿好后我立即发电报给华盛顿，向林肯总统与陆军部长通报议和特使的到来及他们的目的，即协商合众国与他们自封的邦联政府之间的和平条件。我遵照指示将他们留在锡蒂波因特，等待总统或总统特使的接见。他们在船上待了数日。我们抬头不见低头见，但却从未就此行的使命做过讨论，因为与我不相关，我不愿就此事发表看法。就我个人而言，我从未承认，也不会承认他们是政府的代表。因为为了认可这样的政府，我们耗费了太多财力，流了太多鲜血。但是，至少在这段时间里，我们相处融洽，他们都态度和蔼，举止绅士。我指示船长给他们提供最好的船，并尽其所能使其舒适，没有卫兵看守也不限制其自由，更没有要求其保证不会滥用此特权，他们可以随时离船上岸，到司令部见我。

战前我从未见过他们中任何一位，但由于他们都是公众人物，声名远播，因此对他们有些了解，我甚至还是斯蒂芬斯先生的崇拜者呢。我一直以为他身材瘦小，但那天黄昏乍见，才发现原来他身材非常魁梧。

他登船时我注意到他身穿一件灰色的粗呢羊毛大衣，这是内战期间从北方引进的产品。衣料之厚我从未见过，甚至在加拿大也没见过这么厚的布料。大衣又宽又长，直到脚踝，给人一种错觉似乎他身材中等。但到船舱脱去外套，才发现他的真实身材，我对此印象深刻。

几天后，大约是 2 月 2 日，我收到华盛顿发来的电报，要我送议和使团到汉普顿罗兹，去面见总统及一位内阁成员。林肯总统在那里接见他们，并进行了短暂的会谈。在那之后不久，总统到锡蒂波因特来探望我。谈及他与议和特使们的会面，他说特使们必须认可以下两点，才能进行下一步实质性的磋商。1. 必须保证联邦的完整；2. 必须废除奴隶制。没有这两个条件做前提，再多的磋商也是白费力气。反

亚历山大·斯蒂芬斯（1812—1883）在美国南北战争期间任邦联政府副总统，他主张扩大蓄奴范围，在南方维持立宪政治。图为斯蒂芬斯

之，如果他们愿意在这两点上让步，那么他就可以开始谈判，甚至愿意给他们一张签了名的白纸，让他们随意填写议和的条件。他对待南方人向来慷慨和善，从未恶语相向。但总有人恶言诽谤林肯总统，尤其是在北方，这深深刺痛了他的心，我却从未见他有意报复。锡蒂波因特经常能见到他的身影，大概是因为他乐于从华盛顿的烦恼和焦虑中短暂逃离。

我想在这里讲一件林肯总统的逸事。这事发生在他与议和使团见面之后，他探望我的那段时间。我们聊了一会儿后，他问我有没有注意斯蒂芬斯先生的外套。我说我注意到了。"那么，"他说，"你有没有看到他脱大衣？"我说看到了。"嘿！难道你不觉得他的外套就像个巨大

的豆荚，打开来，里面的豆子却小得可怜？"很久以后我把这事讲给邦联的 J．B．戈登将军，那时他是参议院议员。他又把这个故事讲给斯蒂芬斯，后来听说，斯蒂芬斯对林肯这个比喻爆笑不已。

议和特使走后，整个冬天都太平无事，只有两三件小事值得一提。其中一件是我因与政府官员交换意见而造访华盛顿，敌方将领韦德·汉普顿带领骑兵从我们左侧的地方一路向南，到达我们东部地区。在我军察觉之前，他们已经把那里正在吃草的肉牛给赶走了。这批肉牛数量巨大，正补了邦联军所需，我不得不说，他们干得漂亮。不过这算是对之前我军所作所为的报复行动。我们有时也会几周一次，我在供给缺乏时候抢走邦联军的东西。我在本书中曾提到过，有一次我们曾俘获 5,000 头牛，当时这些牛正从得克萨斯州出发，穿越哈得逊港附近的密西西比河前去供应处于东部的邦联军。

在平叛期间，最令我焦虑的是围困彼得斯堡之前的几周。我感到当时的局势是，邦联军会伺机突围，我非常忧虑，每天早晨我都恍惚听见有人报告说李将军已经逃走，只留下警戒线，然后惊醒。他手中握有南下丹维尔去的铁路，我担心他会带着他的部下、给养、武器以及所有能用于紧急防御的装备随时跑路。我知道，如果他得以脱身，行动起来会比我们要更轻松、更迅速，会把我们远远抛在后面，我们只能望尘兴叹。造成的恶果就是，我们只能深入南部与他作战，战争或许会因此延长一年。

我之所以极度焦虑不安，是因为在这样的局势下，我认为邦联军根本不可能长期坚守。毫无疑问，如果里士满不是邦联政府的所谓首都，他们早已放弃了，之所以坚守，是因为如果首都被攻陷，势必打击士气，邦联可能顷刻间分崩瓦解（正如我们后面所见）。事实上，当时大批士兵已经开始开小差，这不仅仅发生在里士满附近的李将军部，整个邦联军队都是如此。记得在很久以前与巴特勒将军谈话时，他曾说过，邦联军如今招募新兵已经困难重重，如果有什么办法能增加兵力的话，那就是"除非他们能将奴隶武装起来"。不过我对这句话可不敢苟同。

众所周知，邦联的招募对象是 18 到 45 岁之间的青壮年，如今又通过了新的法令，招募 14 到 18 岁之间的男孩子，称之为青年储备军，以及 45 到 60 岁之间的男性称之为老年储备军。后者负责据守重要的但还没处于危险境地的据点，主要在后方。对这种征兵制度，巴特勒将军曾以"掠夺摇篮和坟墓"来评论，我后来给沃什伯恩写信时借用了他这种说法。

如果敌军无法招募新兵，我相信，只逃兵一项，他们全军每天会损失至少一个团的兵力。再加上战争伤亡、疾病及其他自然因素，损失更重。以这样的损耗率，他们到底还能支撑多久，屈指可数。当然在他们的部队就这样被日渐消耗至殆尽之前，我军很有可能就已经将其俘虏。我从逃亡士兵也得知，那些在战争中英勇无畏，为了自己信仰而战的人（正如我们也为了自己的信仰而战），他们如今已经丧失了希望，萎靡不振。他们中的许多人都申请去北方，希望在战争结束、返回南方故里之前找份差事做。

基于以上种种原因，我迫不及待地等待春季大会战时机的到来，我确信内战将就此终结。

但有两个因素，可能会阻碍我们的行动。一是这个冬天雨水多，致使道路瘫痪，炮兵和辎重车队都无法通行。所以有必要等到道路干透，以确保有充足的马车队和炮兵队在敌方领地作战时使用。另一个是谢里丹将军率波托马克军团的骑兵从谢南多厄谷回来后，在詹姆斯河北部行动，必须让这支骑兵和我一起行动，因此我必须等他到詹姆斯河南岸与我会合。

下面我详细讲讲谢里丹目前所做的事情。

3 月 5 日，我收到谢里丹的来信。说他早先在斯汤顿和夏洛茨维尔（美国弗吉尼亚中部城市）之间的地方与厄尔利交战并打败了他，几乎俘获全军。厄尔利和一些军官在附近的房子和丛林中找到藏匿之地而逃脱了追捕。

3 月 12 日，我再次收到他的来信。他已经转头向东，来到怀特豪斯。

因为大雨导致河水暴涨，他无法遵照指示前往林奇堡。他虽然有架桥车，但河面太宽，连一半都不到，他们只好按照第一个命令的部署南下。

我派人给他送给养到怀特豪斯，并且一直保留这个补给站等他到来。因为詹姆斯河已经成为我们的补给基地，我们本打算放弃这个补给站，谁知又用上了。

谢里丹率领大约1万骑兵，分为两个师，分别由卡斯特与德温指挥。梅里特将军任骑兵总指挥。谢里丹轻装上阵，只带了4天的给养，除了军火弹药外还带了很多咖啡、盐和其他小额配给。在夏洛茨维尔他们暂停行军，破坏通往林奇堡的铁路。又派另外一个师去詹姆斯运河，沿岸破坏水闸、涵洞等，沿途的工厂也被破坏殆尽。

1865年的詹姆斯运河

可是这样一来路上就消耗了太多时间，使他的怀特豪斯之行危机重重。他决定索性一路顺着铁路和运河打过去，遇敌杀敌，直至到达里士满。他还真做到了，他沿路破坏运河设施直至古奇兰（弗吉尼亚的城市），破坏铁路直至里士满附近。10日，到达哥伦比亚。有2,000甚至更多的黑人加入他的队伍，他们在破坏铁路和运河方面出了很大的力。他的骑兵因为草料充足所以状态依旧。他俘获了厄尔利军队的大部分马匹，路上又俘获了更多。他到达阿什兰的时候遭到敌人的袭击。他用部分兵力来应付，然后迅速穿过南、北安娜河，之后向北，19日安全抵达怀特豪斯。

谢尔曼下一步行动的时间取决于他何时能离开戈尔兹伯勒。供给必须送达，且够他长期行军使用，因为他即将路过的乡村恐怕没多少东西能供他取用了。当时谢尔曼在戈尔兹伯勒附近，因此我只能按最早4月18日离开来安排，希望那时候他已做好开拔准备。

谢尔曼很担心，他认为我应该在那里等他到来，但我已经下定决心，只要道路条件和天气允许就开始行动。但我无法按我的心意来确定出发时间，只能等谢里丹率领他的骑兵从谢南多厄谷来与我会合，这是必要之举，因为要执行我的计划，他和他的骑兵缺一不可。3月19日他们抵达怀特豪斯，我终于得以拟定作战计划。

我担心李将军神不知鬼不觉地在某个夜里逃脱，并逃至北卡罗来纳与约翰斯顿会合，合力将谢尔曼击溃。出于极度焦虑的状态下，我早在3月1日就下令彼得斯堡附近的驻军要严密注意敌军动向，绝不可懈怠，一旦他们有这种苗头，要随时准备投入战斗。

现在已经知道，其实3月初的时候戴维斯先生和李将军确实讨论过彼得斯堡的内部、外围局势，他们一致认为此地已无法立足，应尽快撤离。他们也是在等待道路干透，或是只要路况允许就准备采取行动。

李将军在我军两路夹击的情况下，企图撕开一个尽可能大的口子确保丹维尔铁路畅通无阻，为了实施他的计划，决定对我军驻彼得斯堡的右翼军实施突袭。突袭时间定在3月24日晚，由戈登将军执行。斯特德曼堡与10号炮台之间的点是我方两军会聚的地方，也是他们选中的突破点。突袭在夜里进行，目标是占领着后面（他们认为是我们的堑壕）的高地，然后分别从左、右两边进行突袭，要打我们一个措手不及，以迫使我军收缩防线。李将军希望这次袭击能多持续几日，他们就有隙可乘、

彼得斯堡之战，上图为邦联军向彼得斯堡的联邦军发起进攻，柯利尔＆艾
维斯出版公司印刷；下图为斯特德曼堡的一个堡垒，摄于1865年

可以乘机逃跑。计划周详，行动出色，甚至拿下了我们防线上的一个据点。

戈登趁着夜色展开行动，将部队集结在预定的冲锋地点，很快拿下了我们的警戒哨，我们主线工事里的部队还丝毫不知情，这使得他们的冲锋距离缩短到不到 50 码远。前段时间，因为逃兵频现，并且随身携带武器进入我方防线，邦联的指挥官们知道并利用了这一点，他们派士兵携带着武器，假装成逃兵向我们靠近。一旦进入我们的防线，就趁我们的哨兵不备，俘虏他们送往后方，占领我们的防线。工事里面，我们的士兵睡得正香，丝毫未意识到危险临近。如果这次计划按计划执行，天亮前就给我军带来重大的损失，但是原计划支援戈登的军队必须从詹姆斯河北岸赶来，由于铁路发生意外状况，他们被耽搁了相当长的时间。因此等他们赶到，准备发起冲锋的时候天已经快亮了。

敌军这次行动非常成功，几乎没有任何损失，冲破了我军斯特德曼堡与 10 号炮台之间的防线。然后向左右双向突击，夺取了这两个据点以及据点的所有军火与部队。接着又一举拿下了我们左翼的 11 号与 12 号炮台，之后将炮口对准了锡蒂波因特。

米德那天晚上正好在锡蒂波因特，这次发生在他的警戒线上的突袭，切断了与司令部所有的通信。但是，负责第 9 军的帕克，一发现有人偷袭就立刻给米德司令部发电报，得知他不在，就果断下令阻击，以为人称道的速度，短时间内做好了迎战准备。蒂德博尔将军下令将许多大炮集中到一起，安置在被占领的工事后面，打算将警戒线内的狭窄地带彻底荡平。哈特兰夫特将军与威尔科克斯率领其部下迅速赶至被突破的缺口右侧拦截叛军，将敌军逼回斯特德曼堡。而另外一边的敌人也被逼回他们占领的工事内。凌晨的时候，11 号炮台与 12 号炮台被威尔科克斯将军拿下，重回我方手中。

帕克在被夺回的堡垒与炮台周边重新设下防线，通信设施也重新建立。持续不断的炮轰使得敌军根本无法撤退，援军也上不来，结果全军被俘。此次行动，李将军损失了 4,000 人马，我军伤、亡及被俘虏的人数也有 2,000 人之多。

重新夺回炮台后，我军再次发起冲锋，夺取了敌方的堑壕防守线，对其加固成为我方防线。这样一来我方发动袭击时的冲锋距离又大大缩短。

彼得斯堡之战中，战死的邦联士兵，摄于美国南北战争时期

3 月 24 日，就是戈登部署这次袭击那天，我下达了行动命令，时间定在 29 日。奥德将军率领 3 个师的步兵与麦肯齐的骑兵，于 27 日晚从詹姆斯河北侧先行出发，部署在我军左翼 30 英里外的地方。詹姆斯军团的剩余兵力交于韦策尔指挥，负责固守百慕大翰卓德及詹姆斯河北岸。工程旅留在锡蒂波因特，帕克的军队部署在彼得斯堡周围的警戒线上。

奥德迅速到达指定位置。汉弗莱斯和沃伦率第 2 军及第 5 军部署在我军最左侧位置。一旦奥德到达指定位置，他们立刻遵照指示度过哈彻河并向西往五岔口延伸，我们的目标是进入一处阵地，从此处攻打南塞德铁路及整个丹维尔铁路。为了占领阵地，第 2 军与第 5 军以及詹姆斯军团都经历了激烈的战斗，损失惨重。

这就是世人所知的白栎路之战。

第四十九章
帕克与赖特的对敌雷霆战

3月26日，谢里丹抵达锡蒂波因特。他的马匹已经疲惫不堪，马蹄铁都磨穿了。必须休整数日，让马匹恢复元气，还要为它们装上新的马掌。谢里丹一到锡蒂波因特，我就给他下达了行动命令。行动将于本月29日开始。

读完我给他的指示，谢里丹走出了营帐，我跟着走了出去，与他交谈——当时只有我俩，无其他任何人，甚至是我的参谋们。在制定这些作战命令时，我只考虑到具体的部署。具体来说就是，攻取五岔口，将敌人从彼得斯堡和里士满逼走，让他们进入我们预定的埋伏圈，然后在他们逃脱之前尽快结束战争。但是这场战争已经持续了太长时间，全国上下都焦躁不安甚至有点灰心丧气，有人甚至认为要想结束这场战争，只有妥协求和这条路。我明白，我此次计划只能成功，否则会被当成是一场毁灭性的惨败。在必要情况下，他得离开波托马克军团及其给养基地（给养就地获取），顺着丹维尔铁路或临近的铁路南下，渡过罗阿诺科河，到达正守护铁路的约翰斯顿军后方，与谢尔曼配合作战，消灭约翰斯顿。之后，两军合力执行谢尔曼收到的命令，配合彼得斯堡与里士满的大军行动。

谢里丹在读完指示，我注意到他似乎略显失望，可能是因为必须再次离开波托马克军团，还要将自己置身于两股敌军夹击的境地。我给他说："将军，给你的这个指令只是我使用的障眼法。"并把上述的原因向他解释。我还告诉他，实际上，我是打算就在这里结束这场战争，等这次行动结束，他就再无须远征行军了。听到这话，他的脸色立刻由阴转晴，用手拍着大腿向我保证："这话听着就振奋，我保证完成任务。"

然而，一直到我再次下令催促，谢里丹才向五岔口发起进攻。

这次行动的细节，我稍后详述，在这里讲个小插曲。谢里丹的骑兵那时还在距我们很远的左翼后方，南方的腹地，有一天，他骑马到我当时的司令部所在地——达布尼索米尔斯。在营帐外面他碰到了我的几位参谋，与他们谈到我们即将取得的战争胜利，简直喜不自禁，还给他们说，他认为这是最后一次战斗，而且是必胜的战斗。尽管我的参谋长一直强烈要求我们尽快回到锡蒂波因特，待在彼得斯堡的安全警戒线之内，他还是请谢里丹进来见我，并让谢里丹把刚讲的话再讲给我听。谢里丹心里有些建议，但羞于启齿，可能是因为我并未向他征询，所以其中一位参谋走进来告诉我，说谢里丹有一些消息，他们认为很重要，建议我请他进来。我同意了。看到全身上下洋溢着满满自信的谢里丹，我非常高兴。丰富的经验使我明白，自信对一个指挥官的价值到底有多大，因此我决定立刻行动，尽管连日大雨，道路依然泥泞，我还是下达了命令。

3月29日终于到了，幸而几日无雨，路面基本干透，这表明行动时机已经来临。这天，给彼得斯堡周边防线留下足够的戍守兵力，我带领其他所有可用人员出发。但是很快又被大雨所困，因为道路没多长时间就又泥泞难行，尤其是对骑兵。有时候骡马站在看似非常坚实的地面上，可是突然之间某只蹄子就陷了进去，当它挣扎着试图站住，四肢蹄子却全都陷了进去，只能被人拽着摆脱困境。这种情况在弗吉尼亚和其他南方各州都很普遍。因此为了运送我们的军火、补给，就必须在我们必经之路的每寸路铺设木排。好在部队对这种任务已经习以为常，因此随叫随到，进展迅速。第二天，3月30日，我们向西南的行军取得有效的进展，我得以派遣谢里丹带领他的骑兵经丁威迪取道西北前往五岔口的道路，直逼李将军右翼。

　　行动的目的是向西推进战线，尽量靠近敌军右翼，即五岔口。参加这次行动的部队是从守在堑壕的部队中调出来的，不算骑兵的话，规模很小。其余人则向敌军左翼延伸。起初，沃伦在左翼，随着战线延伸，汉弗莱斯后来绕过他插到他与五岔口之间的阵线。

汉弗莱斯将军和米德将军及参谋人员的合影，两手放在
腰带上的人为米德将军，米德将军左边第一人为汉弗莱
斯将军，摄于美国南北战争时期的弗吉尼亚州

　　我希望谢里丹能拿下五岔口，进击敌军右翼及后方，逼迫敌军调动主力部队保护其右翼军，这样可以确保对其主力大军袭击，能够一举成功。赖特将军已受命率领一个军执行此次进攻，只要谢里丹得手，赖特就立刻发起攻击，目前赖特需要尽量隐藏行踪，尽可能地靠近敌军。

　　假如李将军获知我军 29 日发起攻击，他自然会明白我军的意图是拿下南塞德铁路，直至整个丹维尔铁路。因为这条铁路关乎生死存亡，是否能继续保住里士满和彼得斯堡，或者，万一需要撤退，都取决于能否守住这条铁路。那么不遗余力地誓死保卫这条铁路，对于邦联军也是必然的了。30 日，他派皮克特带领 5 个旅的兵力，前去支援五岔口。右翼也增派了两三个师，并要詹姆斯河北岸的军队整装待命，随时做好迎战准备。他还亲自前往右翼军所在地监督其防御工作。

30 日晚，谢里丹返回丁威迪县城，然后只带了骑兵，取道西北方向的五岔口。不久就遭遇到敌军骑兵的顽强抵抗。然而他还是缓慢地将他们逼回五岔口附近。在那里他又遭遇骑兵之外的其他部队，被迫让路。

在此情形下，他向我汇报发生的事情以及他们正被逼着缓慢向丁威迪逐步后退的状况，要我派赖特的部队前去支援。我回复说赖特的部队已经靠近敌军，时机一到立刻发动袭击，因此派他支援绝无可能，并且赖特离他太远，恐怕远水解不了近渴。但是第 2 军（汉弗莱斯）和第 5 军（沃伦）驻扎在我们左翼靠后的地方，用以威胁五岔口敌军的左翼部队，因此我可以派沃伦去。

基于此，我立刻下令沃伦于当夜（31 日）立刻前往丁威迪县城，并尽快与谢里丹取得联系，向他报道。但他行动缓慢，他的部分军队直到第二天早晨 5 点钟才出发。终于出发了，却又谨小慎微，到达格莱佛里河时他发现因为近期下雨而导致河水上涨，因此想当然地觉得渡河是不可能的。谢里丹已经知道他要来，但其迟迟不出现使得谢里丹很不耐烦，因此下令催促。米德将军也催促过他或者至少命令过他要他加快速度。他此刻觉得没有桥小溪就过不去，他的命令也因此被改为打击侧翼及后方追击的敌人，但他行动太慢，谢里丹最后决定独自行动。然而，沃伦麾下的艾尔斯师在战斗当天及时赶到，在这场战斗中，该师大部分时间都与第 5 军的余部分开行动，直接受谢里丹指挥。

4 月 1 日 11 点，沃伦才向谢里丹报到，但其部队没有全数到达，因此直到傍晚的时候才加入战斗。格里芬师为了避开敌方猛烈的交叉火力，在撤退时直接撤离了战场。不久又受命返回与艾尔斯师并肩作战，并且在那天表现最为出色，战绩斐然。第5军的克劳福德师撤退到更远的地方，尽管一再下令催促，他们赶到并起到实际作用时已经晚了，尽管如此，他们参战的表现也很出色。

到下午3点多的时候，谢里丹成功到达五岔口的预定位置。他迫不及待地要发起进攻，争取午夜前拿下五岔口，因为他们所处的位置，到了晚上无法安营扎寨，所以要么成功攻取五岔口，否则只能被迫后退至丁威迪县城，甚至可能更远。

在此关键时刻，谢里丹需要调用克劳福德及沃伦的军队。可是他派了一拨又一拨参谋官们去找沃伦，要他到他那里报到，但却一直找不到。想尽办法都找不到沃伦，谢里丹决定自己解决这个问题。他下令解除沃伦第5军将军的职位，改由格里芬指挥。这样一来才得以调动军队成功实施袭击。

我对沃伦在白桥路战役中拖沓行事，未能及时赶到谢里丹那里感到很不满意，我很担心在最后关头，因为他的失误，使谢里丹功败垂成。沃伦这个人头脑灵活，做事认真，反应敏捷，在重重压力之下也能以最快速度做好战斗部署，这一点和其他军官并无二致。但是他有无法控制的缺点，我以前就发现过，如果事态紧急，就像刚刚发生的这件，他就会判断不明，做出错误选择。他的长处在于能在事发之前看到潜藏的危险，并对潜在危险做好准备，还能在执行任务过程中告知他的下级们该如何应对。

我曾派参谋官去提醒谢里丹将军，要他注意沃伦的这些缺点，还告诉他我并非不喜欢沃伦，只是感情用事可能会导致我们功亏一篑。如果只有罢免他才能确保战斗胜利，那就不要犹豫。有了这个授权，谢里丹免了沃伦的职。我对此也很痛心，更后悔没有在不久前将他派至别的战场以充分发挥他的才能。

我军在谢里丹指挥下穿越敌军护墙的时候已经是薄暮时分。敌我双方鏖战，一时难分伯仲。好在没多久，敌军败下阵来并四散逃跑。我军俘获大量军火和轻型武器，俘虏大约 6,000 人。飞奔逃窜的敌军被我军围追堵截，谢里丹率第 5 军和骑兵负责追击往西北方向逃窜的大股敌军。

五岔口之战，谢里丹将军率领骑兵勇猛突击，库尔茨 & 艾利森
出版公司印刷，现藏于美国国会图书馆

晚上 9 点钟左右的时候，谢里丹停止了追击，意识到刚刚夺取的五岔口对敌军整条战线至关重要，谢里丹决定率部返回，安排第 5 军穿过哈彻河前去彼得斯堡的西南部，并面朝彼得斯堡驻扎。梅里特率骑兵在五岔口西部扎营。

这就是 4 月 1 日当晚的情形。紧接着我又下令赖特和帕克于 2 日凌晨 4 点发动袭击。汉弗莱斯的第 2 军与左翼奥德将军率领的詹姆斯军团随时待命，趁着敌军前线被削弱的有利时机伺机进攻。

林肯先生此时正在锡蒂波因特，我向他通报此次大捷。事实上，因为他极度关注这场战争，我那天一直在向他汇报最新战况，好使他放松。我也将战况通报给詹姆斯河北岸的韦策尔，要他密切关注敌情，趁着敌军撤退趁机进驻里士满。

五岔口被我军占领，我担心李将军对此看得过重，会拼个鱼死网破，孤注一掷重夺此地。鉴于此，我一接到五岔口的捷报，就立即下令发起总攻。几位军长们报告说天太黑根本看不见路，更别提发动攻击了。但我军围绕敌军整个防线，包括对詹姆斯河北岸的狂轰滥炸，一直持续到天蒙蒙亮，足以发起总攻的时候，大约凌晨4：45。

此刻，帕克和赖特率部按预定的指令，在步兵和炮兵的火力掩护下，扫平拦路的铁丝网，毫不畏惧地翻越护墙，进入敌方的战线。右翼的帕克，一路所向披靡，拿下右路相当长的一段防线，由于距离包围彼得斯堡的内线太近，他的外线只能止步于此，无法再继续推进了。事实上，将我军夺取的敌军防线变成我方防御线并坚守，这个任务本身就很艰巨，但他做得非常好。

赖特掉转方向往左，向哈彻河进发，一路扫荡。在赖特推进的过程中，敌人在被夺取的防线后方，借着各种物体做掩护，顽强抵抗，穿梭往复，从这个到另一个，但是最终并没有遇到实质的抵抗。从此处向左，外线与内线的距离则越来越远，到哈彻河时，两者距离已将近2英里。帕克和赖特都俘获了数量巨大的俘虏与军火——其中赖特俘获约3,000名敌军。

与此同时，奥德与汉弗莱斯，已遵照指示，在天亮之前拿下敌方靠堑壕据守的警戒线。赖特赶到之前，奥德部已经进入敌方堑壕内部，第2军紧跟其后。彼得斯堡外部的工事也落到我军手中，再不可能被抢回了。赖特抵达哈彻河后，立刻派一个团去破坏城外的南塞德铁路。

我的司令部当时仍在达布尼索米尔斯。我一接到赖特告捷的电报，就立刻派人全线通告，包括百慕大翰卓德及詹姆斯河北岸的军队以及在锡蒂波因特的林肯总统。好消息纷至沓来，我也全数将这些消息发布出去。最后，看到他们都已经顺利完成任务，我就跨上战马加入工事内部的军队中。纵马越过护墙的时候，赖特正押着3,000名俘虏往外走，不久米德将军和他的参谋官们也进来了。

李将军发起疯狂反扑，企图收复哪怕只是小部分的失地。右翼的帕克部频受攻击，但每次都成功将敌军击退。中午之前朗斯特里特受命从詹姆斯河北岸将李将军大部带回以支持其右翼兵力。一得知这个消息，我立刻通知韦策尔和百慕大翰卓德前线的指挥官哈特萨夫，要他们死死咬住敌军。一旦发现破绽就乘虚而入，尤其是哈特萨夫，因为这样可以切断里士满与彼得斯堡的联系，从而逐个击破。

谢里丹从五岔口返回后又向彼得斯堡发起猛攻，加入我军左翼战营。这样一来，我军就形成了从彼得斯堡城下的阿波马托克斯河到该河上游的一条连续的防线。11 点的时候，还没有收到谢里丹的消息，我从锡蒂波因特派两个旅去增援帕克。有了援军，他就将刚夺来的工事进行加固，加强防御。又从他们右侧向后修建工事，以此保护他的侧翼。并在他们与敌军中间地带加装了铁丝网。即便如此，李将军又增加了兵力，增强了火力，几次向帕克发起进攻，但都没讨到便宜，损失惨重。

除了靠近彼得斯堡的堑壕防守线外，敌人在外侧还有两个封闭工事，格雷格堡和惠特沃思堡。我们觉得，是时候攻取这两个堡垒了。当日 1 点左右，24 军（吉本军）的福斯特师在奥德部两个旅的掩护下，向格雷格堡发起攻击。战斗惨烈异常，联邦军多次冲锋都被击退，但最终还是成功夺取，惠特沃思堡的驻军立即撤退。我军掉转格雷格堡的炮口，对准企图逃跑的敌军，最终，惠特沃思堡的指挥官带领 60 多人向我方投诚。

我已在上午命迈尔斯师向谢里丹报到。执行命令期间，他在白桦路与克莱本路的交叉处遭遇敌军，敌人撤回到南塞德铁路的萨瑟兰站，此处地形有利，易守难攻。迈尔斯紧追不舍，谢里丹此刻也已经赶到，迈尔斯主动请缨，发起进攻，谢里丹批准了。这时，汉弗莱斯也已经突破其前方外围线工事赶到了此地，欲指挥迈尔斯的行动——迈尔斯是汉弗莱斯麾下的一位师长。我之前下令让汉弗莱斯向其右翼的彼得斯堡进发。现在一收到命令，他马上开拔，留下迈尔斯单独行动。迈尔斯发起两次袭击，都以失败告终，被迫后退几百码。

得知迈尔斯被困此处，我命汉弗莱斯派一个师的兵力返回以解迈尔斯的困境。结果他亲自带兵前往。

在袭击彼得斯堡之前，谢里丹已经派梅里特带领骑兵前往西部，去攻打已经集结在那里的邦联骑兵。梅里特将他们逼到阿波马托克斯河北岸。谢里丹之后在迈尔斯对面的位置，向萨瑟兰站的敌军发起攻击，两军合力攻克了车站，俘获大批战俘和几门大炮，大约有 3 个军的邦联军队逃脱。谢里丹率军追赶，直到晚上。当晚迈尔斯就在此地露营，此地，他与谢里丹打了漂亮的一战。用我发给锡蒂波因特的电报，来解释当时的情形，可能更清楚明白：

美国南北战争时期的锡蒂波因特的滨海地区，摄于 1865 年

彼得斯堡附近的博伊顿路

1865 年 4 月 2 日下午 4：40

锡蒂波因特的 T.S. 鲍尔斯上校：

　　我军现在已经形成一条连续的防线，从彼得斯堡城下的阿波马托克斯河到河的上游，几个小时后，都会筑起坚固的工事。还没有被我军控制的邦联军，如赫思师和威尔科克斯师，他们要么由于本身计划失误，要么自己能力欠佳，与城中驻军联系都被切断。谢里丹率骑兵与第 5 军控制住他们的上游。第 2 军的迈尔斯师，受命从白栎路前往萨瑟兰站去拦截，他们在那里正好狭路相逢，正面交火。不知谢里丹将军能否及时赶到，汉弗莱斯将军已受命从此地派一个师前去增援。从开火至今，俘虏敌军总数量不下 1.2 万，缴获大炮约 50 门。但是确切的数字我还不知道……我想，总统明天或许会来视察。

U.S. 格兰特中将

　　4 月 2 日晚上，我们的防线从上游至下游整个都已完成了加固。我下令第二天早晨 5 点开始炮轰，6 点发动总攻，但凌晨时分敌人就撤离了彼得斯堡。

第五十章
在彼得斯堡迎接林肯总统

3日上午，米德将军和我进入彼得斯堡，找了一间屋子以免被敌军子弹所伤，外面枪声密集，子弹乱飞。偶尔从墙角往外看，总能看到街道以及阿波马托克斯河的低洼地带——大约是在桥的附近，都是邦联的军队。我没有调炮兵来，因为我肯定李将军正设法逃跑，正准备追击。我可不想用大炮对准这么一大群惶惶如丧家之犬的逃亡士兵，我希望尽量活捉。

敌军全部撤离彼得斯堡后不久，有一个自称是北弗吉尼亚军团工程师的人进来。据他说，李将军曾花很长的时间准备了一个非常坚固的封闭堑壕，如果他被迫撤离彼得斯堡，定会前往，并在那里进行最后一战。实际上此刻李将军正陆续从里士满撤军，准备撤到备用工事去。说这话时，我和米德将军都在场。我本已下令去阿波马托克斯河的南侧拦截李将军。但米德被此人所讲的信息打动，觉得我们应该立刻跨过阿波马托克斯河，对李的新据点采取行动。我认为李将军可不会傻到把自己的部队置于两条像詹姆斯河与阿波马托克斯河这样的大河之间，更不会将自己置身于波托马克和詹姆斯这两大军团之间。这两条河在往东的地方汇流，只需往西封锁就可扼其喉，既可切断供给，也断了增援的可能。如果李将军真的到这位所谓工程师所说的位置去，他什么时候准备缴械投降其实指日可待。俗话说兵不厌诈，这是战争中常用的迷惑敌人的手段。我判断李将军必然会迫于形势，撤离里士满，而他的唯一可走的路线就是丹维尔铁路。因此我的目标是在李将军往南的路上夺取一个点并据守，我把这些想法告诉米德。他建议，如果李将军从那条路逃跑，我们就随后追击。我说我们不用追击，只需赶到他前方切断他的去路即可。如果他果真滞留备用工事，他（米德）对此笃信不疑，那更好，我们就一举拿下丹维尔铁路与阿波马托克斯河交界处，如果到时发现他仍在两河之间，我们只需挥师东进，将其包围。如此一来，即便他留在工程师所说的工事当中，我们从彼得斯堡直接出军攻击，可以说占尽一切优势。

估计李将军当晚会逃离，我已经调动堑壕之外的大部分兵力，以便一大早就前往丹维尔铁路。晚上我又派汉弗莱斯军前去增援谢里丹。

我们现在已经知道，李将军在当天已经就当时的局势，给里士满当局提过建议，他最多只能撑到当晚。戴维斯收到电报时正在教堂做礼拜，礼拜集会即刻解散，晚上的圣会也被取消。2日下午2点钟左右，叛军政府撤离里士满。

杰弗逊·戴维斯与妻子瓦里纳·豪厄尔的结婚照片，摄于 1845 年

当晚李将军命军队在阿米利亚县城集结，目的是逃离此地，并设法与约翰斯顿会合，或许还有可能趁我未到之际，将谢尔曼军击败。这个消息一经确认，我即刻通知谢里曼，命他沿着丹维尔铁路处开始行动，尽快赶往阿波马托克斯河南岸。他回复说他的部分兵力已经在9英里之外了。紧接着我又命米德率波托马克军团剩余兵力，早上沿同一条路线出发。帕克军也是。詹姆斯军团奉命沿南塞德铁路的平行公路前往伯克站，沿路修复铁路及通信设施。那条铁路的规格是5英尺，而我们的火车规格是4.85英尺，因此轨道一侧的铁轨必须重新铺设，以符合我们现有的机车及车辆规格。

联邦军工程兵在彼得斯堡的合影，他们是保障铁路、公路畅通的中坚力量，摄于1865年

林肯先生当时已在锡蒂波因特待了多日。我通常只会在感觉自己胜券在握时，才会把我谋划的事情告诉他，然而结果未必次次能如人意，因此3年来他备尝失望的痛苦。我们出发时，他看出来我们有什么目的，

就祝愿我们马到成功，自己则留在锡蒂波因特静候结果。

第二日上午，彼得斯堡被攻克，我遂发电报给林肯总统邀他前来，我会等待他的大驾光临。上午我已经将所有部队派出，他们一离开，彼得斯堡的大街上顿时空无一人，甚至连动物都看不见。彼得斯堡，除了我的参谋官们，或许还有一支骑兵护卫队，再无他人。我们选了一座废弃房屋的走廊，借此地迎接总统到来。

对此次成功，总统向我表示热烈的祝贺，并为此向我和我的军队表达诚挚的谢意。总统对我说的第一句话是："你知道吗，将军，我最近脑子里一直有个念头，就是你一定会赢得像今天这样的大胜利。"到此刻为止，我们的行动一直进展顺利，我无须再对总统有任何隐瞒，所有的行动目标，作战细节，事无巨细，全部都讲给他听。他在锡蒂波因特附近住的日子，我与他通过电报频繁交流，几乎无所不谈。

林肯先生知道谢尔曼与我会师的日子已经拟定，届时可合力将李将军部一举歼灭。我告诉他，我早就急于让东部军一举歼灭他们的宿敌，他们曾多次对负隅顽抗的敌军发起英勇的袭击，企图将其征服或是从其首都驱逐，但可惜都不太成功。西部军至今还是很成功，他们一路征服从密西西比河到北卡罗来纳州的领土。如今，他们又斗志昂扬，准备去敲响里士满的后门，获取入场权了。我对总统说，如果还是让西部军上阵，对抗里士满当局与李将军，出身于此的政客们与非参战人员就会将胜利的荣誉全部归于西部军。这或许会导致来自东、西部的国会议员之间的纷争。西部议员或许会嗤笑说，东部军在镇压叛乱中，连一支部队都没打赢，对结束这场战争也毫无贡献，最后还不是得等西部军，在征服南部及西部的所有领土后，然后再来帮他们击败唯一一支与他们鏖战的敌军。

林肯先生说，他现在也注意到这个问题，之前因为焦虑过甚，一心一意只关心能否取胜，至于到底是谁在出力，根本无暇考虑。

波托马克军团在4年的平叛战斗中，可谓战功赫赫，所以完全有理由感到自豪。有人妄图在美国的领土上建起另一个国家，与波托马克军团对战的，正是负责保卫反动政府首都的邦联核心部队。首都失守意味着满盘皆输，因此南部邦联倾尽全力来保卫首都，否则他们的所为事业转眼就要成为泡影。为此，李将军必须从各处调动军队前来增援，甚至不惜失去南方的其他领地。

我绝不希望东、西两部分地区和军队之间会发生这样的争论。还好，到目前为止，政客之间没有出现这样的问题。或许我是唯一预见这种倾向的人。

此次谈话结束后，林肯总统骑马返回锡蒂波因特，而我与我的参谋官们则快马加鞭，追赶部队，他们早已到数英里之外。那时候，还没有收到里士满被攻克的捷报。

与总统分开不久，收到了韦策尔将军的电报，说他 3 日清晨 8:15 拿下了里士满，有两处起火，整个城市混乱不堪。里士满当局早已预先采

邦联军撤退后的里士满，满目狼藉，摄于 1865 年

取措施，把酒倒进沟里，剩余的补给全部抛散给聚集的人群。当局官员，包括文职和军职人员，事先没有任何通告，就弃城而逃。实际上，当局还在误导民众，相信李将军在彼得斯堡的附近获得了重大胜利。

韦策尔的部下发现，李军士气低迷，整个部队都一片混乱，许多士兵甚至还有军官滞留城中。城里着了火，我军奉命前去并成功扑灭大火。这场火与败军有莫大的关联，但相关官员矢口否认是官方授意。我猜测应该是群情激昂的士兵所为，他们被迫撤离自以为是首都的地方，觉得与其落入敌手还不如将其毁掉。不管怎样，联邦军队发现到处起火后，还是尽力扑灭。

集结在李将军右翼的大军，已经被切断退路，无法返回彼得斯堡，又被我军骑兵紧紧追赶。他们无奈将弹药箱、军火、衣物等几乎所有物品丢弃以轻装逃逸，顺着阿波马托克斯河一路逃窜，最后顺利涉水过河。

我已说过，离开林肯总统后，我就出发去追赶大军，当时他们在9英里外的萨瑟兰站停留。我们本仍有时间率军深入，因为时机极其重要。但无奈路况糟糕，前军的辎重车辆又堵塞了道路，根本无法前行。另外，我军骑兵刚与敌人打了一仗，此刻正在追击。我曾下令，任何时候只要骑兵出现，就必须让他们先行，这又耽搁了下来。

赖特将军带领的一个军在整个大部队后方，想让他的人就地露营，设法筹些军粮，并清理路面，这样再出发时，可确保畅通无阻，以此来赢得时间。前方的汉弗莱斯军，晚上补给运不上来，也断了口粮。但整个波托马克军团，却因为想到最后的胜利，全军上下兴奋不已，以至于宁可不吃饭，也要坚持行军，以免敌人逃脱，于是凌晨3点，部队又出发了。

梅里特的骑兵已经在迪普溪与敌人交战，将他们赶到阿波马托克斯河的北岸，我相信，大部分敌军都是迫于无奈，只能渡河。

4日早晨，我得到消息称，李将军已命人从丹维尔调动军粮给他饥肠辘辘的军队，他们将在法姆维尔接头。这说明李已经放弃了顺铁路南下去丹维尔的想法，决定取道法姆维尔前往西部。我将这些信息告知谢里丹，并命他在李将军接到粮草前控制那条路。他回复说他已派克鲁克师前往伯克斯维尔与杰特斯维尔之间的道路，然后朝北向杰特斯维尔进军。

一收到谢里丹的电报，说克鲁克已经在丹维尔铁路上，我立刻命米德率波托马克军团强行军，派帕克军从他们此刻所在的道路前往南塞德铁路，到詹姆斯河的后方，以保护我军正在修复中的铁路。

占领杰特斯维尔后，在电报局发现一封李将军发来的电报，内容是从丹维尔调拨 20 万份配给。这份电报还没有发出，但谢里丹派了一位特别信使，携带电报前去伯克斯维尔，从那里将电报发了出去。然而，与此同时，各路来源的电报也相继抵达丹维尔，他们已经知道我方军队已经占领这条线路，因此没有再从那里运送补给。

梅里特和麦肯齐带领骑兵，当时正在波托马克军团的行军路线与阿波马托克斯河之间的地方，从侧翼攻击敌军。他们俘虏了很多敌人，并迫使他们放弃了大量财物。

李在阿米利亚县城修筑堑壕，同时朝北向杰特斯维尔行军，并派出部队四处搜寻粮草。可是这个地区非常贫瘠，几乎搜不到什么可用之物。搜寻队无奈四处分散找寻，结果许多人都被我军活捉，有的人则趁此机会当了逃兵，再没有回到北弗吉尼亚军团。

格里芬的军队在杰特斯维尔南部的铁路上挖堑壕据守，谢里丹向我汇报了这个情况。我立即下令命米德全速出发，因为谢里丹只有一个军的步兵和部分骑兵来对抗李的整支大军。米德，总是令出必行，尽管他现在病重，几乎下不了床，却仍命全军全速前进。凌晨 2 点，汉弗莱斯部发起攻击，凌晨 3 点，赖特部也发起攻击，前面我已经提过，他们两支部队都没有带任何粮草，辎重车辆还在很远的后方。

当晚，我留宿在南塞德铁路的威尔逊站。5 日上午，我派人将米德的进展情况告知谢里丹，并建议他立即向李将军部发起袭击。此刻我们心无旁骛，全心对付邦联军队，我恨不得立刻就结束这场战争。

5日，我再次与奥德的军队一起行军，到距伯克斯维尔10英里的地方，我停下来让他的部队先行通过，在那里收到谢里丹的电报，内容如下：

> 李将军所有部队现在都在阿米利亚县城附近，而且都在这一侧。我派戴维斯将军去佩恩斯维尔，攻其右侧，俘获6门大炮及一些车辆。如果能有足够的兵力投入，定能俘获整个北弗吉尼亚军团。昨天，我的骑兵在伯克斯维尔，晚上已经到达6英里外的丹维尔铁路。李将军本人现在就在阿米利亚县城。他们的粮草已经耗尽，或者即将耗尽。昨天，他们正沿铁路朝伯克斯维尔行进时，被我军拦截。

前往南部获取给养，对李将军已经是一场生死之搏了。

谢里丹认为，敌人可能马上就会转向法姆维尔，因此派戴维斯的骑兵旅前去监视。结果发现敌军早已行动。他向押运辎重车辆向西的骑兵发动袭击，将他们赶走，缴获180辆车，付之一炬。另外，他还缴获5门大炮。邦联步兵向他反扑，本可以轻松将他击败，但谢里丹及时派两个骑兵旅赶去增援，两个旅的骑兵与敌军的步兵展开激烈的战斗，最终敌军被击败。

米德本人，先于他所率部队，于下午2点到达杰特斯维尔。汉弗莱斯的先头部队3点多赶到。应米德的请求——他的身体仍很虚弱，谢里丹对所有部队进行整体部署。他安排两个师的兵力在格里芬军的左翼，向路西排开；一个师兵力安排在其右翼。骑兵这时也已经赶到，被安排在左翼远一些的地方——谢里丹确信敌军会设法从此处伺机逃跑。谢里丹想发动攻击，因为他担心如果拖延时间，敌人会趁机逃走；但米德阻止了他，他认为，应该等所有部队全部到来时再发动攻击。

在这个关键时刻，谢里丹派一位黑人给我送信，并附有亲笔写的短信，说他希望我亲临战场。信的落款是泰勒上校，日期是4月5日，地点是阿米利亚县城。信是写给他的母亲的，心中提到邦联军士气低落。在短信中，他向我汇报当天行动的相关情况。5日，我收到谢里丹的第二封信，在信上他强调了我亲临战场的重要性。这封信由一位穿灰色制服的侦察兵带给我。信是写在薄棉纸上，然后像卷烟草一样，又卷进锡箔纸里。这是一种预防措施，万一侦察兵被俘，他可以从口袋取出锡箔放进嘴里咀嚼。邦联士兵常嚼烟丝，没人会对此大惊小怪。信送到的时候天已经快黑了。我要奥德继续行军至伯克斯维尔，在那里挖堑壕过夜，次日早晨再继续往西，切断所有通往法姆维尔的道路。

法姆维尔的一处铁路桥，蒂莫西·H.O. 苏里文摄于 1865 年

然后，我带了几位参谋和一小队护卫骑兵，直接穿过丛林，前往米德军队所在地。距离大概是 16 英里。但是因为天黑，又没有直达路，我们在丛林中穿行，走不快。到晚上 10 点的时候，才终于到达谢里丹部队的前哨，核实身份后，我们被带到谢里丹的大营。我们就当下局势进行讨论，谢里丹向我说明他的想法，他认为李将军可能会做的事情，以及米德的命令，并说如果按其计划执行前往右翼，很有可能给李将军以可

乘之机，并将我们远远地甩开，逃之夭夭。

于是，我们一起去拜访米德，到其司令部时已是子夜。我向米德解释，我们不能跟在敌人后面而是要赶到敌人的前方，他的命令可能会使敌人逃脱。不仅如此，我坚信李将军此刻已经在行动了。米德立刻更改了命令，要他的部下于当日凌晨赶往阿米利亚县城，并在那里做好如下部署：步兵穿过铁路，主要分布在铁路西侧，骑兵则由此处向左侧延伸。

第五十一章
法姆维尔会战

阿波马托克斯河一路向西流淌，从里士满和丹维尔铁路桥附近缓慢往西南方向延伸，接着又蜿蜒流向西北。赛勒溪是一条籍籍无名的小河，向北流淌，最后从海布里奇与杰特斯维尔之间汇入阿波马托克斯河。海布里奇附近还有一座桥，横跨阿波马托克斯河，是彼得斯堡与林奇堡之间的必经之路。铁路从河的北岸开往法姆维尔，往西几英里后，重新过河，接着沿南岸行进。从东南方向通过来，最后通往法姆维尔的几条公路，都是经由阿波马托克斯河上的一座桥通往河的北岸，林奇堡至彼得斯堡的铁路在其左侧。

李军撤离阿米利亚县城后，利用丹维尔与阿波马托克斯河之间的所有道路，快速向前推进，中途不允许有片刻休息，因为前方一旦停下，后方随时都有可能打起来。以这样的速度，他几乎成功使其所有辎重车辆通过，或者至少是部分军队几乎成功从我们手中逃离。

不出所料，李将军的部队此前整夜行军，我军在前往阿米利亚县城的路上，与他们狭路相逢。还没到赛勒溪，就已激战数次。敌方一支押运辎重车的部队想从我军左翼突围，我军骑兵冲进他们的队伍，两军激战之后，敌军多人被俘，死伤众多。在过去的几周里，尽管邦联军屡战屡败，从几次小规模会战中，我们不难看出，邦联军中仍有勇猛如常的战士。

双方军队最终在赛勒溪展开了大规模的战斗，步兵、炮兵、骑兵全部上阵。我军在右侧，一开始就占领着高地，由此向其侧翼进攻，可谓占尽地利优势。我们开火也要快得多，因为敌人开始向西边撤退，每次开火都得先转过身，因此拖慢了速度。敌方损失严重，死、伤及被俘人员不计其数。我军共俘获敌军 6 名将官，士兵 7,000 名。这场战斗，6 日下午三四点钟开始，撤退与追击工作一直持续到夜幕降临。天彻底黑下来的时候，将士们便就地露营扎寨。

6 日清晨，我军向阿米利亚县城进发，我命最右翼的赖特军队，越过所有军队去左翼格里芬部队的位置，同时命格里芬移到右翼位置。这样做的目的是让赖特的第 6 军与骑兵为邻，这两支军队之前在弗吉尼亚谷中配合默契，作战高效。

赖特全名为霍雷肖·古弗尼尔·赖特（1820—1899），他是美国南北战争时期联邦军的一位将领，图为赖特将军在帐篷前的照片，摄于南北战争期间

第 6 军与骑兵由谢里丹直接指挥，一直到敌人投降。

奥德一直受命占领伯克斯维尔与海布里奇之间所有向南的道路。6 日上午，他派沃什伯恩上校带两个步兵团前去破坏海布里奇铁路，之后快速返回伯克斯维尔，做好迎战准备。沃什伯恩出发后不久，奥德突然感觉不妙，沃什伯恩可能要出危险，于是派他的参谋里德上校率 80 名骑兵，去追回沃什伯恩。不久他得到消息，说李将军的先头部队已经到他与沃什伯恩之间的路上，他想派兵增援，但援兵根本过不去。幸而里德成功赶到了敌军前头。他本骑马去法姆维尔，回来路上才发现返回道路已经被切断，沃什伯恩显然是阻挡了李将军的行进。里德当机立断，率他的人马加入到战斗中。他的兵力，步兵与骑兵加起来不到 600。他骑着马站在阵前，对他的士兵们做了一个简短却铿锵有力的演说，用自己的满腔豪情来激励士兵。然后他下令发起冲锋。这支小队发起好几次冲锋，失败是必然的，但给敌军造成的损失却远远超过他们自身的人数。里德上校重伤倒地，接着沃什伯恩也倒下了。战斗结束时，该部几乎所有军官以及大部分普通士兵，非死即伤，其余的人投降。邦联军以为遭到大军拦截，这支小股部队先锋部队，因此停下行进步伐，就地挖堑壕据守。可以这样说，是这英勇无畏的 600 名将士阻挡了邦联军气势汹汹的前进步伐。

李将军的这一短暂停留，无疑使我们的辎重车队不必跟随了。李将军率部急行军至海布里奇高桥附近的马路桥，过桥后想一把火将桥毁掉，好使我军无法追赶。可火刚烧起来，汉弗莱斯已率大军赶到，并将李军殿后的、确保桥梁被毁的部队赶走。汉弗莱斯损失了一些士兵，但他带军强行过桥，追击李军直到一个交叉路口，通往法姆维尔与彼得斯堡的交叉路口。除了据守的，李占据着有利地形，又挖了堑壕，易守难攻。汉弗莱斯那天却是孤军作战，处境极其危险。然而他看上去满不在乎，多次发起攻击，这次士兵又有伤亡，还好敌军并未主动发起攻击。

奥德在格里芬与阿波马托克斯河之间位置的时候，我军骑兵与第 5 军（格里芬部），已经由爱德华王子县城，前往更南的地方，克鲁克骑兵师与赖特军推进到法姆维尔的西部。骑兵到达法姆维尔时，他们发现邦联的部分军队就在他们前方，辎重车也已经弄回来，随军同行。这次，尽管敌军再次将辎重车辆运走，我军还是颇花费了一些时间将其拦获，从而成功阻断其食品供给。这些部队撤退至阿波马托克斯河北岸与李将军大军会合后，将桥焚毁。赖特军与部分骑兵一起与邦联军展开激烈的战斗，最终骑兵涉水过河，将敌军赶跑。赖特命人重新架桥好让大军通过，当晚就赶到交叉口，增援汉弗莱斯。我早在前一天晚上就赶到伯克斯维尔交叉路口。那时我军基本都已离开，野战医院还在。奥德的军队从此处一路排开直到法姆维尔。

在那里，我碰到了史密斯医生，弗吉尼亚人，正规军的军官，他与被俘的邦联军将领——尤厄尔将军是亲戚。史密斯医生说，尤厄尔将军曾向他谈起，说早在我军跨过詹姆斯河的时候，他就知道，南方独立的事业已经失败，那时候还有讨价还价的余地，当权者趁机与北方和谈，为南方争取最大的利益，这本应是他们的责任，可惜当局并不认同。如今根基已失，他们已无资格再提条件。他还说，战场上每死一个人，都应该有人为此负责，因为这与谋杀并无分别。他不知道李将军是否会在未与总统商议的情况下同意投降，但他希望如此。

7日，我骑马赶往法姆维尔，一大早就到了。谢里丹与奥德也已赶到，驻扎在南岸。米德在后面，向海布里奇进发。汉弗莱斯，如前所述，正与李将军对峙。谢里丹在爱德华王子县城扎营后，了解到在阿波马托克斯河有七车粮草可供敌军使用，他决定即刻出发将其缴获，为了赶在李军之前，他们必须急行军，他写了封短信将此事告知我。这个事，加上昨夜史密斯大夫谈到的事情让我萌生一种想法，给李将军写信，就其投降事宜进行商议。于是我当下修书一封给李将军，内容如下：

于美军司令总部，1865年4月7日，下午5点
邦联陆军总司令R.E.李将军

上周双方交战的结果，我想阁下您一定已经明白，单凭北弗吉尼亚军团再想与我军对抗已然是徒劳无功。而且我认为有责任避免更多的流血牺牲，因此要求您率邦联军的北弗吉尼亚

军团投降。

U.S. 格兰特中将

1865 年 4 月 7 日当晚，收到李将军回信如下：

1865 年 4 月 7 日

将军：

来信获悉。尽管我不敢苟同您认为我北弗吉尼亚军的抵抗是徒劳无功之举，我非常赞同您避免更多流血牺牲的愿望，在考虑您的提议之前，不妨先提出我军投降你们能给出的条件。

R.E. 李将军致美国陆军司令格兰特中将

这个答复不尽如人意，我认为应当再写一封，如下：

1865 年 4 月 8 日

邦联陆军总司令 R.E. 李将军

您昨天回复的信件我刚刚收到，问及北弗吉尼亚军团投降条件事宜。我的答复如下：和平是我的夙愿，我只要求一点，即：在正式交接之前，投降将士都不得再次拿起武器，对抗合众国政府。届时我会与您会晤，或是双方各自委派相关人员，地点由您挑选，商谈贵军投降具体条款。

U.S. 格兰特中将

　　李军势如土崩。从本地招募的许多士兵，不断开小差，跑回家去。我之所以知道这些是因为一件事情。在法姆维尔，我们占用了一家旅馆，里面空无一物，这里以前可能被用作邦联医院。第二天早晨，我刚一出门，就发现门口站着一位邦联的上校，他向我报告说，他是这所房子的主人。他就是在本地被招募为邦联团长的。一路行军到了法姆维尔，发现整个团就只剩下他一个人了，索性自己也开了小差，现在他想投降。我让他留下，没人会骚扰他。李军颓势难挡，整整一个团就这样消失了。

　　我军则全然不同，谢里丹部整日行军，可依然行动敏捷，无一掉队。四年以来他们终日辛苦，如今看到战争即将结束，所以锐不可当，不知疲倦，甚至打算不休息、不吃饭，一直到彻底结束战斗。战士们争先恐后，人人斗志昂扬，步兵的速度和骑兵一样快。

　　谢里丹派卡斯特师南下到距离阿波马托克斯县城西南方向 5 英里的阿波马托克斯站，将车辆弄到西边，并毁坏通往后方的道路。他们 8 日晚上抵达，基本完成了任务。但是负责车辆的士兵发现了我军的行动，把其中 3 辆开走，其余 4 辆为卡斯特所得。

　　9 日上午，李军先头部队于到达此处，我猜，他们做梦也没想到这里会有联邦军出现。发现我军的骑兵已经夺走他们的车辆，吃惊、绝望之余，他们立刻发起反击，想要夺回车辆。混战中，他们将其中一辆车烧毁，但一辆也没抢到手。于是卡斯特命人将剩余车辆驶回大路到法姆维尔，战斗还在继续。

　　迄今为止，我军只有骑兵在和李军先头部队交战。可是很快，李将军的后续部队被调来，无疑他们以为只是与我军骑兵作战，必胜无疑。但没想到我军步兵进军神速，等敌人援军赶到，格里芬军与詹姆斯军团早已严阵以待，坐等他们到来了。一场激战随之引发，但是李却很快就举了白旗。

第五十二章
受降后与李将军的会谈

8 日，我随波托马克军团驻扎在李军后方。我因为头疼得厉害，在路旁的一家农户暂住，那个地方距离主力部队后方还有一段距离。我整夜把脚泡在加了芥末的热水里，把芥末膏涂在手腕及后颈部，希望次日清晨，头疼就能好。当晚，我收到李将军对 8 日去信的回复，邀请我于次日上午在两军阵线之间的地方进行会谈，但会谈的目的并非投降，我的回信如下：

于美军司令总部 1865 年 4 月 9 日
邦联陆军总司令 R.E. 李将军

昨日来信已收悉。鉴于我无权就和平事宜做出任何处置，您建议的今日上午 10 点的会面恐会无果而终。但是我郑重说明，我对和平的愿望和您一样迫切，整个北方也怀着同样的感觉。实现和平的前提并不难理解。南方政府若能放下武器，缴械投降，定能让那激动人心的时刻早点到来，成千上万人的生命与财产会得到拯救和保护。真诚希望，我们之间的种种难题，能在不损失一兵一卒的情况下得以解决，我也愿意为此尽绵薄之力。

U.S. 格兰特中将

次日一大早，我就出发去追赶前方部队，头还是很疼。那时我与阿波马托克斯县城相距不到两三英里，但想抄捷径就必须经过李军地盘，至少是小部分地盘。我想想，还是转头向南走另外一条路。

李将军举白旗的时候，如前文所述，我正在去阿波马托克斯县城的途中，无法联系到我，事后才得知详情：他送出两面白旗，一面给其后方的米德将军；一面给在他前方的谢里丹，说他已经派人给我送信，要会面商谈投降事宜，并请求在联系到我之前，双方暂时休战。他们两位还不知道我与李将军通信商讨投降事宜，因此犹疑不决，唯恐有诈，而且那时双方激战正酣，北弗吉尼亚军团已被我军团团包围，除非靠欺骗手段，否则他们插翅难飞。最终，他们同意停战两小时，并利用这两小时设法与我取得联系，后来发现，两小时内他们是不可能联系到我，并带回我的答复的，除非让通信员从叛军地盘直穿过去。

因此，李将军派了一名军官，在护卫队护送下，携带信件来见我。内容如下：

> 1865 年 4 月 9 日
>
> 将军：
>
> 早晨我在警戒线上收到您的来信，我已在那里恭候，进一步明确昨天您提到的我军投降的条件。我现在请求与您见面，就您昨天在信中的提议进行详谈。
>
> R.E. 李将军致美国中将 U.S. 格兰特

送信的军官找到我时，我仍在遭受头疼之苦，但一读完信立刻就好了，我写了如下回信，并加快赶路速度。

1865 年 4 月 9 日

邦联陆军总司令 R.E. 李将军

由于我先前在从里士满到林奇堡的路上，后又转到从法姆维尔到林奇堡的路上，阁下今日来函刚刚（上午 11:50 分）收到。写此回信时，我在沃克教堂向西 4 英里的地方，会尽快赶到前线与您会晤。具体地点，阁下可派人到这条路上告知我。

U.S. 格兰特中将

我刚到，就立刻被带往谢里丹驻军处，他们已面向附近邦联军形成一道防线。众军群情激昂，一致认为这是邦联军在使诈。他们认为，约翰斯顿此刻正从北卡罗来纳州赶来，而李要去与他会合。如果我点头，5 分钟之内他们就可以击垮叛军。但我相信李的诚意，很快去了他指定的地点。地点定在阿波马托克斯县城的一位麦克莱恩先生家里，李将军的一位参谋官，马歇尔上校，正在等我到来。他的先头部队占着一个小山头，位于一个苹果园上方，隔着一个小山谷的地方有另一座山峰，那里谢里丹也布下兵力，列阵向南。

在讲述李将军和我之间的事情之前，我要先讲一个著名的苹果树的故事。

战争总会衍生出许多传奇故事，有一些故事被口口相传，以讹传讹，到最后就变成了真的。这次平乱反叛自然也不例外。苹果树的故事就是其中这样一个，几乎没有事实依据的虚构故事。如我所述，邦联军占领的山上，确实有一个苹果园。它的一边有条马车道斜斜地通到山上，路的一侧距离一棵苹果树很近，车轴辘来回碾压，树根都被压断了，只留下一个小小的树桩。我的参谋巴布科克将军向我汇报说，他第一次见到李将军的时候就坐在那个树桩上，脚踩着路，背靠着树。这个故事除此

之外再无其他事实依据。如果这些故事全是真的就好了

我早在旧军队的时候就认识李将军了，并和他一同在墨西哥战争中服过役。但不用猜，由于我们年龄与军衔迥异，他肯定不记得我了，但我很清楚地记得他，在墨西哥战争中，他是斯科特将军的参谋长。

斯科特全名为温菲尔德·斯科特（1786—1866 年），他是美国历史上任期最长的军队统帅。1846年，他指挥美军击败墨西哥，为美国夺得大片领土；战后竞选总统未成，但成为美军历史上继华盛顿之后第二个中将；1861 年，美国南北战争爆发后出任总司令，制订了击溃南方邦联的战略计划并最终获得胜利。图为斯科特将军，摄于 1861 年

早上我离开营地时，没想到这么快就会有结果，所以衣着随意，未带佩剑，平时在战场上骑马我就是这样，外面穿着普通士兵的衬衫，只有肩膀上的肩章能表明我的身份。一走进屋子，我就看到了李将军，互相寒暄、握手之后各自就座。我带了我的参谋官们，整个会面期间，他们基本都在场。李将军当时是什么感受，我不得而知。他长相威严，不露声色，所以他的内心究竟是因为战争终将结束而喜悦，或是因结果不尽如人意而伤感，真的很难说。他气宇轩昂，英雄气概，以我的观察，完全看不出来他的内心想法。但我此刻的感受，从最初收到他的信时的

欣欣喜悦，变成了悲哀甚至沮丧。为了南方的独立大业，他长期英勇作战，但最终却以失败告终，尽管他们为之奋斗的南方大业，我认为极为糟糕，不可理喻，根本不值得他如此，但我的对手为其事业奋斗的诚挚之心绝不怀疑，虽然他的事业就是反对我们。

李将军那天穿着讲究，全套的新制服，佩带一把价值不菲的剑，很可能是弗吉尼亚州赠送的那把。因为这把剑与通常在战场上佩带的剑，大不相同。我当时身穿粗糙的野战军装，士兵制服上佩戴中将肩章，与这位衣饰豪华、身高 6 英尺、完美无缺的男人站在一起，别人见到，一定觉得我奇怪透顶。这事我当时没注意到，事后想起来才觉得很别扭。

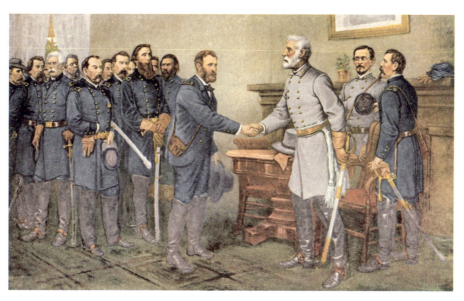

格兰特将军在阿波马托克斯县城的一所房子里接受李将军投降，托马斯·纳斯特（1840—1902）绘

我们很快就聊起旧军队时候的事。他说他在旧军队时就对我印象深刻，我告诉他我对他也是记忆犹新，但因为我们军衔与年龄的差异（我们相差 16 岁），我以为隔了这么长时间，他早已不记得我了。我们聊得很愉快，我几乎忘了我来的目的。就这样聊了一会儿，李将军将话题转

向这次会面的目的，并说他此次会面的目的就是想了解投降的条件。我说我的条件只有一个，就是他的军队放下武器，在适时适当的交换之前，不得再起战事。他说，他对我的信也正是这么理解的。

接着，我们又聊了些与主题无关的事情，过了一会儿，李将军再次打断谈话，建议将我提出的条件白纸黑字写下来。我叫我的秘书，帕克将军，准备纸笔，写下如下条件：

于弗吉尼亚阿波马托克斯县政府 1865 年 4 月 9 日
邦联陆军总司令李将军：

依照 8 日我写给您的信中的主旨，我特提出以下条款来接受北弗吉尼亚军队的投降，即：所有军官及士兵的名册一式两份。一份交给我指派的军官，另一份由您指派的一名或多名军官保管。所有军官在正式交接之前须宣誓，他们绝不会拿起武器反抗合众政府，团长或是连长须替他属下士兵签署这个誓言。武器、大炮及公共财产等全部收归一处，并移交给我派来接收的军官。此项条款不包括军官的随身武器、私人战马及行李等。履行完这个手续，军官和士兵都可以返回家园，只要他们遵从誓言，不违背居住地法律，则合众政府绝不干涉其行为。

致以最崇高的敬意！

U.S. 格兰特中将

落笔时，对于这个条款如何开头我其实毫无头绪。我知道我脑子里的想法，我希望措辞严谨，以免引起歧义。写的过程中，我又考虑到军官们有他们自己的私人马匹和财产，这对他们很重要，对我们却毫无价值。此外，让军官上交随身佩带的武器，对军人来说是巨大的羞辱，我们大可不必如此。

关于私人财产、随身武器或类似的物品处置，我和李将军都只字未提。他对我写下来的，在第一次就提出的条件没有异议。我想如果他反对的话，早都在付诸笔端之前就提出了。当他读到关于军官们随身武器、马匹和私人财产的条款时，我能感觉到他有点动情了，他说这一条对他的军队一定会产生很好的作用。

又聊了一会儿，李将军又提及他们军队的组织方式，与我们合众国的有些不同（仍在暗示我们属于两个不同的国家），在他们的军队中，骑兵和炮兵的马匹都归私人所有。他再次问我，是否所有人都可获准保留马匹，他的理解是否正确。我告诉他，根据条款，只有军官才可以保留私有财产。他又读了一遍条款后，说很清楚了。

我接着给他说，我认为这是最后一战了——我真诚地希望是如此，我又说，据我猜测，大部分在职军人都出身小农，乡村地区被两军大肆破坏，他们归家之后，如果没马匹相助，是否来得及收获一季庄稼，好让全家人都熬过冬天，恐怕很难。合众政府绝不希望这样，因此我会让留下来受降的军官负责此事，让每位声称拥有一匹马或骡子的士兵都能带着牲口回家。李再次强调说，这种做法对他的士兵很有利。

然后他坐下来，写了下面的信：

于北弗吉尼亚军司令部 1865 年 4 月 9 日
将军：

我收到今日您关于我北弗吉尼亚军投降条件的信。内容与您在 8 日信件的内容大体一致，可以接受，我会派合适的军官来将此条款付诸实施。

R.E. 李将军致 U.S. 格兰特中将

　　利用为两封信制作副本的时间，我把在场的联邦将领逐一引见给李将军。

　　坊间传闻说，李将军交出佩剑以示投降，我把剑又还给了李将军，纯属虚构。关于剑和随身武器，在我写下条件之前，双方都只字未提，甚至事先我都没有想到，在动笔的时候才忽然想起来。如果我恰好遗漏了这一点，李将军又提醒了我，我会准确地将关于士兵保留马匹的条款加进去。

图为格兰特将军与李将军协商投降事宜的房子外景，
联邦士兵在房子外警戒，摄于 1865 年

　　协议达成准备离去时，李将军称他的部队现在状况极差，人缺粮食马缺草料，他的人马仅靠炒玉米度日，已经有些时日，因此只好向我求助，请求配给粮草。我说"当然可以"，然后问他想要多少人的配给。他说"大

约 2.5 万人"，我授权给他，让他派他自己的军需官与军粮采购人员到两三英里外的阿波马托克斯站，那里有我们截获的火车，以及所有他需要的物资，全部归他。至于草料，我们自己，几乎全部都是就地获得。

我让吉本、格里芬和梅里特三位将军留下，负责执行李将军部下解甲归田之前要做的宣誓工作——李将军留下朗斯特里特、戈登和彭德尔顿三位将军协助。李将军像一开始一样，和我诚恳地道别，他返回他们的防线之内，当晚在阿波马托克斯扎营过夜。

李将军离开不久，我发电报给华盛顿，内容如下：

于弗吉尼亚阿波马托克斯县政府司令部

1865 年 4 月 9 日下午 4:30

致华盛顿尊敬的 E.M. 斯坦顿陆军部长阁下

今日下午，按照我提出的条件，邦联李将军率领北弗吉尼亚军团向我军投降。详情请参见随附信件。

U.S. 格兰特中将

投降的消息传到我军前线，战士们鸣礼炮 100 响，庆祝胜利，我赶紧叫人传话，阻止了他们。邦联军如今成为我们的俘虏，我们不能在他们失败的痛苦前庆祝我们成功的喜悦。

我决定即刻返回华盛顿，停止购买军需供给，减少一些目前看来没用了的支出。出发之前我想再去看望一下李将军。于是第二天早晨，我骑马越过我方防线，去他们的司令部，一名号手在前，还有一名参谋官携带一面白旗。

老远看清是我，李将军立刻上马来迎我。我们就在两军防线之间，坐在马背上，愉快地聊了半个多小时。其间，李对我说，南方地域广阔，我们本来可能还需要三四次征战才能彻底占领，彻底结束战争，但是现在不用了，因为他们已经无力抵挡。他诚挚地希望，双方不要再有任何损失与伤亡，但这个谁也无法预见。我对他说，若论邦联政府，谁在民众与军中的影响力最大，非李将军莫属。如果他能建议所有军队弃械投降，大家必定乐意遵从。但李说，没有向总统征询意见，他不能那样做。我知道，劝他违背自己的意愿，去做他认为不对的事情肯定是白费唇舌，因此不再继续这个话题。

我是在几位参谋官及军官的陪同下来的，他们中有几位很想进入邦联防线内。最后他们向李将军请求，希望李将军允许他们去探望一些老战友，李将军同意了。他们和老朋友相见甚欢，返回时还带走了几位。

李和我分手后，他返回自己防线，我回到麦克莱恩先生家。许多双方的军官在此聚集，那高兴劲就像是出生入死的战友，如今又久别重逢。此时此刻，战争的乌云似乎烟消云散，一个小时的时光就这样在欢乐中度过。我上马启程，在参谋官和护卫小队的陪伴下前往伯克斯维尔交叉路口，此时，铁路已经被修通到此地。

第五十三章
林肯总统造访里士满

攻陷彼得斯堡后，波托马克军团和詹姆斯军团，开始拦截李的部队，联邦军士气高涨，掉队、拖沓的现象再也看不到。再无人临阵退缩，人人奋勇争先。4 年令人疲惫的战争之后，他们第一次感觉到，自己拯救了整个祖国，马上就能回家了。而与之相反，邦联的军队则对比鲜明，士气低落，消沉的情绪随着归家日子的到来与日俱增，尤其是在赛勒溪战役之后。越来越多的人丢掉武器，离开队伍，藏身于森林，希望能回家。我之前也提过在法姆维尔碰到一位上校，他的一个团整个解体，来说明当时的情况。由于士兵逃亡及其他事情的影响，李在阿波马托克斯最终投降的时候，签署誓词的官兵只有 28,356 个，这当中有许多人早已没武器。或许是因为这一点，李将军投降时的具体人数，南、北双方说法不一，李将军给出的数字要少于官方公布的数字。根据官方记录，从 3 月 29 日开战到最后投降期间，除上述签署誓词的人数外，我们还俘虏了 19,132 名邦联士兵，这还不算李将军其他方面的人数损失。如李将军在最后的垂死逃亡之旅的一系列殊死斗争中的死、伤及失踪人员等。记录中也有大炮的数量，包括从阿波马托克斯缴获的那些，从 3 月 29 日到投降期间，就达到 689 门。

每一次战斗，或者说所有重大战斗，双方参战的具体人数也一直没有定论，南、北争论不休。南方总是夸大联邦军人数，而缩小自己的，北方作者，也总犯同样的错误。我总听到那些忠于邦联的绅士们夸夸其谈，说南方在臣服于北方之前，4 年来创下辉煌战绩，他们 1,200 万人数对抗我方 2,000 万人，其中 400 万还是黑奴，非战斗人员。就这个争论我再加一句，我们有许多英勇忠诚的战士，也来自 1,200 万，他们克服重重困难，自愿加入我军作战。

但是，南方反叛国家政府，不受宪法的制约，整个南方就是一个大军营。他们占有黑人，让他们为军队提供补给。征兵早就开始，对象包括 18 岁到 45 岁之间的男性，身体残疾、地方与政府必要的文职工作人员不在其内。而文职人员中，老年人和残疾人又占了相当大的比例。奴隶和非战斗人员，占总数的 1/3，他们不分性别，甚至也不分年龄，都要

南方黑人奴隶正在播种马铃薯，摄于 1862 年

在田里劳动，8 岁的孩子就会用锄头，再大点就要学会犁。同样的年龄与性别，400 万黑人非战斗人员，忙于生产粮食，供应军队，北方的非战斗人员人数只有 100 多万，妇女不在田间劳作，孩子们还要上学。

北方在和平的状态下有条不紊地持续发展。城、镇规模不断扩大，各种机器的发明，增加了工厂、田间每天的产出量。在南方，如果叛军得逞，建立政权，绝对不允许任何人反对，人民只能屈服。既然后方无须保护，所有的部队都会开到前线与任何有入侵威胁的势力开战。南方的报界，也像那些留在后方的南方人一样，对于南方的事业忠贞不贰。

和平时期的北方，国家，大城市或是小城镇都呈现出相同的面貌。炼钢炉呼呼作响，工厂里挤满了工人，田地得到开垦，不仅要供养所有北方人，支持军队攻打南方，还要将多余的货物用船转运出口以支付部分战争费用。北方的报界倡导言论自由，甚至到可以公开发表叛国言论的地步。公民们可以支持他们的观点，也可以发表自己的看法。北方各州都需要军队保护，因为有外来力量想方设法释放战争中抓获的南方战俘，将他们武装起来，并让他们纵火破坏我们北方的城市。南、北方有些公民勾结起来，计划要火烧城市，给城市饮用水下毒，从疫区进口衣物来传播传染病，炸毁河、湖上的大船等，不一而足，完全不顾这当中丧生的无辜生命。那些报界中，声名狼藉的铜斑蛇[①]，大肆夸大叛军的战绩，而贬低联邦军的胜利。这股势力，从者甚众，成为邦联军的帮凶。如果邦联军中有十万这样的北方人，把这类南方人彻底征服，北方将会更加强大，因为北方的敌对情绪就会掉转过来出现在南方。

如前所述，整个南方就是一个大军营。400万顺从的黑人，在田间劳作，照顾家庭，而强壮的白人男性，则为了所谓的南方事业上前线，去打那场注定要失败的战争。南方独立思潮在南方很受欢迎，尤其受到年轻人的狂热追捧，他们全部应征入伍。战争结束之前，征兵范围扩大，将14到18岁之间的年轻人招募为少年后备军，将45到60岁之间的老年人招募为老年后备军。战后在南方，或许到现在还是，你如果问年纪在

---

① 同情南方的北方人。——译者注

14 到 60 岁之间的健康男性，问他是否曾在邦联军中服役，绝对是种侮辱。他会告诉你他参加了，如果没参加，他会向你解释原因。在这种情况下，很难设想在每一次战斗中，北方军能如何展现其武力优势，反正我知道，他们并没有明显优势。

1862 年到 1863 年期间，约翰·H. 摩根，一位游击队长官，没有受过军事教育，但勇气与耐力可嘉，他在肯塔基州和田纳西州的俄亥俄军

约翰·H. 摩根（1825—1864）是美国南北战争时期邦联军的将领，
他领导的游击队给联邦政府造成了巨大损失，图为摩根与他的
下属军官的合影，最右边的人为摩根，摄于南北战争期间

团后方展开游击战。他无供给基地可守但却处处为家。与南方作战的北方正规军，正好与他相反，必须保护前线与北方之间的交通线，因为所有的粮草供给都经由此路运达前线。这条路的每一英尺道路几乎都有士兵成守，每隔相应的距离就有部队驻守。这些士兵专职负责本据点的防守

工作，不能插手别的事情。摩根却自由自在，他获得的情报总是准确无误，所以对哪里破坏最大他就往哪里去。在这段时间里，通过游击战的方式，他先后打死，打伤及俘获的人数，远远超过了他手下掌管的人数。除此之外，他还破坏各种财产有数百万之多。没有被他袭击的地区人人自危，只能加强防守。福里斯特，另一位骁勇善战的斗士，他在西部更远的地

福里斯特全名为南森·贝德福德·福里斯特（1821—1877），美国南北战争时期邦联军著名的骑兵将领。战争期间，他率领骑兵独自行动，神出鬼没，有力地牵制了联邦军队，图为福里斯特袭击孟菲斯

方实施行动，牵制大量联邦兵力，人数之多足以发动军事行动。可以肯定地说，联邦军中大半士兵都在负责保卫补给线，或者在休假、生病住院或者其他原因不能参加战斗。再加上大批兵力不是在和邦联正规军对峙。可以说，联邦军可用在与敌军争夺有利地形和堑壕等的兵力并不多。

　　我追击李将军的时候，林肯总统在海军上将波特的陪伴下乘军舰去了里士满，他发现那里人心惶惶。本地没有逃走的名门望族代表们围着他，急于知道该做些什么才能缓解他们的焦虑。韦策尔将军那时不在城里，当时他们进入里士满后，发现城中起火，部队灭火之后，在临近的一个村庄驻扎下来。　总统派人召他前来，与他在船上进行了简短的谈话。海

军上将和弗吉尼亚的一位望族代表也在场。谈完话后，总统签署一个命令，我记得内容大致是这样的："韦策尔将军有权允许，自称为弗吉尼亚立法机构的团体召集会议，以商讨召回邦联的弗吉尼亚军队事宜。"

该机构的几位成员们立即着手召集会议，并将草拟的会议通告发布到报纸上。但是这个通告与林肯总统的本意有很大的出入。因为他说的是"自称为弗吉尼亚的立法机构"而不是"弗吉尼亚的立法机构"，斯坦顿先生看到了刊登在北方报纸第二版的通告，自作主张取消了允许立法委员会任何集会的命令，全然不顾总统就在他附近的地方。

这是斯坦顿先生的特点。他从不质疑自己权的威，战时他固执己见，为所欲为。作为宪法律师和法学家，他颇有才干。但是在战争期间，宪法根本无法约束他。在这种特定环境下，我对后者深表赞同。1861—1865年之间的这种叛乱，宪法无法限制。因为宪法里虽然没有许可叛乱，但也没有反对它的相关条款。但是国家镇压叛乱，就像是保家卫国一样，属于国家固有权利，如同人在生命受到威胁时自卫一样自然。因此，如果宪法以任何方式影响到战争的进程，那宪法就应该暂时被束之高阁。

那些反叛合众政府的人不受宪法条款的约束，却违背了议会议案，这要求他们要忠诚并献身于南方正为之奋战的分离事业。先辈们当初制定宪法的初衷，是要维持这个国家的长治久安。如今，这个国家内有1/3的人口以自由意志的名义联合起来反叛国家政府，而剩下2/3人口，则在努力维持国家的完整性，却囿于宪法，做事缩手缩脚。

在阿波马托克斯与李将军告别后，我与参谋还有其他几个人径直去伯克斯维尔站前往华盛顿。从伯克斯维尔返回的铁路刚刚修好，地基还很软，火车脱轨频繁，我到达锡蒂波因特的时候已经是第二天的后半夜了。我尽快搭乘了一艘负责投递公文的船赶到华盛顿。

在华盛顿期间我忙于准备必要的指令以应对新局面，同时还要与我手下各个独立军团，指挥官们保持联系。14日，我的工作终于告一段落，可以去看看我的孩子们了，他们当时在新泽西州的柏灵顿上学。我夫人那段时间与我一起住在华盛顿，总统夫妇邀请我们那天晚上去剧院陪他们看戏。我对总统的口头邀请是这样回复的，因为我急于去看望我的孩子，如果今天我能完成工作，我就去看望他们。如果没有完成，还在市里，那我们很乐意陪他们前去。结果我的工作完成顺利，当天晚上就乘火车离开了。当然，我派人给总统捎话，说我不能去剧院了。

那时候费城到纽约的火车站位于布罗得街，乘客先乘坐救护车到特拉华河，然后摆渡到卡姆登，在那里再乘坐火车。我到达费城东部的渡口的时候，发现有人在等我，电报通知我即刻返回——林肯总统与苏厄

1865 年 4 月 14 日晚，就在南方军队投降后第 5 天，林肯在华盛顿福特剧院被枪杀。同情南方的演员约翰·布斯趁总统保镖离开之时，悄悄溜到总统包厢开枪击中了林肯。4 月 15 日，美利坚合众国第 16 任总统亚伯拉罕·林肯与世长辞。图为林肯总统遇刺

德先生遇刺，副总统约翰逊先生也险遭毒手。

听到这个消息，我五雷轰顶，当时的感觉简直无法用语言来形容，更何况遭到暗杀的是总统。我了解他，他为人善良，慷慨大方，委曲求

全的性格，他希望所有人都幸福，但他最希望看到的合众国的人民人人平等，并能享受最充分的公民权。我也曾担心，约翰逊先生在言谈举止中时时表露无遗的对南方的敌意态度，担心他的政策会引起南方的不满，也会使他们不会甘心情愿地臣服于北方，做个好公民。这种情绪一旦形成是很难消除的。我感觉重建工作已经受到重创，但到底到什么程度却不得而知。

我立刻安排火车返回华盛顿，但当时我夫人与我一起。时间已过了午夜，到伯灵顿只有一小时车程，从费城回华盛顿的火车还没有准备好，我觉得可以先送她回家，然后赶回来。我坐专车送她回去，又立刻乘坐同一辆车回来。我离开华盛顿时，城市各处都洋溢着欢乐的气氛，此刻却全陷入悲痛之中。此刻，实际上，整座城都在哀悼。我已经在前面陈述过，约翰逊先生针对南方的方针，可能会有严重后果，事实证明我当时的判断是正确的。如果林肯总统还活着，约翰逊先生上台几个月来针

林肯总统遇刺后的场景，联邦政府官员及林肯家属在守护着死亡了的林肯总统，大家都非常悲伤，阿朗佐·查普尔（1828—1887）绘

对南方的政策所造成的痛苦感受，定会在很大程度上得以避免。如此一来，林肯先生遇刺，是整个国家的大不幸。

约翰逊先生针对南方的政策确实给许多人带来巨大的痛苦。他谴责叛国，"叛国是重罪，叛国者最为可憎"这句话他更时常挂嘴边。南方人跑来向他投诚，想从他那里寻求安全保障，好安心工作。他强烈谴责，毫不隐晦。由于没有安全保障，许多南方人简直忍无可忍。

合众国的总统，从很大程度上应该，也必须代表他所领导的民众的感情、意愿和判断。也因此，南方人将副总统针对南方人的谴责，解读为整个北方对待他们的态度。然而事实上，我相信大部分的北方人以及全体官兵都希望尽快按约定条件重建南方，这样也能最大程度减轻对叛乱者的羞辱，当然对林肯总统的暗杀行动绝不可轻饶。我敢肯定，大家都会认为这才是最温和、最英明之举。

叛乱者必须回归联邦，这样算是完整的国家。自然，越是把他们放在与其他人平等的位置，他们与对手也更容易达成和解，也更愿意重新开始，做个更好的公民。相应地，如果他们觉得脖子上套上枷锁，自然无法做个好公民。

我相信那时的北方民众并不赞成黑人选举。他们认为黑人的自由权利应顺其自然，但这事有个过程，黑人应该先学会行使公民特权，然后再被授予完全的自由权利。但是约翰逊先生，似乎经历了一场彻底的情感革命的洗礼，似乎认为南方人备受压迫，更应考虑给予公民的完全权利。民众是确保我们联邦兴盛长久的基础，但给黑人完全的公民权大大超出他们的思想预期，南方人的观点则更加激进，他们已经在政府各部门拥有大部分权利，又获得了约翰逊先生的支持，他们利用北方的同情与支持，觉得很快就有能力控制政府决策，许多人甚至觉得他们有资格这么做。

如此一来，约翰逊先生，一方面与国会据理力争，一方面又利用南方势力的支持来胁迫由共和党主导的国会，因为国会通过一个又一个法案来限制他的权利。一小撮顽固的南方人与同情叛乱者的北方政党沆瀣一气，最终导致国会与大部分的州立法委员会都认为有必要给黑人选举权，尽管他们对此根本不懂。在这本书中，我不想讨论国会的这项政策最终到哪种程度才算是明智之举，但由于总统的有勇无谋，南方人对自己切身权益的盲目无知，此举绝对必要。至于我自己，我强烈支持对叛乱者实行宽大处理政策，渐渐地我的态度也转向激进，赞同直接解放奴隶。

第五十四章

杰弗逊·戴维斯被俘

离开阿波马托克斯的时候，我下令给米德将军，让他率领波托马克军团与詹姆斯军团，从容班师回到伯克斯维尔站，并在那里扎营，等待我进一步的指令。约翰斯顿将军，如前所述，在北卡罗来纳与谢尔曼将军对峙，我不知道他听到李将军投诚的消息后，是否也做同样选择，这可真不好说，我猜他会。而且即使他不投降，调兵前去攻打他，伯克斯维尔站是最佳地点。我目前的可用兵力远胜于他，与之对峙的谢尔曼目前也处于优势，约翰斯顿腹背受敌，其结果必然要么被击垮，要么被赶走。首都失守与北弗吉尼亚军团投降，约翰斯顿的士兵恐怕也无心恋战。我认为他不会再主动发起攻击。但不管怎样，我还是采取这个方案以确保万无一失。

我出发前往锡蒂波因特的同时，派人乘船前往北卡罗来纳，给谢尔曼将军送信，告知他李将军率部投降之事，以及我给李将军的投降条件。并授权给谢尔曼，如果约翰斯顿愿意投降的话，也可以给出同样的条件。对谢尔曼"视条件而定"的术语，全国上下都很熟悉，因为这不仅仅是政治问题，也是军事问题，他在明确回复他们之前必须先与政府协商。

谢尔曼将军到锡蒂波因特，就最后的行动与我交换意见，在此期间他曾与林肯总统见面，因此知道林肯总统在汉普顿罗兹对议和使团所说的话，也就是他们必须以下面两点作为前提，双方才能进行进一步磋商：一、必须保持联盟的完整，二、必须废除奴隶制。如果他们在这两点上让步，他可以随时给他们一张签署总统名字的空白纸张，让他们随意填写条款。他也看到了林肯总统参观里士满时在报纸上发的通告，同一张报纸上还有，林肯总统授权弗吉尼亚立法机构召开会议的消息。

除了我与李将军订下的条款，谢尔曼无疑也想完成林肯总统的愿望。但看到这样做会有越权之嫌，他使用了"视情况而定"的措辞。基于以上谅解，谢尔曼与约翰斯顿双方签署协议，同意休战，并将议定条款送往

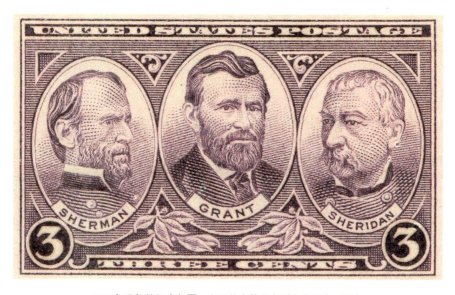

1937 年发行的纪念邮票，上面的人物从左到右分别为：谢尔
曼、格兰特和谢里丹，发行该邮票的目的是纪念此三人为美
国南北战争胜利而做出的巨大贡献

华盛顿审批。如果政府批准，这就是最终条款；如果未获批，他会在双方重新开战之前，提前通知。众所周知，谢尔曼，美国最受欢迎的将军之一（国会甚至提出一项法案要求设立第二个中将军衔），受到总统和陆军部长的严词申斥。有人甚至用叛国者这个词来对他进行公然抨击——对于一位对国家功劳卓著的人，这是一个极其荒谬的字眼，他们甚至认为，谢尔曼对约翰斯顿及其军队开出这样的条件，是重大的失误。如果谢尔曼未经过政府同意，私自放走约翰斯顿及其军队，把武器留在自己所在

州的军械库，这种反谢耳曼言论或许还有点根据。但这种反对情绪很快就销声匿迹了，没过几周时间，美国人民对他再次充满了信心。

我返回华盛顿几天后，那时约翰逊总统与陆军部长收到了谢尔曼将军呈交的待批条款，立即召开内阁会议，我也应邀参加。内阁成员之间弥漫着巨大的恐慌，有人担心谢尔曼是僭越权利，自作主张，签署政府可能不同意的条款。因此派人送信给在南方的联邦军，要其不要听其指挥。我也接到命令，即刻前去北卡罗来纳，并亲自掌管大局。我不敢耽搁，尽快赶往那里。我不敢声张，悄悄到去找当时在罗利的谢尔曼，希望在他的部队未发觉的情况下秘密会见他。

19世纪70年代北卡罗来纳州的罗利全景

我一到他的司令部，立即开始密谈。我给他看我接到的命令与指令，以及我秘密前来的原因。我告诉他我想让他通知约翰斯顿，他们的"视情况而定"的条款未获华盛顿批准，他可以用我提供给李将军的相同条款，给约翰斯顿将军。我不想我到访的事情在全军传开，也不想让敌人知道我在附近，所以我让谢尔曼独自去商谈投降条件。我尽快离开，好让谢尔曼自在行动、不受束缚。

回戈尔兹伯勒的路上，我收到一封邮件，里面是最新的报纸，我读到了北方民众对谢尔曼给予约翰斯顿的条件的反应，虽没有明示，但字里行间却是隐藏不住的激动，还有总统与陆军部长对谢尔曼发布的苛刻命令。我知道谢尔曼一定已经看到这些报纸，我知道这会令他极其愤慨，我的愤怒也不比他少。但是他就是这样一位真诚、忠诚的战士，依然不折不扣地执行我的命令，接受约翰斯顿军的投降，在罗利安顿下来等待最后的命令。

在南方还有几支远征军联系不上，只能让他们可敬的指挥官们根据自己的判断行事。在这种情况下，没法及时向他们通告李将军与约翰斯顿投降的消息，这会影响到他们的判断。但他们一定也听说这些事情了。

之前，我费了九牛二虎之力，才最终使托马斯和坎比率其所辖三支军队出发。一支由坎比亲自率领，3月下旬攻打莫比尔；斯通曼所率军队

斯通曼将军与参谋人员的合影，坐者左边第二个人
为斯通曼将军，摄于美国南北战争时期

于 20 日从东田纳西出发；一支由威尔逊率领，3 月 22 日从密西西比的伊斯特波特出发。他们都很成功，但战果并不理想。事实上，许多我们原本打算保留的珍贵财产被破坏，还搭上了许多无辜的生命。在他们取得胜利之前，实际上战争已经结束。他们行动的时间太晚，没能牵制住任何可能会向我军进攻的敌军，在迫使邦联军投降方面也没帮上忙。唯一还算不错的是，波托马克军团与詹姆斯军团在阿波马托克斯包围李将军时，斯通曼的军队赶到了林奇堡附近。

斯通曼进入卡罗来纳境内后向北推进，前去破坏弗吉尼亚至田纳西之间的铁路，他到达之后，不同位置的桥梁都被破坏掉，这样一来，林奇堡几英里外的道路全部陷于瘫痪，无法再被敌人利用。我们当时在阿波马托克斯，听说他带兵逼近引起全城慌乱逃离，据说还引起了小骚乱。接着他又向南方推进，在谢尔曼与约翰斯顿商议投降事宜期间，在约翰斯顿部队后方展开行动。在这次袭击当中，斯通曼缴获并毁坏了大量的储备物资，14 门大炮，俘虏将近 2,000 名。

3 月 27 日，坎比到达莫比尔。该城的防守主要是靠海湾东边的西班牙堡、城北的布莱克利堡，还有一些堑壕。坎比率兵包围了这两座堡垒。4 月 8 日晚上，联邦军攻取西班牙堡，敌军撤走。9 日，即李将军宣布投降当日，布莱克利堡也被攻取，我方伤亡很大。11 日，敌军全部撤出该城。

两年多来，我一直想派军征伐并占领莫比尔，那时此地对我军极为重要。如今它的战略意义早已不再，我们却以牺牲诸多将士为代价，将此城拿下。这个牺牲本来毫无必要，只需再等几日，这个地方兵不血刃，就可归我军之手。

威尔逊率军 1.2 万展开行动，该军装备精良，指挥官又精力充沛，因此很快完成任务。福里斯特在前线指挥，但早已风光不在，既没了往日旧部，也失去了往日荣耀，手下刚招募的新兵，不是老人就是孩子。虽然还有几千正规骑兵，但单就数量来说都难以抵挡威尔逊的铁骑。4 月 2 日，塞尔马被攻陷，同时俘获大批俘虏，缴获大批战争物资、军工厂等，由战胜方任意处置。塔斯卡卢萨、蒙哥马利和西点也相继落入我方手中。这些地点都是铁道枢纽，关系到物资储备，战争物资的生产等，因此守备森严，城防坚固，为夺取这些地方，可是打了不少硬仗。4月21日，梅肯投降，在这里收到约翰斯顿部队投降谈判的消息。威尔逊师本隶属谢尔曼，自然也受条款约束，因此停战。

此时已是邦联高级将领的理查德·泰勒将军，仍率军在密西西比河东部行军。5月4日，他接受条款，也投降了。5月26日，E. 柯比·史密斯将军率跨密西西比军区投降，自此再无邦联军继续作战了。

威尔逊发起袭击，俘获已经垮台，正在逃亡的邦联总统，他还没来得及逃出国门就已被抓。这件事发生在5月11日，佐治亚州的欧文斯维尔。从我个人来讲，我倒是希望戴维斯先生成功逃脱，我相信林肯总统和我想法一致。就是有一点担心：如果他没有被抓，极有可能会潜入跨密西西比河地区，在那里再建立一个小型邦联。如此一来，无家可归以及失业的年轻人可能又会在此聚集，战争又会被延长。北方的人民早已经厌倦了战争，厌倦了可能下一步就要以房子做抵押的堆积如山的债务。

我相信，林肯先生也希望戴维斯先生逃脱，他不想去惩处任何人。但他知道会有人叫嚣，要对前邦联总统以叛国罪严惩。他觉得，这个国家为了赎罪已经流了太多的血。是否还要流更多的血，他不希望自己来做这个决定。邦联前总统，挖空心思，煞费苦心地破坏合众政府，但他还没有成为囚徒，林肯总统却先命丧刺客之手。

有人说凡事自有定数，上天的安排定是最好的安排。但这种说法并不能减轻我们过早地失去他的痛苦。他是那么一位伟大的好人。

他会成为南方人最好的朋友，他可以在很大程度上避免南方在重建过程中必然伴随的纷争与痛苦，而如果是在另一位总统领导下，那情况必然大相径庭。这位总统因为南方人地位比他高，一直伺机报复；一方面他又想寻求他们的认可，并很快想出了主意，提出了一条议案，能使他成为拯救人于苦难的摩西。

在南方重建期间，法律如何使总统备受束缚的故事，人们对此应该还记忆犹新。当时许多作为无疑都是违反宪法的，但在将立宪提议提交给司法部门进行裁决前，人们总希望制定的法律具有特定的目的。制定的法律为特定目的服务，但在美国的法令全书上却成了"僵死的文字"，根本没人感兴趣。

戴维斯先生被抓时的衣着打扮，也被人津津乐道。我并未亲眼所见，所以没法回答这个问题。但事发不久，威尔逊将军给我讲到一些细节：戴维斯得知已经被我军骑兵包围时，正在自己的军帐里，身着晨衣。自然，戴维斯设法逃跑，但还没想好具体措施，但有一点他非常明白，如果被俘，绝不是普通囚犯那么简单。因为他是引发南方叛乱，并导致4年内战的罪魁祸首，有史以来，这场战争最为惨重。人人都希望抓住他后，以叛国罪处决。只要能逃走，无论伪装成什么样，事后，他的追随者们说不定反而觉得是好事。

监禁中的戴维斯

根据陆军部的存档信件，以及我在本书中的评论，我一直责备托马斯将军的拖沓行事，这是我给他的评价，也是他的自我评价。同样的评价对坎比将军也适用。我曾与托马斯在西点共处一年，后来又在旧军队重逢。他长相威严，说话做事慢条斯理，深思熟虑，为人深明大义，诚恳实在，作战勇敢。具有军人可贵的优良品质。这种品质使他得到他部下的衷心拥戴。这种可贵的品质，能让其麾下将士最大限度发挥自己的能力。

托马斯的部署总是谨慎细致，效果显著。如果要派他驻守阵地，没人能撼动他。但进行追击，他就显得力不从心了。我至今无法相信，1864年他曾经带领谢尔曼大军，一路过关斩将，从查特努加市一直打到亚特兰大。还有，如果约翰斯顿的防线是由他来守，无论是约翰斯顿本人还是谢尔曼，或是其他任何一位军官，谁都不可能做得比他好。

托马斯是一位令人称道的良将，他在1861—1865这悲剧的4年里的所作所为理应得到他的国人对他的鼓掌喝彩。

坎比将军也有很多优点。他为人勤勉好学，对法律情有独钟。军中罕有他这样的军官，对国会的每一个法案，及政府的每条法规，都极有兴趣地仔细研读与研究。他的学识使他成为一名极为优秀的参谋官，在被分配到格尔夫军区之前，他的能力早已展露无疑。尽管他才华横溢，学识渊博，但个性极为谦虚。他第一次受命率军去攻打一个防守坚固的城市时，我想，他的感觉，应该跟我在1861年在密苏里州率团去攻打托马斯·哈里斯将军差不多吧，与他人作战，我们没有丝毫恐惧。如果坎比后来又参加别的战斗，我绝不怀疑，他的责任感定会让他毫无畏惧地奋勇向前。可惜后来，他在追击敌对的莫多克印第安人时，战死在俄勒冈州南部的熔岩床。他纯洁的品性，绝不逊于他非凡的天分与渊博的知识。战争期间，他贡献突出，但主要是作为文职官员。我知道做文职不是他的选择，纯粹是因为他超凡的工作效率。

第五十五章
林肯总统的逸事

战事渐息，确定不会再有武力抵抗之后，在北卡罗来纳与弗吉尼亚作战的军队受命即刻返回首都，在那里安营扎寨，等待退伍。南方的军事要地由卫戍部队守卫，以确保南方各州严格遵从所颁法律，并保证各阶层的生命与财产安全。我不知道此举有多大程度是必要的，但我认为在当时确属必要，现在想来其实有点多此一举。但像1861—1865年之间发生的叛乱带给人的恐惧阴影，又怎能说没就没了呢！

谢尔曼率军从戈尔兹伯勒北上至詹姆斯河南岸的曼彻斯特，在里士满对面安营扎寨，他自己则回到萨瓦纳观察局势。

他最后一次遭受侮辱就是在此段时间。哈勒克受命掌管弗吉尼亚，他下令禁止谢尔曼自己的部队服从谢尔曼的命令。在回来的途中，谢尔曼从报纸上读到了哈勒克的命令，对这种公然侮辱极为愤慨，他从萨瓦纳回到门罗堡后，收到哈勒克的邀请函，邀他去里士满做客，他愤而拒之，并告诉哈勒克他已经看到了命令。他就是回来掌管他的部队的，行军途中哈勒克最好不要出现，否则他不能保证，义愤填膺的人群会因为他受到的不公正待遇，做出什么样的鲁莽之举。之后不久，谢尔曼收到我的命令前去华盛顿，在城市的南边安营扎寨，直到退伍。

在从戈尔兹伯勒北上至里士满，再从里士满到华盛顿的行军过程中，再没有发生值得记述的事情。谢尔曼指挥的军队在西部经历了无数场战斗，从密西西比河开始远征，穿过南方各州一直到海岸，又从海岸到戈尔兹伯勒，最后再回到华盛顿，一路经过许多波托马克军团曾经战斗过的地方，但他们的视角比其他所有军队更高远，他们看到的可不只是战场，更是为了维护国家统一而进行 4 年战争的大舞台。

谢尔曼军从亚特兰大到海岸，又北上到戈尔兹伯勒的行军，即使没有发生预期的危险，其成就也是辉煌的，并且影响深远。对于我们结束这场战争这个大目标，从多个方面来说，都意义非凡。密西西比河东边的所有州到佐治亚州，都感受到了战争的艰难。而佐治亚州、南卡罗来纳州以及北卡罗来纳州全境，除了靠近海岸的地方，直到此刻，都未遭北军进犯。他们的报纸上一直喋喋不休地鼓吹邦联军的胜利，那些闭门家中的南方民众一直笃信，北方佬从头至尾都是节节败退，被打得四处逃窜，如今只是勉力维持，想方设法结束战争来避免自己名誉扫地。

即使在谢尔曼的行军中，南方报纸上还在报道，说他的军队只不过是群被吓破了胆，只会仓皇逃跑的乌合之众，被南方人吓得六神无主，只能寻求海军保护。看到谢尔曼大军耀武扬威，雄赳赳气昂昂地行军，他们先是迷惑不解，接着就恍然大悟，紧接着又变得垂头丧气，最后无条件乖乖投降了。

这次行军的另一个贡献，就是彻底切断了邦联军与佐治亚的巨大仓库之间的交通，加速了战争的结束。部队从萨瓦纳北上，破坏掉南卡罗来纳州与北卡罗来纳州南部的铁路，进一步切断了物资供应，弗吉尼亚与北卡罗来纳的残余军队只能在极小区域获取补给，几乎已经弹尽粮绝。

遵照指示，两支大军，一支从伯克斯维尔交叉路口，一支从北卡罗来纳的罗利地区，都按时到达首都附近并就地安营扎寨。这些部队都吃苦耐劳，在各自的营寨里仍然严阵以待，恪尽职守，似乎生来如此。我觉得，没有任何一个国家能有这样的队伍，士兵之间、军官之间，在所有的战斗当中都是紧密团结，平等相处。

欧洲的军队都是机器，士兵英勇无畏，军官精明善战。但欧洲多数国家的士兵，大都愚昧无知，对战争兴趣索然。而我们的军队都是由受过教育的，知道为何而战，若非国家有难，他们是不会入伍参战的。那些只有匹夫之勇，只受过战争训练的人，怎能与我们的士兵相提并论。

这些部队在北上之前，待在营地的这段时间也没有什么特别的事情发生。

我想起来一件算是能体现林肯先生性格的逸事，发生在我到达华盛顿的第二天，大约是米德将军率军到达伯克斯维尔的时间。弗吉尼亚州长史密斯已随邦联政府离开里士满，前去丹维尔。猜测我当时在伯克斯维尔，遣人送信说，作为自治政区弗吉尼亚州州长，他已经暂时将州政府从里士满迁至丹维尔，问我是否允许他在那里履行州长职责，不受联邦政府干扰。他还问我，如果不允许，他和其他几个人是否可以不受干涉地离开本国，到别的国家去。送信的经过是这样：有人报告米德将军说有人打着白旗，就在我们营寨外面，还说有封信给我，他立刻出去将信拿进来，并没有告诉送信人我当时并不在那里。他读了信后发电报告知我信的内容。之后不久我去会见林肯总统，将信内容复述给他听。林肯总统知道我是在向他请示，就说史密斯州长和他的几位朋友是否能够不受干涉出国，这封信如何答复的问题，他觉得他们的处境其实很像他在斯普林菲尔德认识的一位姓帕特的爱尔兰人（他说了名字）。那个人很受大家欢迎，是个前途远大的人，大家都喜欢他。不幸的是他酗酒成性，他的朋友看到他的酒瘾越来越大，就决定采取措施来挽救他，为此他们签署誓言要戒除一切酒精饮料，拉上帕特一起，他同意了。但他早就没有喝白水的习惯了，所以用苏打水来代替。几天之后，他对苏打水也厌烦了。于是他把杯子放在身后对医生说："医生，你就不能背着我给我来点白兰地？"

我已经想不起总统给我的具体指示，但我知道史密斯州长的请求并未获得批准。我也知道，如果林肯先生还在世，如果有人要逃到国外，他是不会阻止的。当然如果那些流亡在外的人，又反悔自己当初的选择，想要回国，他也愿意让他们回来。

5月18日，副官发布命令，说总统及内阁要对谢尔曼与米德的军队举行盛大的阅兵仪式。阅兵仪式 23 日开始，历时两日。第一天在经过建于总统门前的大看台时，米德的军队就用了 6 个多小时。谢尔曼与总统及内阁在看台上观看这场阅兵。他曾受到陆军部长对他的毫无必要的残酷与苛刻，因此在这里，在公开场合，他并不想隐藏对陆军部长的不满，拒绝与他握手。

美国南北战争以联邦政府胜利而告终，战争结束后在华盛顿举行了盛大的阅兵式，图为 1865 年的华盛顿大阅兵，马修·布雷迪摄

谢尔曼的军队一直在波托马克河的南岸安营扎寨，23 日晚上，他渡河在离国会大厦不远的地方露营。24 日早上 10 点，他的部队开始接受检阅。谢尔曼的军队与波托马克军团装束不同。波托马克军团作战之处，食物、衣物等供给都由北方直接、有序供应。因此被检阅的是 6.5 万名训练有素、纪律严明并且整齐有序的士兵，他们吃苦耐劳，恪尽职守，但他们没有亲自在敌占区自行搜寻食物与供给的经验，而且警惕性也不足。谢尔曼军队的穿着不如波托马克军团齐整，但他们的行军能力无与伦比，给人的印象是，他们受过各种艰苦的训练，既不怕长途持续行军，

也不惧怕任何恶劣的天气，即使连最普通的行军帐篷都没有，他们也能保持井然有序的行军步伐，在穿越佐治亚州时，他们所到之处，"美味的土豆从土里迅速长出来"。在他们的部队后方，总会有俘获的马匹，骡子等驮着轻便的厨具，抓来的鸡以及其他可用的食物。跟随大军前进的黑人家庭有时会来到大部队后方，一头骡子驮着3至4个孩子，母亲则牵着缰绳。

当时的场景多姿多彩，场面宏大，连续两天，从国会大厦到财政部大楼，时时都能看到整整齐齐的方队，整齐有序的行军步伐。每家每户房前都挂着国旗，窗户后面挤满了观看阅兵的人。门前的台阶和便道上挤满了黑人和贫穷的白人，他们没能找到更好的地点和角度观看阅兵队伍，只好挤在那里。城里到处都是来看阅兵仪式的外地人，这有点像来观看新总统就职典礼的场面。

再次将话题转向林肯总统和陆军部长斯坦顿先生应该不算偏题吧，斯坦顿先生是政府的大人物。公众对于总统的看法基本一致。对斯坦顿就不同了。这两个人都有非凡的才能，但其他方面就大相径庭了。林肯先生的魅力在于他的做事方式，他会让人乐于为他效劳，总是委曲求全，而不是固执己见。如果使别人失望，他会沮丧痛苦。在公共事务上，他总能以他希望的方式来处理，尽量不冒犯别人。而斯坦顿先生，他只要无人抵制，从不质疑自己的权威。他从不在意别人的感受，事实上，与满足他人相比，使别人失望更能令他高兴。他做事专断，或者叫固执己见。如果他的举措不奏效，他就立刻更改；看到问题，他会一直抓住不放，直到完成为止。

大家都认为这两个人性格互补。部长可以帮总统减少压力，总统则负责对公众的公平、公正。我不知道这种观点，现在是否仍为大部分人所接受，但就我看来，这是不准确的。林肯先生并不需要一个保护人来帮他赢到公众信赖。

林肯先生并不怯懦、胆小，他相信他的将军们，放手让他们自己制订和执行计划。陆军部长其实很胆小，我们以攻为守攻打邦联首都的时候，他简直如热锅上的蚂蚁，对我们的行动横加干涉。他只看到我军弱点，却看不到敌人弱点。如果斯坦顿指挥作战，那敌人才真的算失去了威胁。厄尔利在逼近首都的时候，这两人的性格特点更表露无遗。

那些在内战期间表现突出、受到公众关注的将士们，我还没有对他们做过任何评价，他们是米德、汉考克、塞奇威克、伯恩赛德、特里和胡克。还有其他诸如格里芬、汉弗莱斯、赖特和麦肯齐等。在首先提到的这些人中，伯恩赛德曾经指挥过波托马克军团，后来又指挥过俄亥俄军团。胡克也短暂地指挥过波托马克军团。

米德将军优点众多，但缺点也不少。战前他曾是工程部队的一名军官，46岁再次入伍。他指挥的兵力从未少于一个旅。他对敌方与我方地理位置总能一眼看穿，所以第一反应往往是利用地形优势，有时候甚至不管是不是我们行动的方向。他绝对服从上级命令，即使这些命令会改变他自己的计划，他也是满怀热情地执行，就像是在执行他自己的计划一样。他作战勇敢、尽职尽责，因此得到所有人的尊重。他的缺点是脾气暴躁，有时候控制不住，给他的上级说话也是极度无礼。他很清楚他自己这个缺点，心里也很难过。战场上，周围的人有了消息，也不愿意靠近他。尽管有这个缺点，他仍称得上是非常优秀的军官，理应青史留名。

伯恩赛德将军同样受人爱戴与尊重。但是他并不适合指挥军队。他自己也很清楚这点。他勇于承认自己的错误，但却总包庇其部下的过失。被派去独立指挥部队可不是他的错。

战争期间，我对胡克了解得很少，但战前我跟他很熟，在查特努加见到他时，他成功带领部下绕过敌人在卢考特山上的据点，进入查特努加河谷，此次行动非常出色。尽管如此我还是把他当成一个危险分子。他不服从上级，野心勃勃，完全不顾及别人的权利。他的特点是，在战斗中，他很可能会从主力部队脱离，单独行动，并把所有可用的部下都召集到他的旗下。

在没有单独指挥权的将军当中，汉考克是最杰出的。他指挥军队的时间比其他任何人都长，也从未犯过重大失误。他长相英俊，身材高大匀称，在我写此书时，他还很年轻，生机勃勃。无论走在哪里，大家都向他行注目礼。他待人亲切，朋友众多，他作战勇猛，总是出现在战斗最激烈的地方，这为他赢得了部下的信任。无论战斗多么激烈，第2军的士兵总能感觉到他们的指挥官在关注他们每个人。

我还没来得及从个人角度对塞奇威克进行评价，他就在斯波特西尔法尼亚牺牲了。我们是墨西哥战争的老相识，那时我们俩都是中尉，指挥一个旅的兵力，那时是想都不敢想。然而无论是作为军官或是士兵，他在军中威望甚高，他作战勇猛，做事尽心尽责。没什么野心，似乎害怕承担责任。打多少仗他都愿意，但总希望由别人来指挥。他曾经至少有一次拒绝波托马克军团的职务。

阿尔弗雷德·H.特里将军是作为志愿军来到军中的，没有受过军事教育。他没有通过政治影响，完全靠个人能力，最终独立指挥一次重要军

阿尔弗雷德·H.特里（1827—1890）是美国南北战争时期联邦军将领，他以志愿者的身份加入联邦军，凭借自己的能力在南北战争中脱颖而出，为取得最后胜利做出了突出贡献，图为特里将军

事行动——1865 年 1 月的菲舍尔堡战役中，他战绩显赫，并为他赢得正规军陆军准将军衔、志愿军少将军衔。他体念下情，急人所难。作为指挥官，他战斗中沉着冷静，在任何情况下都能保持理智，部下对他充满信心。

格里芬、汉弗莱斯还有麦肯齐都是很好的指挥官，战争快结束时才上任，因此没有引起公众的注意。这三人都是在波托马克军团与詹姆斯军团的最后一战时才就任，这场战役在 1865 年 4 月 9 日的阿波马托克斯县城达到高潮。叛军的突然崩溃吸引了所有人的注意力，无暇顾及其他。我认为麦肯齐是军中最有前途的年轻军官，战争开始的第二年毕业于西点军校，在战争结束前，他已经靠自己的努力成为军长，他凭借的是他的优良品质而非其他。

第五十六章
尾　声

这场叛乱的根源是奴隶制度，内战之前很多年，政客们之间就流传一个老套的格言："一个国家一半实行奴隶制，另一半则是自由之邦，这个国家注定无法长治久安。"就是说，要么自由，要么都奴隶制，要么灭亡。那时我对这样的看法不置可否，但战争结束后，回顾所有的问题，我才发现这种说法确实极有道理。

奴隶制这种体制，需要非同寻常的安全保障。而在我们国家，自由之邦占绝大多数，那里文明先进、生活富裕，自然是不需要向政府寻求保护的。而南方，则依靠政府的控制来确保他们体制的稳定。奴隶制度被废除后，有些蓄奴州仍凭借北方小撮人的支持，在政府中维持着他们的控制力。但颓势势不可当，他们又颁布《逃亡奴隶法》，开始侵犯北方各州的特权与独立。根据这个法律，任何一个北方人，都可能随时受到传唤，都有义务交出或者帮助逮捕从南方逃亡的奴隶。北方的执法官成了猎奴者，北方的法院成了支持和保护这种奴隶体制的帮凶。

这是种倒退，北方对此绝不能容忍，必须从法律中废除这一法案。在《逃亡奴隶法》颁布之前，权力没有受到侵犯的北方民众，他们普遍的想法是，只要不被强迫必须实行奴隶制，对奴隶制其实并不特别抵制。但这并不意味着他们保护这种体制，愿意为南方人充当警察这个角色。

早些时候，在我们拥有铁路、电报还有蒸汽船之前的早些时候，简而言之，在任何一种高速交通方式出现以前，每个州都像是个独立的小国家。那时候奴隶制度这个话题对公众根本不会引起任何困扰。但是国家在发展，高速交通被建立起来，州与州间的经商贸易达到了史无前例的程度，政府的权利也逐渐凸显，这也让人们意识到，要维护其制度，就必须设法攫取政府的权利。

或许这场战争对于我们，并不全是坏事。我们的生活比战前富裕，经济发展得更快。在战争刺激下，欧洲的文明国家变得异常活跃，经商、贸易、旅行司空见惯，不同国家之间的交流日益频繁。战前，去别的国家或者知道一些其他国家的事情，只是少数人的特权。战前，我们的共和体制曾被认为是种实验，君主立宪制的欧洲国家都认为我们的体制就是一盘散沙，经不起风吹草动。这场战争也向他们证明，我们完全有能力应付这样的一场战争，这场战争是美国自建立以来最大的一场战争，我们的人民也证明了，我们美利坚民族是最强大的。

但这场战争是个可怕的教训，它要我们未来一定要避免战争。

在我们遭遇麻烦时，欧洲国家的行为表明整个社会缺乏良知，社会的责任绝不能只靠单枪匹马来承担。看到一个国家地域广阔，占着美洲肥沃富庶的土地，人口持续增长，财富剧增，文明发展，对这样一个新崛起的国家，欧洲国家觉得最好遏制一下。我们或许很快就会威胁到他们的和平，或者至少，影响到他们的体制。因此，英国一直以我们没能力保持有效的封锁为借口，不断给华盛顿政府找碴。一开始的时候，英国还伙同法国与西班牙扶持奥地利王子在墨西哥执政，全然不顾墨西哥作为独立政权的权利与主张。他们捏造冤假错案当借口，但这些借口不过是欲加之罪。

墨西哥经过多次革命，对外国势力的这种所谓保护已毫无反抗之力，他们的一些革命领袖还从国外势力那里贷款。借保护民众之名，这些国家将墨西哥当成了美洲大陆上君主立宪制的一个立足点，以此威胁我们国家的和平。我个人认为这是在向美国宣战，认为美国应腾出手来予以回敬。我经常对林肯总统与陆军部长谈及此事，但从未听到他们明确的想法与态度。我推测他们也和我想法一致，觉得是笔划算买卖，只不过自己内乱未定，不愿意现在就去蹚这趟浑水。

在墨西哥被武装干涉并安置由奥地利王子统治之后，除了法国，其他列强都相继撤兵。但内战期间，这些国家的统治者不断在给我们制造麻烦。李将军投降之后，抱着以上观点，我派谢里丹率一个军去格兰德河，协助华雷斯将法国人从墨西哥驱逐出去。还没来得及阻止，部队已经出发前去格兰德河，谢里丹将兵力部署到河的各处，与此河接壤的墨西哥驻军顿时恐慌起来。此举很快引起法国抗议，要求我们撤回格兰德河的军队，并就他们退军之事进行磋商。最终巴赞接到法国政府的命令，

巴赞全名为弗朗索瓦·阿希尔·巴赞（1811—1888），他是一位能干、勇敢和富有进取精神的军人。美国南北战争爆发后，法国趁美国无暇顾及墨西哥之机，派巴赞将军前往墨西哥。图为巴赞将军墨西哥西部城市瓜达拉哈拉受到当地居民的欢迎，戈德弗鲁瓦·迪朗（1832—1890）绘

从墨西哥撤军了。法兰西帝国从那时候开始摇摇欲坠。墨西哥才得以在没有我军援助的情况下维持独立。

　　法国一直以来是美国的盟友。我并不打算责怪法国在这场阴谋中扮演的角色，因为在墨西哥共和国的废墟之上建立皇权的阴谋是来自一个人，一个既无才华又品行恶劣的拙劣的模仿者。他窃取了本国的政权，违背人民的意愿与天性改变了政府体制。他以为自己是拿破仑，却没有能力承担这一角色。他想通过征服来扩张领土，赢得荣耀，但这次阴谋的破产却成了他倒台的序曲。

　　和我们的内战一样，普法战争同样代价沉重。但法国人民却愿意为此拼尽全力，拿破仑三世因此倒台。他的征战是从这篇大陆开始，也终结在这片大陆。拿破仑，这个名字的荣耀，他所曾经拥有的全部荣耀，全都烟消云散了。他要么成功，要么垮台，他向他的邻居，普鲁士，开战，但失败了。

　　我虽然不仰慕拿破仑一世的性格，但我欣赏他的才华。他的所作所为给整个欧洲都留下了深刻的印象。拿破仑三世却从未做过好事，也没有大作为。

　　内战再次发生的概率几乎是零，但随着我国人口的增加，财富的暴增，军事力量的强大，我们可能会成为其他国家忌妒的对象，从而导致几年前事情的重演，所以我们必须做好准备，否则不知道哪天就会遭到几个国家的联合围剿，将我们击垮。现在，战争结束已经将近 20 年，我们似乎已经淡忘那场战争带给我们的教训，似乎觉得自己安全无虞，但我们不做好准备，我们抵御欧洲小国的舰队的能力都没有。

　　我们应该有一支过硬的海军，我们的海防线也应该配备最好的设施，仔细考虑到这笔花销的支出与回报，你会觉得花得值。把钱投入建立过硬的海军队伍上，不仅能增加国防安全，也能防止未来战事的发生，又能为与他国通商保驾护航。花到海防上的钱也是取之于民，用之于民。工程完工后，与海军建设一样，也能给我们带来安全感。

　　叛乱期间英国针对美国的政策，激起了他们对自己宗主国的极度反感，我对此感到很遗憾。英国和美国是天然的联盟，本应成为最好的友

拿破仑三世（1808—1873）为拿破仑一世之侄，他在 1848 年当选法兰西第
二共和国总统，1852 年称帝，建立法兰西第二帝国，后在普法战争中战败
而被迫退位。上图为普鲁士骑兵押送战败的法国士兵，克里斯蒂安·塞尔
（1831—1883）绘；下图为拿破仑三世当选法兰西第二共和国总统的场景，
亨利·费利克斯·艾曼纽·菲利普特奥斯（1815—1884）绘

邦。他们说同一种语言，血脉相连还有其他密不可分的联系。我们一起，或是各自，在互通贸易上，比世界上其他任何国家，都更应该做得更好。

英国对自己的殖民地的控制，尤其是那些种族不同的殖民地，做得更好。她对被征服的国家手段强硬，但很公正。她让他们自给自足，但也让劳动者劳有所得。她并未将殖民地看作是支持和强化本国政府统治的外部领土。

叛乱期间，英国对美国的敌意并不像表现出来的那么大，准确地说，只相当于一个政党领袖的敌意罢了。有人告诉我，在美国内战期间，英国从未爆发支持美国南北分裂的游行，倒是有人组织游行支持美国统一，或者用他们的话来说，就是支持北方。即使在棉纺织厂被切断棉花供应的曼彻斯特，虽然工人们忍饥挨饿，但还是坚决支持北方。

种族矛盾将来可能会引发冲突，就跟之前奴隶制度与自由的冲突一样。我们国家黑人的状况，退一步说，可能会成为冲突的根源。但是当初他们被强行带到我们的国土，那么现在他们也应该和其他所有阶层的公民一样享有充分的权利。我就任总统期间一直期望解决这个问题，因此急于将圣多明各并入境内。

圣多明各，无论是其政府，还是治内的人民，对我们来说都唾手可得。这个岛就在我们的海岸线上，土地肥沃，足以养活1,500万人口。土壤肥沃，产出物品的价值之高，任何想去那里的人，只要肯劳动，他们的旅途花费很快就能从产出中获得补偿。我的想法是让黑人迁去那里，这样可以形成独立的黑人自治州，但仍隶属于合众国，受联邦政府保护。唯一的区别是，居民基本都是黑人。

墨西哥战争之后，正如大家看到的，我们吞并了几乎和之前领土差不多大的新领土。众所周知，墨西哥战争的志愿军，大部分都是定居在大西洋海岸的第一批拓荒者，但是他们的数量很少，还不如这场战争中一个重要据点的人多。平定叛乱之后，许多年轻人重返故里，开阔的眼界使他们不再满足于现有的农场、商店、工厂，他们想要更大的田地。

大山里的煤矿首先吸引了他们，后来他们又发现了富饶的山谷，那里物产丰富，适合耕、牧。这块地域，在叛乱结束时，这地方的地理地形尚不为人所知，现在所有这些地方在地图上都被详细地标注，铁路四通八达，矿山被开采，高地被用来放牧，山谷里有肥沃的农田，这些都是志愿军的劳动成果。一个世纪以来印第安人一直控制着这些地区，但战争改变了这一切。所以我们必须得出这样的结论：战争是夹杂着好事情的恶魔。

战前，大部分人都满足于生活在附近。事实上，许多人对来到陌生人中间感到没有安全感。国家被分成小的区域，在这些小区域里形成了各地的方言，听口音就基本可以断定他来自那个区域。从前，新的领土都是同一个阶层的人聚居，他们离群索居，不与外界联系。周围人多起来的时候，他们就离开此地，到更远的地方去。他们过着自给自足的生活，打猎获得肉食，耕种获得面包与蔬菜，河流里从不缺少可供食用的鱼类。一年到州里一次，用设陷阱得来的动物毛皮换取生活必需品，包括炸药、铅弹、威士忌、烟草和一些可储藏的物品。偶尔也会买一些奢侈品，比如四分之一磅茶叶，两三磅咖啡，好几磅的糖，扑克牌，如果还有剩余，有可能的话就再买些威士忌。

疆土之外的地理情况，我们战前了解得很少。现在这一切都变了。战争促使了人们独立与进取的精神。现在的观念已经变成了：年轻人应该脱离旧环境，去大世界里闯荡。现在许多民族，来自不同地域的人都混居在一起，到处都有人居住。全国上下都在倡导"从内陆到海洋"，铁路连贯两个海洋，通往国内任何地区。地图也发展到了几近完美的程度，国家的每寸土地都能在学生的地图上找到。

战争促进了我国国力的发展，国民更加聪明。对于维护和平，国民幸福，国家富强，获得他国尊重，我们能做的真的很少。经验教会我们，国力强盛才能为国民幸福提供保障，国力强盛才能获得他国尊重。

我感觉到我们此刻正处在新时代的黎明时期，联邦与邦联之间会和谐相处。我已经无法亲眼见证这个预言的实现了，但我内心坚信会有这么一天。在我弥留之际的感受似乎是一种博爱，这可以作为 "让我们保有和平"这个问题的第一步。

这种博爱的感觉并不局限于一个国家，也不限于某个地方。它适用于不同国家的每一个人，适用于所有教派的教众——无论是新教徒，天主教徒还是犹太教徒，也适用于五花八门的社团——科学的，教育的，宗教的或是其他社团。这种博爱不掺杂任何政治的成分。

我并非自高自大之徒，并不是因为自己在这场战争中扮演了重要角色，而给它赋予重要的意义。事实上，我认为这场发生在国家内部的战争，极度血腥，代价惨重。最后战争结束时，参战的一方倒不得不放弃他们极为珍视，甚至超过生命的重要原则。无论是否受之有愧，在这场争斗中，我是指挥大军获胜的一方，是获胜方的代表。邦联军应该心悦诚服地自发加入这一认识中来，这样做意义重大，也令所有人满意。我希望这种刚刚开始的好感觉能持续到我生命的最后一刻。

附 录

美军中将，U.S. 格兰特的报告，1864—1865

美军总部，华盛顿 D.C，1865 年 7 月 22 日

霍 .E.W. 斯坦顿，陆军部长

先生：我非常荣幸呈交在我负责军事指挥期间，美军军事作战报告。

从南方叛乱初期，我就认为我军如果能抛开季节和天气因素，调动所有可参与的力量主动持续作战，必然能迅速结束战争。虽然敌人在物力和人力上都处于劣势，但他们土地广阔，人民憎恨北方联邦政府；而且我们还要保卫漫长的河岸线和铁路交通，给作战部队提供物资供给。

我们东部和西部的军队没有联合起来，各自独立作战，而且似乎彼此不相容，很难整合到一块儿。敌人正是利用了这一点，通过他们的内部交通线把军队从东部运到了西部，极大地压制了我军。我军休整期间，大量人员休假，回家耕作，保障军队，我们在人力物力上的优势也因这些不利因素化为乌有了。

我始终坚信，如果不彻底击败南方叛乱部队，就不会有持久的和平和人民的幸福。

因此我决定，首先，集中优势兵力打击敌人，防止他们乘机在其他季节反扑，也防止他们有机会休憩调整，积蓄力量，

继续反抗。其次，如果没有其他更好的办法，就应持续作战，在战争中不断消耗敌人的有生力量，直到他们一无所有，只能投降，诚服于国家，遵守宪法和法律。

所有的命令和行动都是围绕着这个战略意图进行的。我不敢说，那些在战争中损失亲友和钱财的人会对我的做法很满意，我只能说，为了整个国家的利益，我就就业业，竭尽全力。

呈交报告之前，双方战况如下：联邦军队占领了密西西比河从圣路易斯、密苏里到河口一带。阿肯色一线也由我们控制，因此，我们已经占领了密西西比河以西、以北地区，还有少量部队已接近格兰德河，我

格兰德河源出落基山，初向东流，继向南流，最后沿美国、墨西哥国界作东南流向，注入墨西哥湾。图为20世纪初期的格兰德河

军还占领了路易斯安那州南部的几个地方。但敌军仍占领阿肯色州的大部分地区，路易斯安那州和德克萨斯州，可作战士兵不超过8万人。如果对他们发起猛攻，他们就不得不应战。这支部队长期不参加战斗，士气低落，可能只有一半多的人参加过一次战斗，另外一半大约4,000人，以游击队的形式，散布在密苏里、阿肯色和密西西比河沿岸。大部分人负

隅顽抗，因此只能派遣军队以保持河运畅通。密西西比河以东，沿田纳西、霍斯顿河一线一直向东，包括田纳西州几乎所有的地方都由我军控制。我们在乔治亚攻取了查塔努加南部的一个小据点，保护东田纳西州免受驻扎在乔治亚道尔顿敌军的侵犯。西弗吉尼亚也完全在我军的防线以内，弗吉尼亚除了北部边境、波托马克河、詹姆斯河口附近的一个小地方，由驻扎在诺福克和门罗堡的军队占领，拉皮丹河沿岸由波托马克军团占领，其余地方都由敌军控制。我们在以下地方均获得据点：北卡罗来纳州的普利茅斯、华盛顿、新伯尔尼；南卡罗来纳州的波弗特福里和毛瑞斯岛、希尔顿黑德岛、普拉斯基堡；佛罗里达的费南迪纳、圣奥古斯丁、基韦斯特和彭萨科拉也在我们的掌握之中，但所有重要港口都被海军封锁了。1864年3月送给谢尔曼将军和其他指挥官的地图上，用红线标记出在叛乱初期和平乱期间我军占领的地方，蓝线则表示我军欲占领区域。

联邦军防线之后有多股的游击队力量，他们对抗政府，只能派军队驻扎在各个道口和河口。南方军队专制统治盛行，每个青壮年都可拿起武器成为士兵，拿不动武器的就成为宪兵，组织逃亡人员返回南部，敌人把所有力量都集中起来参与战斗。

敌人在密西西比河以东集结了大量军队，分成两队，分别由他们最骁勇善战的R.E.李将军和J.E.约翰斯顿将军负责指挥。李将军的军队占领了拉皮丹河南岸，然后从迈恩河往东，筑起堑壕，占领防守叛军首都里士满，抵抗波托马克军团；约翰斯顿率领的军队占领了乔治亚的道尔顿，并筑起壕沟，死守铁路中心枢纽亚特兰大城，抵抗W.T谢尔曼少将率领的军队。此外，敌军在密西西比河东北拥有福里斯特领导的骑兵，在谢南多厄河谷，弗吉尼亚西部和田纳西州的最东部拥有全副武装的大量军队，阻击我沿海驻军，封锁港口，使我们在陆上没有立足之地。

这两支军队，还有被他们占领和防守的城市是我们攻打的主要目标。谢尔曼少将指挥密西西比河分部军队，负责攻打约翰斯顿军队，范围包括从密西西比河以东到阿利根尼山、阿肯色州和密西西比河以西。

乔治·米德少将负责波托马克军团的指挥，我负责全军的军事行动。

命令谢尔曼将军攻打约翰斯顿，驱散他们，深入内线，竭力破坏战略物资。如果前方敌军有和李将军会合的迹象，全力追击，我会尽可能让波托马克军团干扰李将军的注意力。我并没有给他详细的书面命令，因为之前已同他谈论过作战计划，他完全明白，也有能力执行我的战略意图，我很满意。

我命令远征雷德河的 N.P. 班克斯少将攻打路易斯安那的什里夫波特（之前本来由我负责指挥），3 月 15 日电告他什里夫波特战略意义重大，须早日攻克。如果攻打的时间超过了 10 到 15 天，即使放弃雷德河远征的目标，谢尔曼的援军也须在指定时间撤回，因为这支军队对密西西比河以东的军事行动非常重要。如果远征成功，派遣必要力量防守什里夫波特和雷德河，剩余部队增援新奥尔良，除非防守需要，不可再去夺取其他领地。如果招募到足够军队，即可攻克莫比尔，它是春季作战计划的一部分，但不能干扰到其他军事行动。远征行动从新奥尔良出发，同时，（按班克斯将军建议）我命令斯蒂尔将军从阿肯色州采取真正的军事行动而非佯攻（如他所建议）。

除了之前的通知和命令，3 月 31 日我给他下达如下指示：

第一，如果你远征成功，攻克什里夫波特，把雷德河的防御交给斯蒂尔将军和海军。

第二，如果守不住格兰德，彻底放弃德克萨斯。如果敌人转移注意力增援其他据点，你有 4,000 兵力就够了，另一半兵力从黑人中招募。

第三，适当加强密西西比河的防守，从哈得逊港到新奥尔良的防守力量，可减少到 1 万人。进攻之前可留 1,000 人防守。据前次战况，给你调拨 3 万兵力进攻莫比尔，再从密苏里调遣 5,000 人。如果你仍觉得兵力不足，调遣你现有的 2.5 万兵力集中进攻莫比尔。这些军队加之我从其他地方调来的增援，即刻进攻莫比尔，不要浪费时间佯攻。派遣至少两艘装甲舰给法拉格特海军上将，增强舰队力量。你可自主决定如何与海军司令配合。我的想法是以帕斯卡古拉为基地，但你长期在格尔夫部服役，更知道如何去做。你须配合其他地方的行动，不可擅自行动。还有，马上集结兵力，勿让敌军猜透你的意图，越早越好。

中将 U.S. 格兰特

少将 N.P. 班克斯

给少将米德的指令是，李的军队是他的主要目标，李去哪里，他就去哪里。他的行动包括两个计划：一个是在李的南面越过拉皮丹河，到达他的右翼；另一个是从北边抵其左翼。这两个方案互有优势，各有意图。行军南面会切断李从里士满撤退的后路，北撤我军可以进攻，但如果我们选择这条路线，就要考虑给养问题，而且我们会和巴特勒分开，难以传递指令，相互配合；如果选择另外一条路线，在夺取约克和詹姆斯河之前，布兰迪车站可以一直作为军事基地补充给养。两者衡量，还是决定采用第二条路线。

给 B.F. 巴特勒少将如下指令：

门罗堡，弗吉尼亚，1864 年 4 月 2 日

将军：春季作战行动希望能尽早开始，为了完成目标，建议和战场上其他军队配合。

必须守住从敌人手中夺来的领地，不可把部队整合作战，而应分割成小单位作战，集中优势兵力，突破敌人防守区域的内线会事半功倍。我军可插入敌军和防守区域之间，减少防守

要地的兵力，还可吸引部分敌军的注意力。李的军队和里士满是下次行动的主要目标，我们要集中兵力击败他们。波托马克军团要保护华盛顿，你的军队要保护你的防区，因此行动的初期都不可能把所有的军队联合起来。所以，我认为最近的部署是切实可行的：波托马克军团从驻地出发，目标是李的军队；集中你麾下不少于两万的人马，在詹姆斯河南岸展开战斗，目标是里士满。从南卡罗来纳州的吉尔莫少将手下抽调 1 万人增援你的部队，由吉尔莫少将亲自指挥。命令 W.F. 史密斯上将向你报到，指挥从你的防区抽调的部队，投入战斗。

命令吉尔莫将军在门罗堡堡向你报到，军队正在行军途中，18 日或稍后即可达到。如果到那时你还没接到行动通知，就部署这些军队和你的军队迷惑敌人，让敌人以为行动就要开始了。

当你接到行动通知，在锡蒂波因特集中所有兵力，建工事或筑壕沟，投入战斗，但无法在锡蒂波因特给你下一步行动的指令。

如上所述，里士满是你们行动的目标，你的军队要和波托马克的军队相互配合，由你领导，这也就意味着军队要行进至詹姆斯河南岸。如果敌人被逼入里士满的堑壕，波托马克军团马上追击，通过铁路运送两支军队会合。

行军的任何小细节都会透露行军的方向。当然如果能利用你南面的骑兵切断希克斯福特附近的铁路，局面就变得极为有利。

关于你们执行这次任务的所有命令、细节和指令，我会尽早传达给你。

中将 U.S. 格兰特
少将 B.F. 巴特勒

16日又详细重申了这些指令，19日为了确保他的军队和米德的军队充分配合，我通知在米德将军向库尔佩珀行军的当天，他的部队向门罗堡行进，具体时间一旦确定我会立即给他发电报，但时间不会早于4月27日。如果李抵抗，我希望在里士满和库尔佩珀之间与他交战，如果他退回到里士满，继续追击，在詹姆斯河与巴特勒的军队会合。我想他会在南面围攻里士满，使其左翼停在詹姆斯河，我在那里与他会合，这种部署是明智的。接到行军命令后，尽量在詹姆斯河南部远处扎营，如果无法攻克里士满，至少要保存实力。在配合攻打李和约翰斯顿的同时，我希望后方军队也立刻投入战斗。

留守一些兵力由西格尔少将指挥，保卫西弗吉尼亚、马里兰州和宾夕法尼亚州边境。如果北方遭到敌人的侵犯，与其正面交战，保护好这些地方，切断敌人的补给供应和交通线，甚至可能打败敌人。所以命令西格尔将军将其所有军队组成两支远征军，在奥德和克鲁克将军的指挥下，从贝弗利和查理斯顿出发，进攻东田纳西州和弗吉尼亚铁路。随后，奥德将军自动要求解职，西格尔将军建议在贝弗利停止远征，将队伍分成两部分：一部分在卡诺瓦，大约1万人由克鲁克将军指挥，另一部分在谢南多厄，大约7,000人，谢南多厄的部队在坎伯兰和谢南多厄之间集合，步兵和炮兵协同骑兵向雪松河方向前进，给在谢南多厄谷的敌人造成威胁，克鲁克将军率领部分军队攻占刘易斯堡，后

西格尔全名为弗朗茨·西格尔（1824—1902），美国南北战争时期联邦军将领，图为西格尔将军的全身肖像

南下破坏田纳西铁路，炸毁新河桥和弗吉尼亚索尔特维尔的盐厂。

由于恶劣天气和道路状况的影响，军事行动推迟到 5 月 1 日，等一切准备就绪，道路状况改善，下达命令，所有军队在 5 月 4 日前总攻。

首要目标是打破叛军的军事力量，占领敌人的重要据点。我殷切期望巴特勒将军能攻克里士满，在东部取得预期的胜利，没有什么比击垮李的军队更重要的了。我希望激烈进攻能迫使李撤退，或者削弱他的兵力，使其再无力派遣大部队进攻北方，只能死守里士满。我指示巴特勒将军和米德将军，行动前他们的军队在詹姆斯河南岸待命，保证成功击溃李的军队。

给巴特勒将军指令前，我在门罗堡约见了他，谈话中我指出，攻克

1862 年的门罗堡，弗兰克·莱斯利（1821—1880）绘

彼得斯堡，尽可能深入南部破坏铁路交通很重要，当然，他此次行动最重要的目标是攻下里士满。波托马克军团同时向李靠近，李无法安全撤离，同时遭到来自詹姆斯河北部军队的进攻，故军无法迅速回防。

这里我申明，我负责全军的指挥，米德将军独立指挥波托马克军团，

所有这些指令都是普遍原则，具体细节和执行由他负责。随后的战役证明他是合适的地点出现的合适人选。他的军事才能超过了他的军衔，他的能力和热情受到了人们更多的关注。

波托马克军团的行动 5 月 4 日清晨开始，由米德少将指挥，夜晚之前，所有军队和大部分火车，约 4,000 节车厢，渡过拉皮丹河（第 5 和第 6 军在杰马尼亚堡，第 2 兵团在伊利堡渡河，谢里丹将军指挥的骑兵提前行动），遭到小规模抵抗。当日部队平均步行 12 英里，这是巨大的成功，因为它消除了我心中最大的焦虑，即我军一旦渡河就会遭到敌军的抵抗，他们作战勇猛、指挥有力；同时我军还要保护敌占区火车行驶的安全。5 日早晨，先行部队（G. K. 沃伦将军指挥的第 5 军）在麦兰附近的堑壕外与敌人交战，双方激战一整天，因为交战地点森林茂密，道路狭窄，所以所有军队立即投入战斗，以求速战速决。

波托马克军团行军时，伯恩赛德同第 9 军团在拉帕汉诺克河的亚历山德里亚铁路交会处驻守大批军队，封锁返回布尔河的道路，他们在没有接到部队安全渡过拉皮丹河的消息前不能行动，一旦接到命令，马上行动。4 日下午接到渡河通知，到 6 日早晨 6 点，他率领部队在莽原客栈附近作战，一些部队已经行军 30 英里，渡过拉帕汉诺克河和拉皮丹河。他的部队约 2/3 由新兵组成，不习惯扛着装备行军，因此这是一次伟大的行军。

6 日早晨 5 点我们在莽原重新发起进攻，战斗很激烈，直到夜幕降临，我们还在坚守阵地。天黑后，敌人发起一次微弱进攻，袭击我军右翼，虏获我军几百人，引起混乱，塞奇威克将军反应迅速，亲临阵地指挥，迅速恢复了秩序。7 日早晨，侦察兵发现敌人已经退到堑壕后面，只有部分哨兵在前线巡逻。我知道，尽管此时敌人还略占优势，在工事后伺机等待进攻的时机，但经过两天的激战，敌人已无力在旷野作战。因此我决定，全部的兵力推进到里士满和敌军之间，攻打其右翼。7 日晚，部队向斯波特瑟尔韦尼亚县政府挺进，第 5 军团可直接到达，敌人获知我们的行动计划，选取更近路线，想要提前到达。8日，沃伦将军遭遇一股敌军，敌军企图拖延他们的行军，争取时间增援博思威尼亚。在刚建好的工事中，经过激烈战斗击退这股敌军，双方都有伤亡。9日早晨，谢里丹将军突袭里士满的交通线。9、10、11日双方拉锯战，难决胜负。9日，指挥第6军的卓越将领约翰·塞奇威克少将阵亡，W.H.莱特少将接替指挥。12日清晨，总攻开始，第2军在汉考克少将指挥下，攻克了防线的一个突出阵地，虏获了约翰斯顿麾下尤厄尔军团的大部和20门大炮。由于遭到顽固抵抗，我军优势并不明显，13、14、15、16、17、18日都耗费在拉锯战中，等待从华盛顿赶来的援军。继续进攻博思威尼亚县政府城的敌军不可行，15日发布命令攻打北安娜，行动在19日凌晨

北安娜之战中格兰特将军与他的参谋们

12 开始。19 日傍晚，尤厄尔军团袭击我军右侧翼，但很快被击退，伤亡惨重，这使攻打北安娜的行动推迟到 21 日夜晚。这一次敌人又抄近路占领了主要道路，在我军之前到达北安娜，占领据点。第 5 军 23 日下午到达，第 6 军紧随其后，第 2 和第 9 军也基本同时到达，第 2 军占领铁路桥，第 9 军驻扎在杰里科堡渡口。沃伦将军也与同天下午渡河，没有遇到多少抵抗就攻下一个据点，但很快敌人就疯狂反攻，被我军击退，敌军伤亡惨重。谢里丹将军从博思威尼亚县政府出发，摧毁了比弗丹站仓库、阿什兰车站、4 节车厢、大量军需物资和数英里铁路轨道之后，25 日与波托马克军团会师，解救了我军大约 400 名前往里士满途中的战犯，之后在耶洛客栈遭遇并击败敌军骑兵，攻克了敌人的第一道防线（但发现敌人的第二道防线太牢固，无法攻下），在敌人重火力阻击下通过梅多桥重新回到奇克哈米尼北岸，然后经过詹姆斯河到达哈克斯码头，与巴特勒将军取得联系。这次袭击使敌人的骑兵全部撤退，大大减轻了保卫军列的压力。

按照指令，5 月 4 日巴特勒将军的主力部队向詹姆斯河行进，吉尔莫将军率第十军团与他汇合，与此同时，他派遣一支 1,800 名的骑兵部队，途径西点，攻下一个据点后与他会合；另一支 3,000 人的骑兵，由考茨将军率领，从萨科福出发进攻彼得斯堡和里士满南部道路。5 日没有遇到抵抗攻占了锡蒂波因特和百慕大翰卓德，这次行动完全出乎意料。6 日，他的部队在阵地修建壕沟，7 日侦察兵破坏了彼得斯堡和里士满部分铁路。9 日，他发电电文如下：

　　总部，百慕大附近登陆，1864 年 5 月 9 日
　　霍·E.W. 斯坦顿，陆军部长

　　我们的行动可用几句话总结：我们派遣 1,700 名骑兵到半岛，挺进奇克哈米尼，安全到达现在的位置，这些都是黑人骑兵，

作为先行军前往里士满。考茨将军率领 3 000 骑兵，同一天从萨科福出发前往詹姆斯河，挺进黑水，烧毁了彼得斯堡南的斯托尼克鲁克的铁路桥，切断博勒加德的军队。

我军已在这儿登陆，建了壕沟，炸毁了数英里铁路，攻取了一个据点，供给充足，可以对付李的军队，我下令再往前线调些军需物资。

由于考茨切断了铁路线，博勒加德的大部分军队留在了南方，这支军队在黑尔的率领下，到达彼得斯堡，我狠狠地教训了他们，敌军死伤无数，经过惨烈战斗，俘虏了许多战犯。

博勒加德对李的继续增援不会对格兰特将军造成困扰。

本杰明·F. 巴特勒少将

13 日晚和 14 日早晨，他攻破了敌人在德鲁里悬崖和达林堡的第一道防线，伤亡较少，从 6 日起时间都被消耗掉了，因此贻误了奇袭攻克里士满和彼得斯堡的战机，使得博勒加德有机会整合散落在卡莱罗那南部和北部的军队，守卫这些地方。16 日，敌人进攻德鲁里悬崖前的巴特勒

达林堡之战中联邦军使用的重炮，摄于 1865 年

的阵地，他被迫后退，一直退到位于詹姆斯河和阿波马托克斯河分岔口的壕堑里，敌人攻克壕堑，抢占了铁路、城市和一切有价值的东西。尽管这样保证了军队安全，但就像一个卡在瓶子里的瓶塞，已无力直接进攻里士满，而敌人只需少许兵力就可防守。

12 日，考茨将军和他的骑兵突袭了丹维尔铁路，攻打煤田、波瓦坦、丘拉车站；摧毁了铁路，两辆火车，一个火车头，大量物资和其他储备。之后，越过南赛德铁路，攻打威尔逊、韦尔斯维尔、黑白车站，摧毁了道路和驻地房屋，然后向锡蒂波因特进发，18 日到达。

4 月 19 日，巴特勒将军行动前，霍克将军率领敌陆军和装甲兵猛攻韦塞尔将军守卫的普利茅斯和那里的炮艇，经过激烈交战，俘虏和缴获所有驻军和武器装备，史密斯菲尔德的炮艇沉没，迈阿密瘫痪。

军队转而进攻里士满，但敌人在百慕大翰卓德就建起严密的封锁线，博勒加德从南方调来几乎所有的援兵攻打波托马克军团。此外，布雷肯里奇召集了散落在弗吉尼亚西部军队，巩固增援部队，人数不少于 1.5 万人。

百慕大翰卓德易守难攻，因此，我决定集中所有兵力防守已攻克的据点。22 日，我下令部队继续前进，由 W. F. 史密斯将军率领加入波托马克军团。

5 月 24 日，伯恩赛德将军率领的第 9 军也加入波托马克军团，由米德将军统一指挥。

敌军在北安娜的阵地比之前更坚固，26 日晚，我撤退到北安娜的北岸，取道汉诺威镇，绕到敌军阵地右侧。

谢里丹麾下的托伯特和梅里特的骑兵与第 6 军，先行开拔，经过激烈战斗，跨过汉诺威镇的庞姆克河，28 日，两支骑兵与霍斯肖普的敌军交战，并取得胜利。29、30 日，我们继续前进，经过小规模战斗，攻取汉诺威镇县政府城、科尔德港路和奇克哈米尼北部阵地。最后一天深夜，敌人出来攻击我军左翼，我军击退了敌军，但伤亡较大。米德将军迅速命令全线进攻，把敌人从壕堑中逼出来。

31 日，威尔逊将军的骑兵击败敌军骑兵后，摧毁了南安娜河上的铁路桥，同一天，谢里丹将军攻取并进驻科尔德港，第 6 军和史密斯率领的部队经过怀特豪斯，也随后到达科尔德港，减轻守军压力。

科尔德港之战后，几个美国黑人在收集战殁者的遗骸，摄于 1865 年

6 月 1 日凌晨 5 点，第 6 军和史密斯将军的军队发动进攻，其他军团随时待命，最终攻破了第 6 军右前方和史密斯将军前方的第一道防御工事。交战中，敌人不断扰袭每个军团，避免主力交战，但每次都被击退，损失惨重，他们想收复白天的失地，但没能如愿。第二天部队进入阵地，为第三天的战斗做准备。6 月 3 日，我军又袭击敌人的军防工事，想迫使他们出来，我军损失惨重，敌人却损失较小。因此只能从拉皮丹河到詹姆斯河进行总攻，才能弥补我们的损失。我想说的是之前所有的战斗都为我军夺取最终的胜利奠定了基础，我们已经取得了预期的战果，敌军损失惨重，叛乱最终会被彻底平息。

从侧翼进攻插入里士满阵地前有困难，因此当时有两个方案：进攻敌军左翼，从北面包围里士满；或者从詹姆斯河南面攻击其右翼；前者可以更好地保护华盛顿，但通盘考量，从里士满北部和东部布置防线，保护弗雷德里克斯堡铁路，这个想法不切实际，因为这条铁路不但长，

1863 年的弗雷德里克斯堡

而且易受攻击，要耗费大量兵力保卫才能保障军队补给。我想如果可能，先从里士满北面攻打李的军队，然后破坏敌人在詹姆斯河北部的交通线，把部队运送到南面，在里士满包围李，如果他撤退，继续南追。经过莽原一役，敌人显然知道保证军队的安全最重要，不会轻易冒险，他们只在低矮防护工事后防守，偶尔主动出击，但绝不恋战很快后撤。已经牺牲了众多将士的生命，还无法完成在里士满北部的军事计划，我决定继续防守已攻克的阵地，在骑兵到达夏洛茨维尔和戈登茨维尔之前，利用一切有利因素，切断连接里士满和谢南多厄河谷、林奇斯堡的铁路线；骑兵到达后，军队向詹姆斯河南部移动，攻其左翼，切断敌人除运河之外的所有军事补给线。

7 日，在谢里丹将军的率领下，两支骑兵远征弗吉尼亚中央铁路，命

令亨特在夏洛茨维尔附近加入谢里丹的部队，给他们布置的任务完成后，在谢里丹的指挥下，与波托马克军团会合。

6月10日，巴特勒将军派遣吉尔莫将军指挥的步兵和考茨将军指挥的骑兵攻打彼得斯堡，如果可能，摧毁铁路和阿波马托克斯河上的所有桥梁。骑兵攻入南部防御工事，向城中进发，但被击退；吉尔莫将军发现他们靠近的防御工事特别坚固，无法攻破，只能无功而返，回到百慕大翰卓德。

攻克彼得斯堡非常重要，我军撤回到百慕大翰卓德和锡蒂波因特，史密斯将军率领的部队由水路经过怀特豪斯，先于波托马克军团到达那里。这样是为了在敌人识破我们的意图之前，增强那里的兵力，确保攻下彼得斯堡。

12日夜晚，行动从科尔德港开始，威尔逊将军率领的骑兵和第5军在朗布里奇越过奇克哈米尼河，行进到白橡树沼泽掩护其他部队通过。先行部队13日晚到达詹姆斯河，在威尔科克斯登陆，占领查理斯县政府城。

长达3年的时间里，波托马克军团和北弗吉尼亚军团一直处于交战状态，双方经过数次激烈交战，也未能改变战争胶着的局面。南方军队也没法像吹嘘的那样攻克华盛顿，挺近纽约，现在所能做的是保卫首都和南方领土。所以因此他们吹嘘安蒂特姆战役、葛底斯堡战役和其他战役敌胜我败，敌军对媒体的言论深信不疑，这是南方媒体狡黠的一面。只有艰苦卓绝的持久战，才能打压他们的士气，莽原战役、斯波特瑟尔韦尼亚战役、北安娜和科尔德港战役，我方流血牺牲损失巨大，但予以敌人重创，他们甚至在采取防守战略后，还一直小心翼翼，高度警戒。在莽原战役中，我军是进攻方，所以敌军的伤亡并不大。我军战士表现出的坚毅和勇敢的精神是前所未有的，战役的这些细节在米德将军的报告和其他下级报告中都会有陈述。

在43天的战役中，从拉皮丹河到詹姆斯河，军队的供给都是由不同的基地，通过火车、小道、森林覆盖茂密的村庄输送。新基地缺少码头，

上图为安蒂特姆之战期间林肯总统与主要将领在格鲁夫种植园的合影，其中有提洛·萨基特、乔治·W. 莫雷尔、亚历山大·A. 韦勃、麦克莱伦、乔纳森·莱特曼、亨利·A. 亨特、菲茨·约翰·波特、安德鲁·A. 汉弗莱斯乔治·阿姆斯特朗·卡斯特及一些参谋人员；下图为安蒂特姆之战中战殁的联邦士兵，亚历山大·加德纳（1821—1882）摄

只能在为数不多的几个码头卸货。军需官和物资供应所所表现出的热情和高效值得高度赞扬，在军需总长 R. 英戈尔斯准将的统一监管下，火车在我们占领的铁路线上畅通无阻，保护物资运输也没遇到什么困难。

　　5 月 1 日在西格尔将军的指挥下，我军在卡诺瓦和谢南多厄河谷开始行动；克鲁克将军直接指挥卡诺瓦的远征，他的军队分成两部分：一部分由骑兵组成，埃夫里尔将军指挥，翻越大山攻打田纳西和弗吉尼亚铁路，到达威斯维尔附近；10 日，挺进新河和克里斯琴斯堡，摧毁铁路和几处重要桥梁、仓库，包括新河桥；15 日，与克鲁克将军在尤宁会合。西格尔将军指挥军队向谢南多厄河谷移动，15 日在纽马基特遭遇敌军，战斗激烈，损失惨重，退回到雪松溪，对他的作战能力很不满意，我撤销了他的指挥权，由亨特将军接替。

纽马基特之战，联邦军损失惨重

斯波特瑟尔韦尼亚县政府城附近

弗吉尼亚，1864 年 5 月 20 日

    显而易见，敌人非常依赖通过斯汤顿岔路输送物资，所以我认为亨特将军应该向这个方向行军，如果能顺利到达斯汤顿、夏洛茨维尔和戈登茨维尔，或围困住敌人，就已经出色完成任务了。

U.S. 格兰特中将

H.W. 哈勒克少将

杰里科堡，弗吉尼亚，1864 年 5 月 25 日

    如果亨特能赶到夏洛茨维尔和林奇堡，就驻扎在乡村，摧毁铁路和运河，使敌人一时难以修复。完成任务后，设法回到原来的基地，在戈登茨维尔与军队会合。

U.S. 格兰特中将

H.W. 哈勒克少将

    亨特将军即刻行动，向谢南多厄河谷方向移动，6 月 5 日在皮德蒙特遭遇敌军，经过 10 小时战斗，大胜敌军，俘虏 1,500 人，缴获 3 门大炮和 300 台小型武器。同月 8 日，在斯汤顿与克鲁克和埃夫里尔会合。随后，他取道列克星敦，向林奇堡挺近，截至目前，一切都很顺利。如若不是携带大量军用物资，又在敌占区长途行军，定能攻克敌人的重要据点。为了阻击亨特将军的行动，李将军派遣了相当于一个军团的兵力，部分部队稍早于亨特到达林奇堡。经过 17、18 日小规模战斗，亨特将军由于

缺少弹药，只能后撤；不幸的是，由于缺少弹药丧失了选择撤退路线的可能，只能取道卡诺瓦，后方领土处于无人防守状态。

如果亨特将军途经夏洛茨维尔而不是列克星敦，按计划，他会在谢南多厄河谷攻击敌人，将敌人消灭殆尽，或者迅速到达詹姆斯运河，这是林奇堡和防御军队之间的主要交通线。我从不反对亨特将军的军事计划，因为我相信他会制订周密的军事计划，严格按计划行事，他敏捷而勇敢，应该受到褒奖。

返回波托马克军团：第2军在14日早晨在威尔科克斯用渡轮渡过詹姆斯河，剩余部队通过桥梁和渡轮迅速过河。

渡河开始后，我乘汽船到百慕大翰卓德指挥，希望能迅速攻下彼得斯堡。

当晚，命令巴特勒将军调集所有部队，不失一兵一卒保住阵地，并派遣史密斯将军协助他。我告诉他，我即刻返回波托马克军团，加速渡河，部队分几部分，迅速推进到彼得斯堡，这样我们可以迅速增强兵力，致使敌人措手不及。史密斯将军按命令出发，在第二天破晓前遭遇敌人的哨兵，但出于一些我无法理解的原因，直到太阳下山还没开始攻打敌人的主要防线。下午大约7点，他指挥部分军队在距彼得斯堡2.5英里的阿波马托克斯河攻克敌人的东北防线，虏获15门大炮和300名俘虏，敌人没有增援彼得斯堡的迹象。当晚，月光明亮，适合继续作战。依史密斯将军所愿，夜晚，汉考克将军和第二军团的两支部队赶来增援，并把指挥权移交给他，因为他最了解战争的形势和军队的任务。他没有让部队立刻投入彼得斯堡的战斗中，而是让汉考克将军的部队协助修筑防御工事，午夜完工。

待我第二天早晨到达，敌人已经集结完毕。我命令史密斯将军指挥的第2、第9军下午6点钟开始进攻，第9军凌晨进入阵地，战斗一直持续到第二天的6点，我军攻克了敌人的先头部队和他们的右侧防御工事，缴获多门大炮和400多名俘虏。第5军经过一夜修整，精力充沛，重新投入战斗，战斗一直持续到 17、18 日，迫使敌人退回到内线。我军优势明显，开始围攻彼得斯堡，战线一直延伸到南赛德铁路，没有再进攻阵地。

16 日敌人增援彼得斯堡，敌人希望能在我军没有觉察的情况下，从百慕大翰卓德前的壕沟撤出部分军队，再从詹姆斯河北部调军补充到这儿。巴特勒将军利用这一点，通过里士满和彼得斯堡之间的铁路迅速调兵。我获知这一消息后，马上命令第 6 军的两支部队，由莱特将军指挥，向威尔科克斯进发，目标是锡蒂波因特，并把这一情况告知巴特勒将军，同时命令他要据守现在的阵地。

下午 2 点，巴特勒将军撤回到敌人的防线，莱特将军和他的两支军队 17 日上午加入巴特勒的军队，巴特勒将军占据着敌人防御工事的前哨线，但他没有让这两支军队防守阵地，而是让他们在防线后休息。下午 4 点到 5 点，敌人又开始进攻，突破前哨线，重新攻占了旧防线。

20 日晚上和 21 日早晨，巴特勒将军利用驻扎在詹姆斯河北岸迪普博特姆的一个步兵旅，夺取了一个据点，搭建浮桥与百慕大翰卓德连接。

19 日，敌人的骑兵准备进攻怀特豪斯，此时，远征弗吉尼亚中央铁路的谢里丹将军刚好返回，迫使敌人后退。这次远征的结果是，6 月 11 日早晨，谢里丹将军在特雷里尔车站附近遭遇敌人骑兵，经过激战，我军大胜，俘虏 400 名战犯和数百匹战马。12 日，他摧毁了从特雷里尔驻地到路易沙县政府的铁路，下午 3 点，向戈登茨维尔开进，他发现离戈登茨维尔 5 英里的地方，敌人有步兵增援，射击掩体很坚固，难以攻克。在其右侧翼，他派一个旅两次攻打敌人的防御工事，都被步兵击退，夜晚结束战斗。部队缺少弹药，马缺少饲料（乡村有草，但无法放牧），也收不到亨特将军的任何消息，他把部队撤回到北安娜北部，开始返程行军，如前所述，到达怀特豪斯，炸毁那里的仓库，经过激烈交战，安全到达詹姆斯河，25 日，在波瓦坦堡附近渡河，没遇到什么阻挠，与波托马克军团顺利会合。

22 日，威尔逊将军率领波托马克军团的骑兵、考茨将军率领詹姆斯河的骑兵攻打里士满南赛德铁路，破坏了里姆车站的韦尔登铁路，摧毁了一处仓库和数英里铁路，在距彼得斯堡15英里的诺托韦车站附近，遭遇并击败了敌人的一支骑兵，23日下午到达伯克斯维尔车站，破坏了通往罗阿诺克桥的大约25英里长的丹维尔铁路。之后，又发现了一支敌军部队，但因所处位置不利，无力驱赶敌人。随后他下令返回，在斯托尼克鲁克的丹维尔铁路他遭遇了敌人骑兵部队，交战激烈，但没有取得决定性胜利，于是他绕道左边，到达里姆车站（以为由我军占领），那里他遇到了敌人的骑兵，并有步兵支援，他被迫撤退，损失了大炮和辎重。在最后一次交战中，考茨将军和部分军队分散了，只能设法进入我们的防线。威尔逊将军和剩余部队，成功渡过诺托韦河，安全到达我军防线的左侧和后面。此次远征，敌人的损失惨重，连接里士满的铁路瘫痪数周。

考茨将军如果进攻不利，为了切断敌人从里士满到安娜河的铁路，须马上从彼得斯堡撤退，引爆第9军前的地雷，攻击敌人在此的防线。7月26日晚，第2军、两支骑兵部队和考茨将军的骑兵部队到达詹姆斯河

雕版画：迪普博特姆之战

北岸，与巴特勒将军会合。27日，敌人被逼出壕沟阵地，损失4门大炮；28日，我们的防线从迪普博特姆延伸到纽马基特路，但为了夺取这个阵地，我们受到敌人的重兵攻击，战斗持续数小时，双方损失巨大。由于敌人有重兵把守，我们的第一个目标失败了，我决定利用敌人兵力分散，无法回调兵力的时机，进攻彼得斯堡。28日晚，撤回第2军的一个分队，夜间行军至18军后部，30日早晨4到5点，地雷爆炸，炸毁一个炮台，消灭将近一个团。由第9军组成的先遣部队立即占领了爆炸后的弹坑，和其左、右的一段防线和前方的一段防线，但由于一些原因，没能立刻抵达前方的隆起地，若非如此，我相信彼得斯堡已经沦陷。其他部队立刻向前推进，但部队启程就消耗了很多时间，使得敌人有机会重整军队，派兵防守，因此，已攻克的防线丢掉了，有利形势丧失了，只能撤兵，好在损失不大。如此，本来有可能会成为所有军事行动中最成功的一次战役，就这样灾难般地结束了。

敌人已获知亨特将军取道卡纳瓦河，从林奇堡撤兵，因此敞开谢南多厄河谷，准备袭击进入马里兰州和宾夕法尼亚州的军队。获悉敌人的军事计划，命令到达卡纳瓦河的亨特将军，即刻通过河流和铁路行军至哈珀渡口，但由于水位太低，难以航行，铁路中断，他们拖延很久才到达目的地。因此必须派遣其他部队侦察敌军行动。这样，把正在里士满作战的第6军撤下来，补充到19军。在获知雷德河远征结果后，按照命令第6军从格尔夫部出发到达汉普顿罗兹。巴尔的摩和华盛顿的驻军由重炮团、志愿军和伤残军人组成。第6军里基茨指挥的部队被派往巴尔的摩，剩余的两支部队，由莱特将军指挥，被随后派往华盛顿。7月3日，敌军靠近马丁斯堡，西格尔将军指挥那里的部队渡过波托马克河，撤退到谢泼德敦；韦伯将军指挥哈珀费里的军队经过黑格斯敦，向弗雷德里克城强势挺进；华莱士将军部队的新兵和里基茨的部队迅速从巴尔的摩撤出，在门诺卡西铁路桥十字附近遭遇敌军，我军兵力不足，但坚持作战，虽然最终失败，但拖延了敌人，使华莱士将军、第6军的两支部队和19

军的先头部队先于他到达华盛顿。敌人从门诺卡西向华盛顿行进，敌军骑兵先头部队10日夜晚到达罗克维尔。12日我军派兵侦察史蒂文斯堡，

史蒂文斯堡之战中等待命令的联邦炮兵

确定了敌人的位置和兵力，随即发动小规模激烈战斗，我军死伤280人，敌军的伤亡可能更大，他们夜晚开始撤退。了解到华盛顿战事的确切情况，我晚上11点45分发电报，12日，命令莱特将军率领所有兵力同敌作战，并能在最后时刻冲锋陷阵。13日开始执行命令，18日在谢南多厄思尼克斯经过小规模激战，压制住敌人。20日埃夫里尔将军在温彻斯特遭遇并击败了部分叛军，缴获4门大炮，俘虏数百名邦联士兵。

获知厄尔利向林奇堡或里士满方向撤退，我命令第6和第19军返回攻打里士满，这样军队在返回河谷之前，可以去攻打李的军队；亨特将军留在谢南多厄河谷，挡在华盛顿和敌军之间，起到保卫华盛顿的作用。

如果敌人有撤回的想法，在第 6 和第 19 军离开华盛顿之前就会被知晓，随后，19 军返回詹姆斯河。

25 日，显然敌人又准备进攻马里兰州和宾夕法尼亚州，那时第 6 军在华盛顿，命令他们返回到哈珀费里附近。叛军向河谷移动，并派遣一支突袭队进入宾夕法尼亚州，在 30 日焚烧钱伯斯堡，然后回撤，被我军骑兵追击，凯利将军的部队大败，一部分人逃到西弗吉尼亚的山中。从第一次袭击开始，华盛顿和锡蒂波因特之间电报往来频繁，有时必须通过水路传递，信使得花 24 到 36 个小时传递和反馈消息，往往会造成反馈的信息与事实大相径庭，以致下达的命令令人费解或明显自相矛盾，削弱了作战效果。要解决这个问题，我认为需要有人统领在西弗吉尼亚部、华盛顿、萨斯奎汉纳和中部的所有军队，我推荐了人选。

8 月 2 日，我命令谢里丹将军向在华盛顿的总司令哈勒克少将报道，打算派他统领军队对付厄尔利，此时敌人的军队正在温彻斯特附近集结，我军在亨特将军的率领下在巴尔的摩和俄亥俄铁路交会的门诺卡西集结，西马里兰州和南宾夕法尼亚州向敌人敞开，门诺卡西的军队的军事行动我有点犹豫不决，害怕把华盛顿暴露在敌人的枪炮之下，因此，4 日我离开锡蒂波因特，前往亨特将军的部队，与他商讨最佳方案。经过商讨，向他下达以下命令：

> 门诺卡西桥，马里兰州，1864 年 8 月 5 日——上午 8 点

> 将军：立即在哈珀费里附近集结所有兵力，只留守必要兵力保卫铁路和公共财产。通过铁路集结军队会节约很多时间，如发现大量敌军向波托马克河北部移动，我军从哈珀费里向北推进，追击其后，哪里发现他们就在哪里消灭他们，并在可能情况下，一直把他们逼到波托马克河南部；如果只有少量敌军向波托马克河北部移动，我主力部队向南推进，留下一支精锐

部队对付袭扰者，把敌人逼回老家。这支部队可考虑从华盛顿出发正途经罗克维尔的那支骑兵旅。

还有三支精锐骑兵旅加入你的军队，至少有 5,000 人员和马匹，不出意外，他们会在波托马克河南面与你们会合，一支部队可能明天出发。部队向谢南多厄河谷推进，你军先行或殿后，不要给敌人留下任何东西，以免他们返回。携带你军所需的所有物资、饲料和储备，剩余的全部销毁，但不要摧毁建筑物，但必须告诉当地百姓，如果他们给敌军提供粮食，他们就会不停地有麻烦，我们会不惜冒任何风险。

我们的目标是驱赶敌人到南部，保证敌人不脱离我们的视线范围，按敌军行进路线前进。

自己安排物资供应，行军中可向当地居民购买，留下凭证。

U.S. 格兰特中将

少将 D. 亨特

部队立即启程，先头部队当晚到达霍尔敦。

在我们谈话中，亨特将军表达了想要卸任的意愿，我发电报给当时在华盛顿的谢里丹将军，让他乘早晨的火车前往哈珀费里，统领所有作战部队，并顺便拜访亨特将军，他会转交给谢里丹将军我的指令。我一直留在门诺卡西等待谢里丹将军，6 日早晨，我和他商讨了附近区域的战事，然后经华盛顿返回锡蒂波因特。

8 月 7 日，中部、西弗吉尼亚部、华盛顿和萨斯奎汉纳组成"中部军"，谢里丹将军任临时指挥。

托伯特将军和威尔逊将军指挥的两支骑兵由波托马克河派往谢里丹将军的部队，第一支部队 8 月 11 日到达哈珀费里。

8 月和 9 月上旬的战斗有进攻也有防守，有数次小规模战斗，以骑兵参与为主，多为我军获胜，但没有大规模的战役。两军的位置是——敌军在奥佩溪西岸，占领着温彻斯特，我军在贝里维尔，双方随时可能开战。如果我军失败，且无力阻击，敌人可以长驱直入马里兰州和宾夕法尼亚州，在这种情况下，我在犹豫是否主动进攻。最后我决定冒险，利用敌人建立的屏障——巴尔的摩和俄亥俄铁路，切萨皮克和俄亥俄运河，解除马里兰州和宾夕法尼亚州受到的威胁。我担心电报中无法了解谢里丹将军的看法，9月15日我离开锡蒂波因特去他的总部与之会面，商讨决策。我在查理斯顿与他见面，他清晰地分析了当时的战况，我军的任务，表达了必胜的信心，此刻我知道我的指令只需两个字——前进！为了保障粮草，供应军需的部队留在哈珀费里。我问他，星期二战斗打响，供应军需的队伍能否及时赶到，他回答，周一破晓前就能到，他即刻动身。后来的结果表明，我根本无须来这里与他会面。

19日清早，谢里丹将军开始进攻在奥佩溪交叉处的厄尔利将军部队，战斗一直持续到下午5点，经过血腥而激烈的战斗，敌人大败，损失惨重，我军夺取了从奥佩溪到温彻斯特整个阵地，俘虏数千名战犯，缴获5门大炮。敌人经过重整，在费希尔山的一个阵地进行顽固抵抗，谢里丹将军继续进攻，20日（22日）敌人又以惨败告终，谢里丹将军全力追击，经过哈里森堡、斯汤顿和蓝桥的峡谷，抢夺了峡谷上游敌人大部分的军备物资后，返回斯特拉斯堡，夺取了雪松溪北面的阵地。

获得大量援军后，厄尔利将军再次返回峡谷，10月9日，他的骑兵与我军在斯特拉斯堡遭遇，叛军被击败，损失11门大炮，350名战犯。18日晚上，敌人翻过谢南多厄边界的大山，渡过北福克，19日凌晨在夜幕和浓雾的掩护下，出其不意地攻击我军左翼，攻下一个炮台，可纵射我军整个防线，我军在慌乱中后撤，损失惨重，最后在米德尔敦和纽敦之间的一个据点进行休整。在这关键时刻，谢里丹将军从温彻斯特赶到，组织军队给敌人重重一击，然后立即强势反攻，敌军伤亡巨大，丢掉大部分的大炮、火车和早晨刚获得的战利品。剩余残兵败将乘夜色逃往斯汤顿和林奇堡方向，我军追击至杰克逊山，至此，敌人准备最后一搏，再经过谢南多厄河谷进攻北方。现在可以让第6军返回波托马克军团，派谢里丹的一支部队加入詹姆斯军团，另一支派往乔治亚的萨凡纳，防守谢尔曼将军在沿海新攻克的据点。

我从不同渠道获知，敌人从彼得斯堡派遣三支部队，去增援在谢南多厄河谷的厄尔利将军，因此我派遣第2军、波托马克军团的格雷格的骑兵部队、巴特勒将军的部队于8月13日晚，在詹姆斯河北面驻扎，威胁里士满，阻止敌军派兵，甚至把派出的敌军赶回去。这次行动，我军虏获6门大炮，数百名俘虏，破坏了敌人的行军，但确定的是敌人已派遣一支军队离开。

敌军从彼得斯堡撤掉大量兵力与我军对抗。沃伦将军指挥的第5军18日攻占了韦尔登铁路，白天战斗进行得很激烈，敌人为了重新占领公路，孤注一掷，不断进攻。但每次都被击退，损失惨重。20日晚，敌军从詹姆斯河北部撤退，汉考克将军和格雷格将军返回彼得斯堡前线。25日，第2军和格雷格的骑兵在里姆车站破坏铁路时，遭到敌人攻击，经过殊死战斗，我军放弃部分防线，5门大炮落在敌人手里。

里姆车站之战，联邦军与邦联军激烈交火

到 9 月 12 日，从锡蒂波因特和彼得斯堡铁路到韦尔登铁路的铁路支线完工，我军可以在任何天气条件下，没有任何困难，往彼得斯堡前线运送军队。

我们的铁路运输线延伸至韦尔登铁路，敌人在詹姆斯河北部就没有足够的兵力防守里士满。28 日，伯尼将军的第 10 军和奥德将军的第 18 军渡河到达詹姆斯河北部，29 日早晨继续前进，在查芬法姆南，即哈里森堡，攻克了异常坚固的堡垒和壕沟，缴获 15 门大炮，攻占纽马基特和一些壕沟。随后马上在查芬法姆堡垒前进攻吉尔默堡，但大败于敌军，

查芬法姆之战中联邦军的黑人连队

损失惨重。考茨的骑兵推进到此右侧的公路，在步兵的配合下，深入敌人内线，但无法继续前进。从敌人手里夺过的阵地，对里士满构成很大的威胁，我决定要守住它。敌人进行过几次殊死进攻，试图抢夺阵地，为此付出巨大的代价，都未能成功。30 日早晨，发现敌军撤到北面，守备空虚，米德将军派侦察部队攻击敌军防线，此次行动攻克了敌军在包普乐斯普林附近的防御工事。下午，部队向左行进，遭到敌军重兵攻击，被迫撤退，直到援军赶到，才守住防御工事。格雷格的骑兵遭到敌人袭击，

敌军大败而退。

10月7日，敌人在詹姆斯河北进攻考茨的骑兵，结果兵败，死伤、被虏人数众多，损失八九门大炮，紧接着又进攻我军步兵壕沟防线，同样兵败，伤亡惨重。13日，巴特勒将军派遣侦察部队攻打敌人新修建的防御工事，没有取得预期的胜利。

27日，除留下充足兵力守卫防御线外，波托马克河的所有军队挺进敌军右翼，第2军和第5军的两支部队和骑兵先行，掩护我军左翼强行通过哈彻河，第2军和部分骑兵到达与哈彻河交会的博因顿普兰克路后，我军继续向南赛德铁路方向前进，此时，我军距离这次行军目的地——南赛德铁路6英里。但发现我们还没有到达敌人防御工事的尽头，敌人如加长或缩短工事，就很难保证进攻成功。于是我下令决定撤回到我们的防线。很快就收到报告，汉考克将军和沃伦将军的部队已经衔接，我返回总部。两支部队并不像报告的那样连接得很紧密，我离开不久，敌人在汉考克将军和沃伦将军的夹缝中越过哈彻河，全力进攻汉考克将军的右翼和后部，汉考克将军迎击，把敌人逼回到他的防御工事内，并于当晚撤军，去守卫旧阵地。

为了配合这次行动，巴特勒将军在詹姆斯河北佯攻威廉姆斯堡路和约克河铁路的敌人，前一个地方失利，在后一个地方，他成功攻下一个工事之后又放弃了，部队撤回到以前的阵地。

从这之前一直到1865年的春季战役，我们在彼得斯堡和里士满的军事行动仅限于防守和延长防守线，主动出击的主要目标是摧毁敌人的交通线，防止敌人派遣大量兵力到南方。到2月7日，我们的战线已经延伸到哈彻河，韦尔登铁路一线到希克斯堡全被我军破坏。

5月6日，谢尔曼将军同托马斯、麦克弗森、斯科菲尔德分别率领的坎伯兰的军队、田纳西的军队和俄亥俄的军队向查塔努加挺进，准备进攻驻扎在道尔顿的约翰斯顿的军队，却发现道尔顿被敌人在巴泽兹鲁斯特的一个据点所掩护，这个据点很坚固，难以攻克。麦克弗森将军穿过斯内克口进攻，托马斯将军和斯科菲尔德将军分别威胁敌人的前面和北面，这次行动大获成功。约翰斯顿发现撤退路线被切断，撤回到他在瑞萨可的防御阵地，5月15日下午，战斗在那里打响，经过激战，夜晚敌人退

瑞萨可之战中联邦骑兵穿过炮兵与步兵之间的壕沟发起冲锋，库尔茨＆艾利森出版公司印刷，现藏于美国国会图书馆

回南方。17日晚些时候，在阿代尔斯维尔附近追上他的后卫军，随即展开小规模激战，但第二天早晨，敌军又消失了。继续全力追击他，在卡斯维尔追上敌人，夜晚交战，敌军撤退到埃托瓦。交战的同时，托马斯将军麾下，由杰斐逊·戴维斯指挥的部队被派往罗马，攻克堡垒，抢夺大炮、攻占工厂和铸造厂。谢尔曼将军命令部队在这里休整几天后，23日，继续行军，挺进达拉斯，希望攻下阿拉图纳的一个坚固关口。25日下午，先行军在胡克将军指挥下与敌人交战，把敌军逼回到达拉斯附近的纽霍普教堂，在这里与敌军几次激战，最重要一次发生在28日，敌人进攻麦克弗森将军惨败。

6月4日，约翰斯顿放弃他在纽霍普教堂的壕堑阵地，退回到肯纳索、派恩和劳斯特山等地的坚固阵地，后两个阵地失守，他把兵力都集中在肯纳索，27日托马斯.麦克弗森将军与敌人在此决一死战，却败于敌人。

肯纳索之战中联邦军的堑壕防御工事，摄于南北战争期间

7月2日，谢尔曼将军率领军队向敌人右翼靠近，3日早晨发现经过上次战斗敌人已经放弃肯纳索，他退回到查塔胡奇。

谢尔曼将军留在查塔胡奇让部队休息，积蓄物资储备。7月17日，发布命令继续进攻，越过查塔胡奇，捣毁至奥古斯塔的大部分铁路，把敌人赶回到亚特兰大，胡德将军在这里接替约翰斯顿指挥叛军，他们采取进攻—防守策略，不断袭击在亚特兰大附近的谢尔曼将军，最激烈的殊死战役在7月22日展开，当天凌晨1点，英勇高尚、功勋卓著的麦克弗森将军牺牲，洛根将军接替他指挥田纳西的军队，这次战役结束后，26日他被免职，由军事才能卓越的霍华德将军接替他指挥军队。

　　所有战役敌人均以付出惨重代价而告终。谢尔曼将军发现无法完全围攻这个地方，在确保查塔胡奇地区交通线安全后，他率领主力部队绕到蒙哥马利和梅肯公路，抵达敌人的左翼，成功地把敌军从堡垒中吸引出来，在拉夫雷迪、琼斯伯勒和洛夫乔伊附近击败敌人。9月2日，占领亚特兰大，完成这次战役的目标。

　　作战的同时，叛军骑兵在惠勒将军的率领下，试图切断后卫交通线，但在道尔顿被击败，撤回到田纳西东部。之后我军一路向西经过麦克明维尔、默夫里斯伯勒和弗兰克林，最后到达田纳西南部，这次行军给沿途造成的破坏很快就修复了。

　　在亚特兰大围攻行动中，鲁索将军的骑兵部队从迪卡特赶来，加入谢尔曼将军的军队，成功破坏了亚特兰大至蒙哥马利的铁路和欧佩莱卡附近的支线。麦库克、加勒德和斯通曼将军率领的骑兵切断亚特兰大其

亚特兰大之战中被谢尔曼部摧毁的邦联军的一处仓库

余交通线，前两个行动取得胜利，最后一个行动结果却是毁灭性的。

谢尔曼将军在从查塔胡奇到亚特兰大的军事行动中展现出他的迅速、敏捷、睿智，在这次难忘的战役中，他的侧翼进攻和数次战斗熠熠生辉，都将被载入史册，难以被超越。

他的报告和下属将领的报告将展示这个最成功战役的更多细节。

他依靠从纳什维尔到作战地点的单轨铁路，运送军用物资，这条铁路全部在敌占区，每一站点都需派兵保护。在密西西比河北岸，福里斯特指挥的敌军骑兵显然等待谢尔曼深入乔治亚的大山后，破坏这条铁路，切断我军撤退线路，让铁路无法继续使用。为了避免这种危险，谢尔曼将军留足够的兵力攻打田纳西西部的福里斯特，他命令在那里负责指挥的沃什伯恩将军派遣 S.D. 斯特吉斯准将进攻福里斯特。6 月 10 日早晨，斯特吉斯在密西西比河冈恩镇附近遭遇敌军，溃败后撤回到孟斐斯，溃不成军，敌人穷追不舍 100 英里，然而，在谢尔曼的交通线附近被击败。这次胜利之后的连续作战，使他筋疲力尽，必须在下一季作战前进行休整。与此同时， A.J. 史密斯和被谢尔曼将军派遣到杰纳勒尔河岸的田纳西的军队，在雷德河出色完成任务后，返回到孟斐斯，谢尔曼将军命令他立刻进攻福里斯特，他以一贯的迅速和高效的风格执行这次任务。7 月 14 日，在密西西比河的图珀洛与敌相遇，狠狠地教训了敌人，战斗持续了三天，与敌军相比，我军损失不大。完成这次远征任务后，史密斯将军返回孟斐斯。

4 月和 5 月，福里斯特的军队不断侵扰我军。3 月 24 日他攻占了肯塔基的尤宁城和驻防区，24 日又进攻帕迪尤卡，第 40 伊利诺伊志愿军成员，希克斯上校指挥迎战，他只有少量兵力，只好退回到河流附近的堡垒，在那里他击退并赶走了敌军。

4 月 13 日，这支敌军的部分人员在叛军将领比福德将军的带领下，到肯塔基的哥伦布驻防区招降，第 34 新泽西志愿军成员劳伦斯上校给的答复是，政府派遣充足兵力镇守驻地，驱赶敌人，投降是不可能的。

　　同一天上午，福里斯特进攻田纳西的皮洛堡，这里由田纳西的一支骑兵部队和布思少校指挥的第一团亚拉巴马黑人部队守卫，驻守部队英勇抵抗，下午 3 点，敌人攻克防御工事，我军缴械后，敌人对驻守将士进行了惨绝人寰的大屠杀。

驻守皮洛堡的联邦军缴械后，遭到邦联军的残酷屠杀，
图为邦联军在屠杀联邦军的黑人部队，库尔茨 & 艾利森
出版公司印刷，现藏于美国国会图书馆

　　14 日，比福德将军在哥伦布失败后，又来到帕迪尤卡，同样被赶走。

　　受到福里斯特的胜利所鼓舞，游击队和侵扰者在肯塔基活动很频繁，最引人注意的是摩根。5 月下旬，他带领两到三千骑兵组成的队伍，经过庞德口，进入肯塔基州，6 月 11 日，他们攻克了辛西亚纳和整个驻防区，12 日，他被伯比奇将军追上，被彻底击垮，赶出肯塔基州。这位臭名昭著的游击队将领后来在田纳西格林维尔附近被离奇杀害，他指挥的队伍被吉勒姆将军控制并解散。

　　除了有关谢尔曼将军麾下 A. J. 史密斯将军指挥的军事行动的报告

外，没有其他雷德河远征开始的官方报告，所有我不能确定开始的日期。史密斯将军的军队由第16军的两支军队和第17军的分遣队组成，3月10日离开维克斯堡，比班克斯将军提前一天到达雷德河指定地点，德罗斯堡的叛军准备发起进攻，14日敌军离开堡垒，在旷野与他交战，在同敌人小规模交战和佯攻的同时，史密斯利用德罗斯堡垒守军薄弱的空当，挥师攻克堡垒阵地，俘虏350人，缴获11门大炮和很多小型武器。15日挥师亚历山德里亚，18日到达，21日同敌军在亨德森山交战，战胜敌人，俘虏210名战犯，缴获4门大炮。

28日他又在凯恩河打败泰勒将军率领的叛军。到26日，班克斯将军已在亚历山德里亚集结了他所有的军队，挥师格兰德艾克。4月6日，他离开格兰德艾克，7日下午，行军途中在普莱森特山附近遭遇敌军，把敌人逐出战场，同天下午，敌人在普莱森特山8英里外停下反击，又被击退。8日敌人在萨宾十字路和皮奇山阻击他，掠走19门大炮和大量的运输物资。晚上，班克斯将军退回到普莱森特山。9日另一场战斗打响，敌军战败，损失惨重。当日晚上，班克斯将军继续后撤到格兰德艾克，4月27日到达亚历山德里亚。跟随远征的海军上校波特的舰队遇到困难，舰队穿过急流时，水位下降严重，返程困难。在贝利上校（现在是准将）的建议和监督下，修筑翼坝，建立通道，舰队安全通过急流。

同敌人先行部队数次小规模交战后，部队于5月14日撤出亚历山德里亚，月底到达摩根加和潘特康勃。远征无果而终，春季也即将结束，兵力消耗巨大，已无力执行我的行动计划，难以保证攻下莫比尔。

3月27日，斯蒂尔将军和第7军离开小石城，配合班克斯将军远征雷德河，28日到达阿卡德尔菲亚，4月16日赶走前面的敌军，在沃希托县政府的埃尔金渡口附近与从史密斯堡出发的赛耶将军会合。斯蒂尔将军经过与敌人几次交战获胜后，到达卡姆登，4月中旬占领卡姆登。

获悉班克斯将军在雷德河战败撤退，并在达拉斯县政府的马克米尔损失了火车，斯蒂尔将军决心撤回到阿肯色河。4月26日他离开卡姆登，

5月2日到达小石城。4月30日经过萨林河的詹金斯渡口时,遭遇敌人袭击,敌军败退,损失惨重,我军也伤亡600多人。

因此我命令一直指挥西密西西比河分队的坎比将军,带领19军加入攻打里士满的部队去,剩余部队防守已攻克的据点和交通线。

在A.J.史密斯将军的部队返回到谢尔曼部队前,坎比将军派遣部分军队去驱散聚集在密西西比河附近的一股敌军,6月5日,史密斯将军在希科河附近遇到这股敌人,击败他们,我军战死40人,受伤70人。

7月下旬,坎比将军命令格兰杰将军集合他的部队,配合法拉格特将军攻打莫比尔海湾。盖恩斯堡的敌军向海陆联军投降,鲍威尔堡被炸毁、遗弃。

9日,摩根堡被包围,经过猛烈的炮轰,23日投降,虏获战犯达1464人,缴获104门大炮。

8月下旬,据报告叛军将领普莱斯将军率领大约1万人到达杰克逊波特,准备进攻密苏里州。A.J.史密斯将军的军队绕道孟斐斯,与谢尔曼将军会合前往密苏里。与此同时,温斯洛上校率领一支骑兵从孟斐斯出发,这样罗斯克兰斯将军的兵力超越普莱斯,毫无疑问,他认为他能围困普莱斯,把他赶回去。然而,斯蒂尔将军的部队在阿肯色被切断了后路。9月26日,普莱斯将军攻打派勒特诺布,迫使守军撤退,然后向北朝密苏里河方向行进,沿河北上挺进阿肯色州,柯蒂斯将军率领所有的阿肯色军队,抗击入侵,与此同时,罗斯克兰斯将军的骑兵攻击他的后部。

敌人被引到大蓝交战,敌人战败,损失了几乎所有的大炮、火车和兵力,仓促撤退到北阿肯色州。普莱斯逃脱,在密苏里州流窜了很长时间,行径恶劣,贻害无穷。在他到达派勒特诺布前,罗斯克兰斯将军就应该集结兵力狠狠教训他,把他赶走。

9月23日,敌人的骑兵在福里斯特的指挥下,越过田纳西,到达亚拉巴马州的沃特卢,23日进攻阿森斯驻地,24日,驻地守军600人投降。投降后不久,两个团的援军赶到,激烈交战后也被迫投降。福里斯特破坏西向铁路,攻克萨尔弗车站,27日在普拉斯基车站与我军小规模交战,同一天，切断塔拉霍马和狄卡德附近的纳什维尔和查塔努加铁路。30日早晨，福里斯特的一支军队在比福德的率领下，出现在亨茨维尔，想要招降驻地军队，遭到拒绝，第二天早晨又进行招降，得到和前一天晚上相同的答复。之后，他撤退到阿森斯，阿森斯已经重新布防。10月1日下午，他进攻阿森斯失败，2日早晨又发起进攻，再次被击退。

福里斯特的另一支军队1日早晨出现在哥伦比亚，但没有发起进攻，3日早晨，向普莱森特山移动。同时，托马斯将军正竭尽全力消灭福里斯特的军队，不让他们越过田纳西，但福里斯特逃到了密西西比的科林斯。

9月，伯比奇将军的远征军被派往弗吉尼亚，破坏索尔特维尔的盐场，10月2日，他在距离索尔特维尔3.5英里的地方遇到敌军，被迫撤退到修筑的壕堑阵地里进行防守，当夜军队撤回到肯塔基。

攻克亚特兰大后，谢尔曼将军命令部队全部回营休整，为以后的军事行动做准备。但从亚特兰大到坎伯兰的道路很长，需要军队去守卫，所以，部队也只能进行短暂休息。

这时，杰斐逊·戴维斯在乔治亚的梅肯发表演讲，被刊登在南方的报纸上，很快传遍全国。这个演讲泄露了敌人的计划，因此谢尔曼将军可以充分备战，有效克敌。他说一支战败的军队不宜防守，只可进攻。

按照这个计划，很快就有消息称，胡德和他的军队向亚特兰大西南方向移动，直逼谢尔曼的右翼，到达大上德铁路附近，继续向北移动。

谢尔曼将军留下部分军队守卫亚特兰大，其余军队追击他，直至亚拉巴马的加德斯登。谢尔曼将军认为要守住亚特兰大，就要保护道路，防止后卫部队受到袭扰。因此，他建议放弃并摧毁那个地方，包括所有通往那儿的铁路，他发电报给我，全文如下：

森特维尔，乔治亚，10月10日中午

收到威尔逊的快信：胡德正在渡过库萨河，距罗马12英里，向西跃进，如果他越过莫比尔和俄亥俄铁路，波特上校给我的信件上的计划我是否要执行，还是留下托马斯将军和现在田纳西的军队进行防守，这样当援军按指令到达纳什维尔，就有充足兵力了。

W.T. 谢尔曼少将

格兰特中将

为了充分了解这封信上的计划，我引用了波特上校的信件如下：

因此我的想法是：权力增援你的军队和坎比的军队，你的军队攻下威尔明顿后，进攻萨凡纳及其河流；坎比的军队守卫密西西比河，然后，派遣一支部队，经过亚拉巴马或阿帕拉契科拉，进攻乔治亚的哥伦布，我负责吸引胡德的注意力，萨凡纳被我军占领之后，我的军队马上向奥古斯塔、哥伦比亚、查理斯顿行军。这封信是答复 9 月 12 日我的信件，信中，他也有同样的建议。我告知他进攻威尔明顿的计划和乔治亚的形势等。

锡蒂波因特，乔治亚

1864 年 10 月 11 日，上午 11 点

收到了你 10 月 10 日的信件。胡德是否通过莫比尔、俄亥俄、孟斐斯和查理斯顿的道路，给他在田纳西河的基地弗洛伦斯和迪卡特运输补给，进而企图入侵田纳西中部，如果真是这样，应该设法阻止他到达田纳西河北部。正规军对你而言可能不是问题，反而要警惕老人、小孩，还有留守在家的铁路卫兵的丛林伏击。胡德可能会进攻纳什维尔，走南面的可能性更大。

我希望有办法找到胡德的军队，当然，我相信你的判断力。我无法派遣兵力配合你在萨凡纳的行动，在攻克里士满之前，你只能倚重自己。托马斯将军要保护多条道路，我担心他无法阻止胡德北上。威尔逊和你的骑兵大胆进攻，自此以后，叛军应该只有防守之力了。

U.S. 格兰特中将
W.T. 谢尔曼少将

金斯顿，乔治亚

10 月 11 日，上午 11 点

胡德和他的军队从帕尔梅托出发，经过达拉斯和雪松城，现在在罗马城南的库萨河，他派一支部队前往阿克沃思，我在后追击。我有 20 支军队守卫亚特兰大和防御线，机动部队的力量就相对减弱，因此我们不能在这儿防守。他有 2.5 万名士兵，还有英勇无畏的骑兵，不断破坏我们的道路。我们可以毁坏道路，毁坏从查塔努加到亚特兰大沿途的村庄。从亚特兰大返回的伤残士兵和其他士兵要经过乔治亚一直到海边，他们可以破坏沿途所有的东西。胡德就会转向田纳西和肯塔基，我相信他一定会追击我；如此一来，我转守为攻，不再是我猜测他的意图，而是他猜测我的计划，我们就占据了四分之一的上风，进而可以进攻萨凡纳、查理斯顿或查塔胡奇口。

请迅速答复，言简意赅。

W.T. 谢尔曼少将
格兰特中将

锡蒂波因特，乔治亚

1864 年 10 月 11 日，晚 11:30

　　今日收到来信，如果你认为行军到沿海，可以牢固守卫田纳西河防线，就请按照你认为的最佳方案执行，破坏道尔顿或查塔努加南所有铁路。

U.S. 格兰特中将

W.T. 谢尔曼少将

　　最初的计划是防守亚特兰大，穿过亚特兰大直到海边，并派遣部队切断南方铁路，这些铁路横贯乔治亚东西，这样就像我们攻占密西西比河一样，再次把南方邦联分割成两部分，谢尔曼的计划实际上就是实现这个目标。

　　谢尔曼将军马上开始拟订行动计划，同时让军队监视胡德。谢尔曼得知胡德从加德斯登向西移动，越过沙山，很高兴。他命令斯坦利将军率领第 4 军团，斯科菲尔德将军率领第 23 军团，返回查塔努加，向纳什维尔的托马斯将军报到，由他统率所有的军队，并派遣 4 支军队和一支骑兵前往乔治亚。毋庸置疑，托马斯将军能守住田纳西防线，即使面对胡德的军队也能集中兵力打败他。因此谢尔曼将军同意开始向沿海进发。

　　11 月 14 日谢尔曼将军在亚特兰大集合所有军队开始行军，威胁奥古斯塔和梅肯，他的行军路线并不确定。他依靠沿途所经之地维系军队供给，所以即使遇到杂牌军，也可能把他弄得狼狈不堪。但敌人对他的行动一无所知，所以派遣里士满西部，密西西比河东岸最强大的军队——胡德的军队北上进攻，整个国家后防空虚，这样谢尔曼就可以按自己的意愿选择行军路线。

　　作战计划顺利实施，基本没有遇到什么抵抗，很快就攻克萨凡纳河上的麦卡利斯特堡，11 月 21 日占领萨凡纳，这些在谢尔曼将军战绩辉煌的报告中都有详尽的阐述。

麦卡利斯特堡之战中的联邦军炮兵阵地，摄于 1864 年

不久之后，谢尔曼将军从亚特兰大出发，行军开始了。两支远征军，一支从路易斯安那州的巴吞鲁日出发；一支由坎比将军率领从密西西比河的维克斯堡出发，阻断敌人在莫比尔的交通线和滞留在那里的军队。福斯特将军率领南部军队也开始远征，越过布罗德河，破坏查理斯顿和萨凡纳之间的铁路。从维克斯堡出发的远征军，在 E.D. 奥斯班德（美军第三黑人骑兵队上校）率领下，11 月 27 日攻克并破坏了密西西比河中央铁路桥、康顿附近大布莱克河上的栈桥、两辆机车和大量的储备物资。从巴吞鲁日出发的远征结果并不如意。南部远征军由约翰·P. 哈奇指挥，包括了 5,000 名全副武装的士兵和 1 个海军旅，向布罗德河进发，11 月 29 日在博伊兹角登陆，从那儿攻击格雷厄姆斯维尔的铁路，在距格雷厄姆斯维尔 3 英里的赫尼山发现敌军，攻击防御坚固的阵地，经过激烈厮

杀，我军战败，死、伤、失踪人数达 746 人，晚上，哈奇将军撤退。11 月 6 日，福斯特将军攻下一个阵地，位于库萨沃特奇和图雷菲尼河之间，可以掩护查理斯顿和萨凡纳。

胡德没有追击谢尔曼，而是继续北上，这注定他最终难逃一劫。所有这些行动都运筹帷幄，正确无误。10 月 26 日，胡德进攻亚拉巴马州迪卡特驻防区，没有成功，撤向考特兰，碰到我军骑兵，但敌军成功在田纳西河北岸弗洛伦斯附近扎营休息。28 日，福斯特将军到达田纳西的黑曼堡，攻取 1 艘炮艇和 3 艘运输船，11 月 2 日，他在约翰逊维尔的南北，还有河的对岸设置了排炮，把 3 艘炮艇和 8 艘运输船围起来，4 日，敌人打开排炮，排炮从炮艇和驻防区射击过来，炮艇和运输船都着火了，河堤和仓库价值 150 万的物资储备和财产也被大火焚烧殆尽。5 日，敌人撤退，经过田纳西河北岸和约翰逊维尔，向克里夫顿方向行军，后与胡德会合。5 日夜晚，斯科菲尔德将军和第 23 军团的先行部队到达约翰逊维尔，发现敌人已经走了，随即前往普拉斯基，所有的部队都在那里集合，监视胡德的行动，拖住他的先行部队。但在没有接到 A. J. 史密斯将军从密苏里发布的命令之前，在威尔逊将军没有重新配备好他的骑兵之前，不能冒险总攻。

19 日胡德继续前进，托马斯将军尽量拖住他，退回到纳什维尔，为的是集结所有兵力，并为援军到来赢得时间。30 日，敌军在弗兰克林追上斯科菲尔德指挥的我军主力，从下午到深夜，不停攻击我军防御工事，但每次都被击退，这次战斗，歼灭敌军 1,750 人，俘虏 702 人和 3,800 名伤员，击毙 6 名高级将领，6 名负伤，1 名被俘，我军共牺牲 230 人，这是敌人遇到的首次有力抵抗。我军的伤亡人数低于预期，我很高兴。晚上，斯科菲尔德将军撤回到纳什维尔，把阵地留给了敌人，我们不是丢失阵地，而是主动放弃，这样托马斯将军的整个军队就连在一起了。敌人继续追击，11 月 2 日在纳什维尔前沿开始修筑自己的防线。

得知胡德正在渡过田纳西河，普莱斯也从密苏里出发。马上命令罗斯克兰斯将军的部队和其他预备部队前去增援 A. J. 史密斯将军麾下托马斯将军的军队，增援部队的先行部队 11 月 30 日到达纳什维尔。

11 月 15 日早晨，托马斯将军进攻胡德的阵地，战斗持续了 2 天，敌军被逐出阵地，溃不成军，我军大胜，缴获敌军大部分的大炮，虏获数千名战犯，包括 4 名高级将领。

在纳什维尔战役前，我对没有必要的拖延已失去耐心。闻知敌人的骑兵已经越过坎伯兰，到达肯塔基，我更加焦躁，我担心胡德渡过所有的军队，会给我们制造很大的麻烦。我催促托马斯将军马上采取行动后，启程去西部亲自监管那里的战事。到达华盛顿后，我收到托马斯将军的电报，称已经开始进攻敌人，并报告了所有战事的结果，我很高兴。我不满意的是，胡德一出现在纳什维尔，托马斯将军就应该调其主力与之战斗，而不是装备骑兵，贻误战机，这不但给敌人留出构筑防御工事的时间，也把战事拖到气候严酷的季节。幸运的是他与胡德的最后决战取得彻底胜利，为他是一名卓越军事指挥家正了名。

胡德在纳什维尔失败后撤退，骑兵和步兵在其后紧追不舍，一直追到田纳西河，他被迫放弃很多大炮和运输工具，11 月 28 日，我们的先行部队报告，他已逃往田纳西河南岸。

这个季节，田纳西和北亚拉巴马一直下大雨，很难运送军队和大炮，托马斯将军命令主力部队到田纳西河停止追击，一小部分骑兵在 P. J. 帕尔默上校的率领下，又追击了胡德一段距离，夺取了许多运输工具和浮桥。这些战事的细节在托马斯将军的报告里有清晰的阐述。

骑兵远征军在名誉晋级少将格里尔森指挥下，12 月 21 日从孟斐斯出发，25 日，在密西西比河的维罗纳奇袭福里斯特的卸马营地，并连续进攻莫比尔和俄亥俄铁路，破坏了铁路、16 车厢给胡德军队的武器和浮桥、4000 挺新卡宾枪和许多仓库。28 日在埃及进攻敌军，破坏了 14 节车厢。然后掉头向西南，在威诺娜攻击密西西比河中央铁路，并破坏了班克斯顿很多工厂和大量物资，摧毁了格林纳达的一些厂房和公共财产，1 月 5

日到达维克斯堡。

　　在田纳西中部的战役中，布雷肯里奇将军麾下的一支敌军进入田纳西东部，11 月 13 日在毛瑞斯进攻吉勒姆将军，虏获了他的大炮和几百名士兵。吉勒姆指挥所剩部队撤退到诺克斯维尔，布雷肯里奇获胜之后跟随至诺克斯维尔，但被阿门将军追击，18 日撤退。按照托马斯将军的命令，斯通曼将军集结伯比奇将军和吉勒姆将军的部队，在比恩基地附近进攻布雷肯里奇，消灭他或者把他赶回弗吉尼亚，并破坏索尔特维尔的盐场和通往弗吉尼亚腹地的铁路。12 月 12 日行动开始，所到之处抓获或驱逐大量敌军。16 日，沃恩将军指挥军队在马里恩进攻敌军，把他们彻底赶到威斯维尔，并虏获所有大炮、车辆和 198 名战犯，之后破坏了威斯维尔的物资储备、供给，以及附近的几处制铅厂。返回马里恩时，他遇到了布雷肯里奇的一支军队，由索尔特维尔的驻军和其他部队组成。

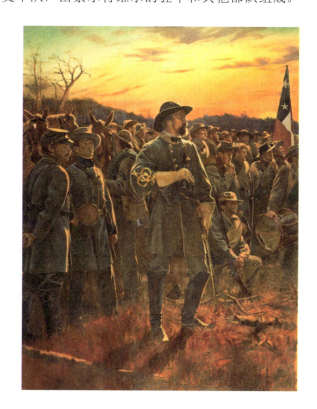

沃恩全名为约翰·C. 沃恩（1824—1875），他是美国南北战争时期联邦军将领，图为沃恩将军和他的士兵们

他立刻部署第二天早晨的进攻，但早晨发现敌人已经跑了。他直接奔赴索尔特维尔，摧毁了那里的盐场、物资，并缴获8门大炮。完成任务后，伯比奇将军返回列克星敦，吉勒姆将军返回诺克斯维尔。

北卡罗来纳州的威尔明顿是敌人最重要的港口，敌人的物资通过这里从海外运送进来，棉花和其他商品偷过封锁线运往海外，此外，它还是战略要地。海军曾竭尽全力封锁威尔明顿港，但效果甚微。开普菲尔河的出口需要长距离的监视，如果不占领新因莱特北陆或菲舍尔堡，海军就无法完全封锁海港，阻止偷过封锁线的船只。

要攻下这块陆地，需要地面部队的配合，我同意调遣陆军。很快，最英勇无敌的舰队在海军上将D.D.波特指挥下，在汉普顿罗兹集合。这个行动不仅吸引了敌人的注意力，还吸引了忠诚的北方人的注意，消息通过媒体不胫而走，在两军服役的军官中很快传开，远征的确切目标成了南北方报纸讨论的共同话题。得到消息的敌军因此开始准备应战，这

菲舍尔堡之战胜利后，波特将军在"莫尔文号"军舰上的照片，蒂莫西·H.O.苏里文（1840—1882）摄于1865年

使得远征一直推迟到 11 月下旬。在海军秘书助理霍.G.V. 福克斯一再呼吁下，我同意立刻调配所需人员。我在巴特勒将军的陪同下前往汉普顿罗兹，和波特上校商讨行动事宜：调遣 6500 名兵力，行动时间没有最终确定，但在 12 月 6 日前，一切应该准备就绪。11 月 30 日获悉布拉格已经去了乔治亚，带走了威尔明顿大部分军队，我认为远征军一定要在布拉格返回之前到达目的地，韦策尔将军被任命为这次远征的陆军指挥，我命令巴特勒将军为韦策尔将军做好出发前的安排，这样海军的行动就不会被耽误。

12 月 6 日，命令如下：

锡蒂波因特，弗吉尼亚，1864 年 12 月 6 日

将军：韦策尔将军远征的第一个目标是靠近威尔明顿港，如果完成第一个目标，第二个目标是攻克威尔明顿港，敌军的大部分兵力被调往乔治亚与谢尔曼将军交战，如果利用好这个战机，我们有理由期待成功。远征军的人数和装备、选择在哪里登陆、挖壕堑的工具数量等的指令都很正确。如果能在开普菲尔河和北大西洋北入河口之间的主陆地登陆，就夺取了远征的目标。如果登陆之后，敌人还在固守菲舍尔堡，或有炮台守卫入河口，部队应该修筑壕堑，并在海军的配合下，攻克这些地方。这些地方若在我军之手，海军就能进入港口，封锁威尔明顿港。如若我军登陆后，能马上攻克菲舍尔堡及其陆地，那么奇袭威尔明顿港值得一试，如若时间都用在夺取远征的第一个目标，第二个目标只能之后考虑了。

计划的实施细节由你制订，部队马上执行。

如果韦策尔将军的军队在菲舍尔堡或其附近没有登陆成功，马上返回主力部队，进攻里士满，不得延误。

U.S. 格兰特中将

B.F. 巴特勒少将

　　执行这次作战任务的部队从巴特勒将军的军队中抽调，作战也在这个区域内，因此所有的命令和指示都应该经过巴特勒将军。我把这个指令传达下去，但韦策尔将军报告我，他并没有接到这个指令，而且直到在他看到巴特勒将军关于菲舍尔堡战败的正式报告，还有我附的背书和文件之前，他也不知道有这样一个指令的存在。巴特勒将军跟随远征军从百慕大翰卓德出发，到晚上准备入睡，韦策尔将军已接到指令，负责指挥。我想巴特勒将军可能太想目睹火药船爆炸的效果，远征军在汉普顿罗兹等着装载火药船，耽误了几天。

　　我通知巴特勒将军，威尔明顿远征军无论有没有火药船，必须马上动身，不得有任何延误，他把这个指令传达给了波特上校。

　　远征军最终于 12 月 13 日出发，15 日晚到达指定地点——菲舍尔堡附近的新因莱特，波特上校在波弗特靠岸，给重炮舰装载了一些弹药后，也与 18 日晚到达。海面波涛汹涌，军队很难登陆，船上的淡水和煤也快用完了，运输船返回波弗特补给，由于天气原因，直到 24 日才返回指定地点。火药船在巴特勒将军从波弗特返回前的 24 日早晨爆炸。从南方报纸刊登的声明看，敌人还不清楚爆炸的目标，最后还是通过北方报纸获知消息。

　　25 日，部队没有遇到任何抵抗，就成功登陆，柯蒂斯名誉准将指挥侦察部队推进到费舍尔堡，但巴特勒将军在没有接到侦察结果报告前，违反指示，命令远征军重新登船返回，至 27 日早晨，部队完成登船。

　　返回的远征军官兵中有 N. M. 柯蒂斯名誉少将（后为名誉准将），中尉 G. W. 罗斯，第 117 团纽约志愿军、中尉威廉姆·H. 沃林，少尉乔治·辛普森，第 142 团志愿军，据他们回忆，我军已经很接近费舍尔堡，他们认为当时攻下该堡并不难。

远征军返回后不久，我接到海军秘书和波特上校的来信，告诉我舰队还停靠在菲舍尔堡附近，坚信如果有正确的领导，必能攻下要地。我本以为，陆军放弃远征，海军也会放弃，然而并非如此。12月30日，我答复波特上校，支持他的建议，我会派遣部队再次进攻。这次我任命名誉少将（现在是少将）A.H. 特里指挥远征，部队组成和前一次相同，但增加一个旅，大约1,500人和随军攻城装备，攻城装备无须需登陆。我直接给远征军指挥官下达指示：

锡蒂波因特，弗吉尼亚，1865年1月3日

将军：此次远征由你负责，准备重新攻克北卡罗来纳州的菲舍尔堡，如果攻克菲舍尔堡，最终攻下威尔明顿，海军舰队离开开普菲尔河后，部队即刻出发，不要延误，部队到达和作战的情况报告我，D.D.波特上校负责指挥北大西洋封锁中队。

非常希望你和海军指挥官能完全理解彼此的意图，因此我建议你随时咨询海军上校，了解每一个部门的职责，使整个行动统一，做好行动计划。我曾和海军上校一起供职，你可以依赖他的判断和见识，因此尽量遵从他的意见，遵守你的职责。第一个目标是在菲舍尔堡附近夺取一个据点，有了这个据点，就可以进攻菲舍尔堡了，在没有接到其他命令前，不要放弃围攻菲舍尔堡。

我的想法是，如果你成功登陆，海军的部分舰队应该开往开普菲尔河，剩余舰队在外围作战。敌人控制河道时，陆军不要围攻菲舍尔堡，也不要切断补给或援助。

攻城装备会被装载在船上，送往门罗堡，如果你需要，可随时运送给你，你需要的其他物资可从波弗特调取。

在攻下据点之前，舰队一直跟随着你，不需要了，可命令

他们返回；或者部分多余船只返回门罗堡复命。

如果登陆没有成功，率领军队返回波弗特，请求总部给进一步的指示，没接到指示前不要离开波弗特。

已命令谢尔曼将军派遣一支部队前往巴尔的摩登船，这些部队将被运往门罗堡，在收到你的消息前，一直留在船上待命，如你需要，马上派他们前去。

U.S. 格兰特中将

A.H. 特里少将

陆军中校 C.B. 康斯托克副官（现在是名誉晋级准将）参加过前一次远征，这次被任命为轮机长。

可以看出这次远征的指令和前一次的没有太大区别，两次都没有下令进攻菲舍尔堡，指令必须经过指挥官的慎重考虑才可决定。

6 日早晨，远征军从门罗堡启航，8 日到达波弗特附近的指定地点，由于天气原因，一直靠岸休息，12 日早晨重新出发，当晚到达目的地。在舰队的掩护下，部队在 13 日早晨开始登陆，到下午 3 点全部安全登陆，14 日，派侦察兵前往距菲舍尔堡 500 码的地方，攻克一个小规模的前沿工事，然后转回防线内，抵御来自菲舍尔堡的进攻。这次侦察表明，敌军的前线防御工事已被海军炮火严重破坏。经过殊死战斗，15 日下午，菲舍尔堡被攻克，房获整个驻军和武器装备。在海军和陆军的共同努力下，取得了战争中最重要的胜利。我军伤亡：牺牲 110 人，受伤 536 人。16、17 日，敌人彻底放弃并烧毁了卡斯韦尔堡和史密斯岛的防御工事，之后迅速被我军占领，这样，我军完全控制了开普菲尔河河口。

在我的要求下，巴特勒将军被解职，任命 E.O.C. 奥德少将为弗吉尼亚和北卡罗来纳部的军事指挥官。

彻底打败和摧毁威胁田纳西防线的敌军后，田纳西防线不再需要军

菲舍尔堡之战：上图为联邦海军陆战队匍匐爬向敌人守
卫的阵地；下图为联邦军队俘虏的邦联守军

队了，我决定为托马斯将军的剩余部队寻找战场，配合其他部队的行动。因此命令托马斯将军留部分军队守卫东港交通线，其他部队集结，随时待命。1月7日，命令托马斯将军派遣斯科菲尔德将军的部队东进，如果确定胡德离开科林斯南下，马上执行命令，同月23日，部队的先行军到达华盛顿，从那里出发，前往菲舍尔堡和新伯尔尼。26日，命令他派遣史密斯将军的部队和一支骑兵部队前往坎比将军处报道。到2月7日，整个军队都分别到达目的地。

北卡罗来纳州成立军事部，斯科菲尔德将军负责指挥，隶属于谢尔曼将军，给他如下指示：

锡蒂波因特，弗吉尼亚，1865年1月31日

将军：你配合谢尔曼将军的行动，穿过南卡罗来纳州和北卡罗来纳州，首要目标是保卫威尔明顿，然后从威尔明顿或新伯尼尔出发，或者从两地同时出发，依照你的判断，然后到达戈尔兹伯勒。如果无法到达戈尔兹伯勒，就沿着公路线或沿着沿海铁路线前进，沿途修筑公路。你有两个任务：第一，在谢尔曼将军北上时，提供给他必要的物资帮助；第二，在他行军路线沿途，开辟一个物资供应基地。一旦确定地点，威尔明顿或新伯尔尼，就充分利用内线物资，为6万人和2万头牲畜储备至少20天的口粮和饲料，越多越好，并保护好内线的这个点，万不可被敌军占领。我相信帕尔默将军收到了谢尔曼将军的指令，保障军队供应，他会依据你的征用令，采取相应的行动。

向各个作战部门的主管发放征用令，随时与我沟通，如果你认为需要，可随时派一艘专门的船前往门罗堡，方便我们俩电报联系。

指令中提到的物资须由你负责调配。

防范敌人进攻基地，或攻击内线阻断对谢尔曼的物资供应，这是你的职责所在。如果敌人进犯，无须等待指令，按你的判断行动，但要报告你的行动计划。指令的细节会随即附上，如有不解之处，我会督导你的行动。谢尔曼将军可能会在2月22日至28日之间到达戈尔兹伯勒，所以你的时间有限。

如果攻打威尔明顿时，车辆无法保障，可从华盛顿调配，已派遣了大批铁路工人到波弗特，其他机械师一两天内也会到达菲舍尔。这一点我已经电报通知你了。

U.S. 格兰特中将

J.M. 斯科菲尔德少将

在下达这些指令之前，斯科菲尔德将军陪同我前往菲舍尔堡考察，了解各方面的情况，亲自与特里将军和波特上校商议最佳方案。

胡德预料到谢尔曼要去往萨凡纳，放纵他的军队破坏田纳西州纳什维尔段的南赛德铁路。重建贯通东西的铁路线需要几个月，并且攻打李将军是平定叛乱前最重要的战役，因此，12月6日，我给谢尔曼下达命令：在沿海建立基地后，除驻守部队外，其余部队、大炮和骑兵全部经水路运抵锡蒂波因特。

12月18日，收到了胡德被托马斯将军彻底击垮的消息。海路运送谢尔曼的军队难度大、耗时长，大约需要2个月，而且未必会取得预期战果，因此我写信给他，询问他的想法。几天后，12月16日我收到了谢尔曼的回信，告知已收到我6日的命令，运输完成之后马上执行命令，他还希望攻克萨凡纳之后，立刻行军到南卡罗来纳州的哥伦比亚，然后到达罗利，之后与我会合；收复萨凡纳后，行军大约需要6个星期，而走水路大约1月中旬能到达我处。他在信中表现出的自信让我很高兴，没有等他回复我18日的信件，我命令他28日按他的建议马上开始行动，破坏南北卡罗来纳州的铁路，然后迅速与攻打里士满的军队会合。

1月21日，我告诉谢尔曼将军，我已命令斯科菲尔德指挥的23军团向东移动，大约2.1万人；菲舍尔堡我们有8,000人，新伯尔尼我们有4,000人；如果威尔明顿被攻克，斯科菲尔德会去那里，如果没有，他会被派往新伯尔尼；无论哪种情况，两个地方多余兵力都会被派往内线戈尔兹伯勒配合你的行动。任何一个地方的铁路运输都有可能中断，但只要接到谢尔曼将军的命令，所有人员必须听从他的指挥。

按照他的指令，斯科菲尔德将军配合波特上校的海军，准备攻打北卡罗来纳州的威尔明顿，他把部队开到开普菲尔河两岸，19日早晨攻克安德森堡，这是敌人在河西岸的主要防御据点，敌军在我军到达之前撤离。

经过20日和21日两天交战，22日我军进入威尔明顿，敌人在22夜晚向戈尔兹伯勒方向撤退。来自威尔明顿和新伯尔尼的两支军队准备马上进攻戈尔兹伯勒的行动，他们修复了这两个地方通往戈尔兹伯勒的铁路。如情况所需，会前往开普菲尔河增援谢尔曼将军。3月8日新伯尔尼的军队在怀斯岔口遭到进攻，被迫返回，损失几百人。11日敌人再次进攻我们的壕堑阵地，敌人惨败，夜晚后撤。14日，我军渡过纽斯河，占领金斯顿，21日进入戈尔兹伯勒。威尔明顿一路的军队到达纽斯河上的考克斯桥，22日到达距戈尔兹伯勒10英里的地方。

到2月1日，谢尔曼将军的全部军队开进萨凡纳，17日攻克南卡罗来纳州的哥伦比亚，之后经过费耶特维尔，向戈尔兹伯勒挺进，3月12日到达戈尔兹伯勒，然后经开普菲尔河打通了与斯科菲尔德将军的联系通道。15日，他重新返回戈尔兹伯勒，行军途中，在戈尔兹伯勒遇到敌军，经过激战，敌军大败撤退。我军伤亡600人，敌军伤亡人数远多于我方。18日敌军联合部队在乔·约翰斯顿的指挥下，在本顿维尔进攻他的先行军，并缴获3门大炮。斯洛克姆将军料定约翰斯顿的所有部队都开往前线，他部署军队防守，筑壕堑，等待援军。21日晚敌军撤回史密斯菲尔德，死者、伤者弃之不顾。之后，谢尔曼继续挺进戈尔兹伯勒，21日，斯科菲尔德将军占领戈尔兹伯勒（22 日特里将军攻克考克斯桥，搭建浮桥，斯科菲尔德将军率部队过纽斯河），这样，威尔明顿和新伯尔尼的两支军队会合。

这次战役的重要成果是攻克南卡罗来纳州的查理斯顿，敌军 2 月 17 日撤退，我军 18 日破城。

1 月 31 日早晨，命令托马斯将军派遣一支骑兵远征军，在斯通曼将军的率领下，从东田纳西出发，穿过南卡罗来纳州，向哥伦比亚进发，破坏沿途铁路和军用物资，然后返回。如果可能，途径北卡罗来纳州的索尔兹伯里，到东田纳西解救战犯，不过这是否可行，还得斯通曼将军判断。显然谢尔曼将军的行动会吸引所有敌军的注意力，有助于这个计划的实施。斯通曼将军的远征军启程太晚（谢尔曼将军已经穿过南卡罗来纳州），27 日，我命令托马斯将军改变他的行军路线，重新延续去年秋天的进攻，破坏林奇堡方向的铁路，这样他就夹在东田纳西驻军和敌军之间。我想，如果敌人战败，从里士满撤退到林奇堡，就无法从东田纳西进攻北方。2 月 14 日，传达给托马斯将军如下指令：

　　锡蒂波因特，弗吉尼亚，1865 年 2 月 14 日

　　坎比将军准备从莫比尔湾进攻莫比尔和亚拉巴马内线，他的军队有 20,000 人，隶属 A.J. 史密斯将军指挥。你派给坎比将军的骑兵将在维克斯堡登陆，与当地骑兵一起东进。你在田纳西狠狠地教训了胡德，他的军队元气大伤，很多人开了小差，现在他又把这些人集合起来，对付谢尔曼。（里士满的报纸声称很大一部分步兵撤离，叛军国会的一名议员在几天前的演讲中说，一半的人被派往南卡罗来纳州对付谢尔曼。）无论消息是否属实，坎比的行动都会吸引敌人所有的注意力，你的据点防守就变得容易了，所以，我建议你集合所有骑兵，随时准备

南下。去南方有3重目标：第一，尽量吸引敌人的兵力，确保坎比的行动成功；第二，破坏敌人的交通线和军用物资；第三，消灭或虏获战场上的敌军。塔斯卡卢萨和塞尔马是远征军的进攻目标，然而，更重要的是要深入亚拉巴马腹地。要依据收到的情报谨慎指定军事行动，以确保上述目标实现。

你的军队损失很大，我不知道多少人可以参战，如果骑兵达到5 000人左右就够了。我不希望等他们离开维克斯堡三四天，甚至一个星期才开始远征，我也不知道什么时候开始远征，我一旦获得消息，马上给你发电报，如果你在收到我消息之前，从其他渠道获知消息，你可按照得到的消息马上行动。

确保成功要尽量减少骑兵的马车队，依赖沿途提供供给，同时减少炮台和炮台大炮的数量，多余的马匹运输大炮，但少于8匹马不得运送大炮和弹药箱。

U.S.格兰特中将

G.H.托马斯少将

15日他接到远征命令，20日以后出发。

我认为在里士满的总攻开始前，必须切断詹姆斯河北城里所有的交通线。敌人已经从谢南多厄河谷撤下大部分兵力派往南方，补充到里士满的军队，加强对抗谢尔曼的军队力量，敌人的骑兵在人数上远远超过谢尔曼的骑兵。我决定从谢南多厄调兵，如果成功，至少可以实现第一个目标，也有可能实现第二个，因此我电告谢里丹将军：

锡蒂波因特，弗吉尼亚，1865年2月20日，下午1点

将军：我想行动一开始，骑兵队独自行军到林奇堡并不困难，

在那儿可以破坏通往各个方向的铁路和运河，致使敌军无法使用，然后留下一些骑兵对付默斯比的匪徒。如果在林奇堡收到消息攻打南方，部队沿着弗吉尼亚河流方向，到丹维尔西面继续向前推进，与谢尔曼的军队会合。现在斯通曼将军麾下的一支骑兵正从东田纳西出发，人数大约四五千人；还有一支骑兵从维克斯堡出发，人数有七八千人；另一支数千人的骑兵从密西西比河东港出发；坎比将军率领3.8万人的混合部队从莫比尔湾出发；后三支部队向塔斯卡卢萨、塞尔马和蒙哥马利推进，谢尔曼将军率领大军攻打南卡罗来纳州各个重要据点，使叛军无路可逃。我希望你克服重重困难，完成任务。星期二，查理斯顿已被攻下。

U.S. 格兰特中将

P.H. 谢里丹少将

25日我收到谢里丹的来信，询问谢尔曼的行动目标，能否确切告诉他在北卡罗来纳州夏洛特一线的行军方向和地点。我回复电文如下：

锡蒂波因特，弗吉尼亚，1865年2月25日

将军：谢尔曼的行动依据战况而定，如果敌军顽强抵抗，他可能会撤退到南卡罗来纳州乔治敦，重新开始进攻，然而我想所有的困难和危险已经过去了，我相信他已经越过夏洛特，在前往戈尔兹伯勒的途中攻取了费耶特维尔。如果你到达林奇堡，之后的行动依照收到的指示进行，在你没有和谢尔曼会合之前，他可能从戈尔兹伯勒向罗利移动，或与这些地方的敌军交战，从而保障威尔明顿和新伯尔尼的铁路运输畅通。

U.S. 格兰特中将

P.H. 谢里丹少将

　　谢里丹将军2月27日率领两支骑兵，各5，000人从温彻斯特出发。3月1日成功守住了敌人企图炸毁的一座桥梁，越过谢南多厄河谷中部和克劳福德山附近的分叉口，2日到达斯汤顿，敌人已撤退到韦恩斯伯勒，他追击到韦恩斯伯勒，发现厄尔利手下敌军进入壕堑阵地。他没有停下侦察，马上进攻，敌军阵地被攻克，虏获1，600名战犯，11门大炮，所有的马匹和弹药，200辆满载物资的车队，和17面战旗。战犯在1，500名士兵的押解下，遣送回温彻斯特。之后，他继续向夏洛茨维尔行军，破坏沿途铁路和桥梁，3日到达目的地，在那里停留2天，破坏了通往里士满和林奇堡的铁路，和一座连接瑞瓦纳河南北岔口的大铁桥。这样就耽误了他的行程，只好放弃攻打林奇堡的想法。6日他把部队分成两队，一队派往斯科茨维尔，经詹姆斯运河，到达纽马基特，破坏水闸和多处运河河堤，然后再挑选出一小队士兵去都盖兹维尔，攻取那里的詹姆斯河大桥，但没成功，敌人把桥焚毁了，而且还烧毁了哈德韦克斯维尔的大桥；另一队沿着铁路线到达林奇堡，破坏了沿途一线直到阿姆赫斯特县政府的铁路，距离林奇堡只有16英里，经过县城，两支军队最后在纽马基特会合。河水水位很高，敌人摧毁了跨河大桥，搭建浮桥又无法通过。他本想跨过大桥，到达法姆维尔，破坏通往阿波马托克斯县政府的南方铁路，但现在他只能返回温彻斯特或在怀特豪斯攻下一个基地，很幸运他选择了后者。从纽马基特他又继续他的行军路线，沿着通往里士满的运河，破坏各处水闸和河堤，直到距古奇兰8英里的地方。10日早晨在哥伦比亚集结所有兵力，休整一天。通过侦察兵传递的情报，我了解到他的大体方位、目的、补给要求和同我在怀特豪斯见面的请求，12日晚，他到达我处，我即刻派步兵攻克怀特豪斯，送上补给，然后他从哥伦比亚方向行军到阿什兰基地附近，威胁里士满，越过安纳斯后，摧毁所有大桥和数英里铁路，然后行军抵达庞马克北岸，19 日到达怀特豪斯。

以下消息送达托马斯将军：

锡蒂波因特，弗吉尼亚，1865 年 3 月 7 日，上午 9:30

将军：建议你现在修复东田纳西的铁路，并派遣精锐部队到公牛谷加强那里的兵力，在诺克斯维尔的补给可按需送到。加强公牛谷的兵力，你就可以占领东田纳西的前哨，为春季进攻林奇堡或进入北卡罗来纳州做准备。斯通曼在到达弗吉尼亚之前不会切断铁路交通线。

U.S. 格兰特中将

G.H. 托马斯少将

1865 年 3 月，坎比将军率大军进攻迪克·泰勒将军防守的莫比尔；托马斯将军派出两支浩大的精锐骑兵远征军，一支由名誉晋级少将威尔逊指挥，从中田纳西出发，进攻敌人在亚拉巴马州的重要据点；另一支由斯通曼少将指挥，从东田纳西出发，进攻林奇堡；集合剩余兵力从东田纳西出发，开始进攻作战；谢里丹的骑兵在东田纳西，波托马克河的军队和詹姆斯河的军队对付守卫里士满和彼得斯堡的李的军队，谢尔曼的军队和斯科菲尔德的援军在戈尔兹伯勒，波普将军正在为春季战役做准备，准备进攻在密西西比河西部科比。史密斯和普莱斯率领的敌军，汉考克将军在弗吉尼亚温彻斯特附近集合军队，防止敌人入侵。

谢里丹将军的骑兵在冬季长时间行军，需要在怀特豪斯休憩调整。在这个时间点上，最令我担忧的是敌军离开他们最牢固的防线——彼得斯堡和里士满，前去与约翰斯顿会合，因此随时准备有效的追击。3 月

24日，谢里丹将军离开怀特豪斯，在琼斯码头渡过詹姆斯河，27日在彼得斯堡前方与波托马克河的军队会合，与此同时，奥德将军派兵在奇克哈米尼沿海过河。

3月24日发布对里士满进行总攻的指示：

锡蒂波因特，弗吉尼亚，1865年3月24日

将军：29日把进攻里士满的军队调动至左边，这样做有两重目的：一是把彼得斯堡的军队从现在的阵地吸引出来，二是保障谢里丹将军行动的成功，谢里丹将军在同一时间率领骑兵正赶往南赛德铁路和丹维尔铁路，欲破坏这两条铁路。波托马克河的军队分成两队，分走两路到达哈彻河，并在最近的防线内渡过河流，向丁威迪县政府进发。

与此同时，谢里丹麾下的骑兵并入戴维斯将军的骑兵向韦尔登路和耶路撒冷·普兰克路移动，在穿过诺托韦之前，从耶路撒冷·普兰克转向西，到达斯托尼克鲁克与大部队会合。之后谢里丹将军独自行军，给他另有指示。所有波托马克军团卸马骑兵和中部军分区卸马骑兵，没有看护武器装备任务的军队，都向本纳姆准将报道，以增强锡蒂波因特的防御力量。帕克将军负责指挥所有留守防御彼得斯堡和锡蒂波因特的军队，并服从波托马克军团指挥官的指挥。第9军团保持完整，守卫现有防线。如果第9军团左侧部队撤退，军团左翼回撤，占领攻克韦尔登路前的阵地。第9军团左侧所有部队待命，一接到命令，马上按预定路线行军。

奥德将军派三支军队——两支白人军队和一支黑人军队守护现在的防线，然后行军到波托马克军团左侧。如果没有接到进一步的命令，白人军队跟随波托马克河左翼军队，黑人军队

跟随右翼军队。韦策尔将军负责指挥詹姆斯河所有的留守部队。

詹姆斯军团的行动于 27 日开始。大部队离开后，奥德将军留下少量骑兵警戒放哨。奥德将军麾下的骑兵在萨姆纳上校指挥下，4 月 1 日星期六从萨科福出发远征，欲切断希克斯福特的铁路线，要完成这次任务，必须偷袭，所以三到五百人足够了，在尤内敦渡黑水河，诺福克和朴茨茅斯步兵会协助他们的行动。如果萨姆纳上校成功到达韦尔登路，命令他尽量破坏掉希克斯福特、韦尔登和加斯顿三角地带所有道路。敌军正在维护韦尔登铁路桥，确保运输车辆通过，所以破坏敌军从罗阿诺克南部征集的所有物资切实可行。所有军队采取轮替行军方式，4 天背包步行，8 天乘车前进，尽量丢弃耗力辎重，给詹姆斯军团配备的补给数量和波托马克军团的相同。奥德将军命令物资供应所和军需官保证物资供应充足，在行军的路上补给物资，人均 60 箱弹药，由火车运送。运输车辆除了运送一定量的物资外，尽可能多运送粮食。在树林茂密的乡村作战，无法使用大炮，所以每支军队携带的大炮可减少到 6 到 8 门，由指挥官决定。

应该立即为这些战役做准备，把第 9 军团的留守部队马上集合起来。在敌人的防线上，我不会下令进行无准备的进攻，部队要时刻准备，一旦敌人防线变薄弱，无须等待命令，马上进攻。如果要攻克防线，整个第 9 军团要跟进，加入或配合剩余部队作战，所以第 9 军团的补给定量和剩余军队是一样的。韦尔策将军要时刻监视前沿阵地，一旦发现有可乘之机进行突破，马上行动。詹姆斯河北岸的行动要迅速，如果敌军兵力不多就发动进攻。很明显敌人主要依靠当地留守军队防守里士满，突破敌人防线后，除了放弃围攻外，还要做好放弃詹姆斯河北岸所有防线的准备。

　　我会指示大部队进攻里士满，敌人知道这一点，他们唯一能做到是大大收缩防线，向进攻的军队投掷所有东西，不让我军有可乘之机。敌人都掩藏在壕沟里，没有战机，如果敌人出来进攻，证明他们的防线已经削弱了。我特别嘱咐军团指挥官，如果敌军进攻，没有进攻的军队无须等待他所属部队指挥官的命令，马上行动，只需给指挥官报告他们的行动。我给各军队的指挥官同样的指示。我强调了乘胜追击的重要性。

U.S.格兰特中将

少将，米德、奥德、谢里丹

　　25日清晨，敌军进攻第9军防线（从阿波马托克斯河到我军左侧），攻下斯特德曼堡和其左右的部分防线，构筑自己的防线，并把堡内的大炮对准我们，但我军两翼坚守阵地，等待援军，最终击退敌军。敌人死伤1,900人，损失惨重；我军68人阵亡，337人受伤，506人失踪。米德将军命令其他军团前进，追赶前方敌人。第2军和第6军攻克并占领了敌军坚固的壕堑前哨线，俘虏834人。敌军拼死反击，想重新占领防线，但没有成功，我军共有52人阵亡，864人受伤，207人失踪，敌军的死伤人数远多于我们。

　　谢尔曼将军已经悄悄回到戈尔兹伯勒军营，军队给养准备就绪后，3月27日到锡蒂波因特拜访我，说如之前信上所述，他已做好行动的准备，如果他的军队需要配合在里士满和彼得斯堡的前线部队攻打李的军队，至4月10日共计20天部队就可完成装备和补给。谢尔曼将军建议这次行动先威胁罗利，然后突然右转，到达加斯顿的罗阿诺克或附近区域，之后向里士满和丹维尔铁路挺进，攻打伯克斯维尔附近地区，或者最好加入进攻里士满的军队。如果他没有收到其他指令，就按这个计划执行，我向他说明我已经下令3月29日开始行动。如果行动没有预期的那么成功，我会派骑兵攻打丹维尔和南赛德铁路，夺取敌人的给养，阻止李的军队和约翰斯顿的军队会合。

我每日都很焦虑，生怕每日清晨接到报告说敌人已于前一天晚上撤退。我坚信谢尔曼越过罗阿诺克就是李离开的信号。如果约翰斯顿和他会合，我军就会耗费整个夏天，进行一场漫长、疲乏而又代价高昂的战役。如果敌军撤离，我会派精锐部队追击，至少会破坏丹维尔铁路，拖延两军会合，迫使敌军放弃大量物资。因此我决定即刻依照命令行动，一刻也不拖延。

27日夜晚，奥德将军和24军的两支军队、吉本将军和25军的一支军队、伯尼准将和麦肯齐的骑兵执行上述指示，开始行军，29日到哈彻河附近。28日给谢里丹将军如下指示：

锡蒂波因特，弗吉尼亚，1865年3月28日

将军：第5军团明天凌晨3点到达沃恩路，9点到达丁威迪县政府，第2军团距其右侧3英里。马上调动你的骑兵绕到第5军团后面，经其左侧，靠近或穿过丁威迪，尽快到达敌人的右侧或后面。不要在敌军的壕堑阵地与其交战，尽可能逼其出来。如果敌军冲出战壕攻击我们，或者在有利于我们进攻的地方，调动所有军队全力进攻，如果我在阵地，我会与你联系；如果不在，而敌军又一直躲避在壕堑防线后，你可放弃进攻，指挥部队向丹维尔铁路移动，如果可以，我希望你跨过彼得斯堡和伯克斯维尔之间的南赛德铁路，并进行一定程度的破坏。我不建议部队停留，继续前进到达阿波马托克斯附近，彻底摧毁那条铁路。然后跨过南赛德铁路到达伯克斯维尔，用同样的方法破坏铁路。

摧毁了这两条铁路，也就摧毁了李军队唯一的运输补给线，

之后，返回军中，你可选择继续南下，或到北卡罗来纳州加入谢尔曼的军队。如果你选择后者，请尽快通知我，以便我发布命令，与你在戈尔兹伯勒见面。

U.S. 格兰特中将

P.H. 谢里丹少将

29 日早晨行动开始，傍晚骑兵到达丁威迪县政府，步兵左翼延伸到夸克尔路和博因顿普兰克路交会点附近，军队阵地从左到右依次排开：谢里丹、沃伦、汉弗莱斯、奥德、莱特、帕克。

一切看起来都很有利，如果不出意外，击败敌人攻取里士满和彼得斯堡指日可待。因此我电告谢里丹将军，之前我也告诉过他，不要自行进攻，等我的消息。

格拉夫利溪，1865 年 3 月 29 日

将军：我们从阿波马托克斯到丁迪威的防线完整，然而，我们打算主动放弃从耶路撒冷·普兰克路到哈彻河的防线。退回到哈彻河以南后，向前推进，寻找敌军阵地，格里芬将军在夸克尔路和博因顿·普兰克路交会点遭到敌军进攻，但轻松退敌，停虏 100 人。汉弗莱斯将军到达达布尼米尔，在我收到消息时还在向前推进。

如有可能，我想在返回之前结束战事，因此，我不想让你现在跟在敌人的后面走，尽可能早晨接近敌军，到达其右后翼。当然，敌军骑兵的活动会改变你的行动。我们最后统一行动，看怎么对付敌人。科布山的信号员报告，上午 11 点半，从里士满出发骑兵，翻过科布山，向彼得斯堡方向前进，翻山大约用

了 40 分钟。

U.S. 格兰特中将

P.H. 谢里丹少将

从 29 日夜晚到 31 日早晨，雨一直下得很大，车辆无法前进，只能铺筑木排路。30 日谢里丹将军从丁迪威县政府向五岔口行军，发现敌军主力；沃伦将军继续前进，越过博因顿·普兰克路，到达怀特奥克路附近，并打算继续前进，但发现前方敌军数量众多，已延伸到其左侧，所以命令他停止前进，加强防守；汉弗莱斯将军把敌军从前线赶回到伯吉斯米尔附近的哈彻河主力防线内；奥德、怀特和帕克在前线评估进攻敌军的可行性，怀特和帕克报告结果都是肯定的；从里士满到我军最左翼防线，我们在每一点都可进攻敌人，所以他们的防线很薄弱，如果我对敌军人

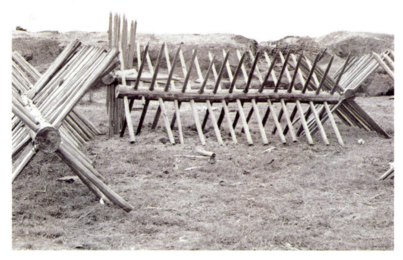

斯特德曼堡之战中联邦军阵地上的鹿砦，鹿砦的功能主要为防止敌军步兵和骑兵的冲击，摄于 1865 年

数估计正确，我们应该能够攻克他们的防线。因此我决定不再延长防线，而是加强谢里丹将军的步兵力量，让他攻击敌军右翼，其他军团袭击敌军正面。一周前敌人进攻斯特德曼堡，战果对我们非常有利。我们攻下敌军的壕堑前哨线，这样交战双方的防线在某些地方只有咫尺距离。立刻做准备以减轻汉弗莱斯军团压力，并报告谢里丹将军。但道路状况不利于马上行动。31日早晨，沃伦将军传来好消息，占领怀特奥克路。为了完成这个任务，他指挥第一分队与敌军主力作战，第二、第三分队轮番进攻，第2军的一支部队又赶来增援，最后攻克怀特奥克路。谢里丹麾下骑兵占领五岔口。但敌军与第5军团作战后，加强了骑兵力量，派步兵防守，迫使他回撤到丁迪威县政府。谢里丹将军展现出卓越的指挥才能，他没有让所有军队撤回到大部队，而是让骑兵步行，只留部分骑兵看管马匹，迫使敌人在广袤的、植被茂盛的、破烂不堪的乡村布防，他的行进很缓慢。然后他写信报告我发生的一切，他正在缓慢撤回到丁迪威县政府，我命令麦肯齐氏将军的骑兵和第5军团的一支军队即刻前去援助他。收到米德将军的报告，称汉弗莱斯将军可以守住博因顿路的阵地，之后马上派第5军团的另两支军队前往谢里丹部队，因此，原本要派遣汉弗莱斯将军部队作战，但沃伦将军的部队参战更便捷，最后便仓促上阵。4月1日早晨，谢里丹在沃伦的援助下，把敌人逐回到五岔口，傍晚发动进攻，攻取敌军防御阵地，虏获所有大炮和五六百名俘虏。

战斗快要结束时，名誉晋级少将查理斯·格里芬接替沃伦指挥第5军团，夜幕降临时我得到这个消息。我非常焦虑，担心敌人会在夜间舍弃防线，在援军没有到达前进攻谢里丹将军，夺取阵地，逼其撤退。作为防备，派遣汉弗莱斯部迈尔将军的军队前去增援，开始炮轰敌军阵地，轰炸一直持续到2日凌晨4点，之后怀特将军率军穿越防线，横扫前方和左翼延伸到哈彻河的敌军，虏获多门大炮和数千名俘虏。紧随其后的还有奥德将军麾下的两支军队，之后与在哈彻河成功攻破敌军防线的奥德将军麾下另一支军队会合。怀特将军和奥德将军迅速回转至右翼，包围了彼得斯堡那一侧的全部敌军，汉弗莱斯将军率领两支军队向前推进，与怀特将军的左翼部队会合。帕克将军成功攻破敌军主要防线，虏获大量大炮和战犯，但无法攻取敌人内线。谢里丹将军得知此情形，恢复迈尔将军原来的指挥权。吉本将军的军团英勇善战，逼近敌军防线，包围彼得斯堡，攻取两个封闭的、位置突出的防御工事，进而俯视彼得斯堡南部，大大缩短了封锁攻城的战线。哈彻河南部的敌军向西撤退到萨瑟兰车站，那里他们遇到了迈尔将军的军队，两军激烈交战，直到谢里丹将军的部队逼近，威胁其左翼和右翼，敌军最后才从福特驻地撤往彼得斯堡，但又被米德将军派来的军队围攻，突围时敌军大乱，丢弃大量大炮和士兵，随后沿着阿波马托克斯河的主干道撤退。2日夜晚，敌军撤离里士满和彼得斯堡，逃往丹维尔。3日早晨，我军开始追击，谢里丹将军的军队推进到丹维尔路，逼近阿波马托克斯河，紧随其后的是米德的第2军和第6军；奥德将军沿着南赛德铁路，向伯克斯维尔挺进，第9军团紧随其后。4日，谢里丹将军进攻丹维尔路附近的杰特斯维尔，在那里他得知李在阿米莉亚县政府，他立刻修筑壕堑，等待米德将军，米德将军的部队第二日到达。奥德将军5日夜晚到达伯克斯维尔。5日早晨，我写信给谢尔曼将军，内容如下：

威尔逊驻地，1865年4月5日

将军：所有迹象显示，李正试图带着他的残余部队撤往丹维尔。谢里丹昨夜追击其后，报告说李所剩步兵、骑兵大约2万人，士气低落，我希望这个数字能减少一半。如果敌军在丹维尔顽固抵抗，我会前往伯克斯维尔，几天后到达，如果可能，你也从你那里动身，看我们是否能结束同李和约翰斯顿的战事，你最好攻打格林斯伯勒或逼近丹维尔，收到信后你自己决定，现在只需攻克叛军的最后一个战略要地。

U.S.格兰特中将

W.T.谢尔曼少将

6日上午发现李将军从杰特斯维尔向西往丹维尔方向移动，谢里丹调动他的骑兵去攻击其侧翼（到达杰特斯维尔后，第5军已经返回到米德将军帐下），第6军跟随其后。由于第2军和第5军步步紧逼，敌军不得不放弃数百辆马车和几门大炮。奥德将军从伯克斯维尔向法姆维尔移动，并派遣两个步兵团和一支骑兵在西奥多·里德准将的指挥下先期到达，破坏桥梁。这支先行军在法姆维尔附近遇到了李的先头部队，两军激烈厮杀，里德将军阵亡，我军被敌军所压制，但这次交战也延误了敌军的行程，待到奥德将军的部队赶到，敌军马上躲藏在壕堑后。下午，谢里丹将军从赛勒溪攻击敌人，缴获16门大炮和400辆马车，并困住了敌人，等第6军赶到，步兵与骑兵发动总攻，结果俘虏六七千名敌人，其中包括很多高级将领。第2军和奥德将军的行动对战争的胜利做出了巨大贡献。

7日早晨继续追击敌人，一支骑兵部队和第5军到达普林斯爱德华县政府；第6军、奥德的军队和一支骑兵部队到达法姆维尔；第2军到达海布里奇。很快发现敌军已经到达阿波马托克斯河北岸，追兵已靠近敌军，为了防止敌军破坏桥梁，第2军攻占了海布里奇的大桥，并迅速过河。第6军在法姆维尔过河，前去支援。

现在感觉李将军逃脱的可能性微乎其微，我从法姆维尔写信给他，内容如下：

1865年4月7日

将军：你必须承认我军在上一星期取得的胜利已使你领导北弗吉尼亚军无力继续抵抗，我想我有责任停止更多的流血和

海布里奇大桥，绘于 19 世纪 70 年代

牺牲，我希望你所领导的南部联邦军队的北弗吉尼亚军投降。

U.S. 格兰特中将

R.E. 李将军

8 日凌晨，在离开法姆维尔之前，我收到了回信：

1865 年 4 月 7 日

　　将军：我收到了你 4 月 7 日的信。虽然我并不同意你在信中所说的北弗吉尼亚军已无力继续抵抗，但我非常认同你的想法，避免无意义的流血和牺牲，因此，在考虑你的提议之前，我想知道投降的条件。

R.E. 李将军

U.S. 格兰特中将

我很快予以答复：

1865 年 4 月 8 日

　　将军：刚刚收到昨夜你答复我的信件，在信中你询问投降条件，我想说我最大的愿望是和平，我只坚持一个条件，那就是在双方协议商定好之前，投降的士兵和军官不允许再拿起武器对抗美国政府，因此，我愿意和你，或者我指派官员与你指派的官员在你要求的地点会面，共同商议北弗吉尼亚军团投降的条件。

U.S. 格兰特中将

R.E. 李将军

8 日清晨继续追击敌人，米德将军沿阿波马托克斯河北行进，谢里丹将军和所有骑兵直接前往阿波马托克斯车站，奥迪将军的军队和第 5 军团紧随其后。白天，米德将军的先行军和敌军的后卫部队激烈交战，规模不大；深夜谢里丹将军进攻阿波马托克斯车站的铁路，敌军脱逃，虏获 25 门大炮、1 辆医用火车和 4 车厢满载供给李军队的物资。白天我也在米德将军的军中。午夜，我收到了李的来信：

1865 年 4 月 8 日

将军：今日晚些时候收到你的来信。昨日我的信中并未提到北弗吉尼亚的军队要投降，我只是询问你提建议的条件。坦白地讲，我并不认为已经到需要投降的危急时刻，但重塑和平是唯一目标，我想知道你的提议是否能实现这一目标，因此，我无法与你就北弗吉尼亚军团投降的事宜会面；但你的提议可能会对我领导的南部邦联军队产生影响，并且你也期待恢复和平，因此，我很高兴明天上午 10 能与你在两军前哨线之间，通往里士满的老驿站路会面。

R.E. 李将军

U.S. 格兰特中将

9 日清晨我答复他以下内容，并迅速集合阿波马托克斯南部的军队。

1865 年 4 月 9 日

将军：已收到你昨天的回信。我没有权利处理这件事，所以今天上午10点的会面没什么意义。然而，我想说我和你一样渴望和平，所有北方人都有同样的感受。和平的条件很容易理解，只要南方军队放下武器，就会加速和平的实现，挽救成千上万人的生命，和数以百万计的财产。真诚希望解决我们的问题不要再以付出他人生命为代价，我愿意签名。

U.S. 格兰特中将

R.E. 李将军

敌人孤注一掷想要冲破我军骑兵防线时，9日上午奥德的军队和第5军团到达阿波马托克斯车站，步兵马上投入战斗。不久敌人就举起白旗，要求停止交战，商议投降。

还未到达谢里丹将军指挥部，我收到了李将军的来信：

1865 年 4 月 9 日

将军：我于今日早晨在前哨线收到你的信，信中你提到我们在哪里会面，以及我军投降的条件。依照你信中所提的要求和目的，我请求与你会面。

R.E. 李将军

U.S. 格兰特中将

见面安排在阿波马托克斯县政府政府，会谈结果在以下信件中阐述：

阿波马托克斯县政府政府，弗吉尼亚，1865 年 4 月 9 日将军：与我 8 日给你的信件内容相同，我提议接受北弗吉尼亚军团投降的条件如下，即：制作一份包含所有军官和士兵的名单，一式两份，一份交给我指定的军官，一份留给你指定的军官。军官们要做出个人承诺，在双方协议商定好之前，他们不再拿起武器对抗美国政府，每一个连或团的指挥官都要替他的士兵签署这样一个保证。武器、大炮和公共财物集中放置，由我安排的人员统一接管，这些财物不包括军官们随身携带的武器以及他们的私人马匹和物品。这些都完成后，允许每一名军官和士兵返回自己的家园。只要他们遵守签署的承诺，也不违反所居地的法律，美国当局是不会找他们麻烦的。

U.S. 格兰特中将

R.E. 李将军

北弗吉尼亚军指挥部，1865 年 4 月 9 日

将军：我已收到你今日来信，信中提议的接受北弗吉尼亚军团投降的条件和 8 日的信件大部分相同，我接受。我会指定合适的人员去实施这些条款。

R.E. 李将军

U.S. 格兰特中将

指定吉本将军的军队、格里芬领导的第 5 军团和麦肯齐氏的骑兵留在阿波马托克斯县政府，等待完成投降军队签署保证的工作，并看管公共财产。其余军队迅速返回伯克斯维尔附近。

李将军在整个南方有巨大的影响力，大家都听从他的安排，所以现

在的结果是，他领导的军队都期望和平和安宁的生活，纷纷返回自己的家园，他们的武器都由我们的军械官保管。

收到我 5 日的来信，谢尔曼将军直接进攻乔·约翰斯顿，他撤退到罗利附近。13 日早晨，谢尔曼将军攻占了罗利，在这之前的一天，他在史密斯收到李将军投降的消息。

14 日，谢尔曼将军和约翰斯顿将军两人互通信件，18 日达成了停战协定及和平备忘录及基础，请求总统批复，21 日，总统没有批准这个协定。24 日早晨，我亲自把总统的反对意见传达给在北卡罗来纳州罗利的谢尔曼将军，谢尔曼将军又把这个意见传达给约翰斯顿，终止之前达成的停战协定。25 日两人重新会晤，26 日达成协定，解除之前协议，解散约翰斯顿的军队，与给李将军提出的条件基本相同。

斯通曼的远征军 3 月 20 日从东田纳西出发，经过北卡罗来纳州的布恩，攻击威斯维尔、钱伯斯堡和比格利克的铁路。攻打比格利克铁路的军队继续向前推进至距彼得斯堡几英里的地方，摧毁了一些重要桥梁，并和主力部队一起破坏了新河和比格利克之间的桥梁，然后转向北卡罗来纳铁路线上的格林斯伯勒，攻击那条铁路，破坏丹维尔和格林斯伯勒，格林斯伯勒和亚德金河之间的桥梁，以及沿途的物资仓库，并俘虏了 400 名战犯。在索尔兹伯里他打败了加德纳将军领导的敌军，虏获 14 门大炮，1，364 名战犯，破坏了敌人大量的物资，他还破坏了 15 英里的铁路和通往夏洛特的桥梁，然后他率军向斯莱特斯维尔前进。

坎比将军 1 月已经接到命令，做好从莫比尔湾进攻莫比尔和亚拉巴马州内线的准备，3 月 20 日他开始行动。A. J. 史密斯指挥的 16 军团经水路从盖恩斯堡到达菲什河。13 军团在高登·格兰杰的率领下从摩根堡出发，在菲什河与 16 军团会合，然后一同移向斯巴纳什，27 日围攻斯巴纳什；斯蒂尔的军队从彭萨科拉出发，切断了连接田萨斯和蒙哥马利的铁路，与他们会合，并部分包围了布莱克利堡，在猛烈炮轰斯巴纳什堡后，4 月 8 日早晨攻克了部分防线，晚上，敌人从堡撤离；9 日攻克布莱克利，俘虏多名战犯；我们的损失也很惨重。我们顺利打通亚拉巴马河，可以从北部靠近莫比尔，11日夜间敌人撤离，12日早晨我军占领莫比尔。

名誉晋级少将威尔逊指挥的远征军由1,2500名骑兵组成，由于下雨耽误行程，直到3月22日才从亚拉巴马的契卡索启程。4月1日，威尔逊在埃比尼泽教堂附近遭遇福里斯特率领的敌军，敌军大败，俘获300名战犯和3门炮，摧毁了卡哈巴河上的中心桥。2日攻占了福里斯特率领7,000人和32门大炮防守的塞尔玛城，摧毁了军火库、兵工厂、海军铸造厂、机修厂和大量物资储备，俘虏3,000名战犯。4日又占领并摧毁了塔斯卡卢萨。10日越过亚拉巴马河，把作战消息报告坎比将军后，又向蒙哥马利进发，14日攻陷蒙哥马利，很多物资和5艘汽船落入我军之手。之后，军队直接开进哥伦布和西点的另一个地方，16日进攻并占领了这两个地方，在前一个地方，我们俘获1,500名战犯和52门野战炮，摧毁两艘炮舰、海军工厂、铸造厂、军火库、兵工厂、很多工厂和大量其他公共财产。在后一个地方，俘获300名战犯，4门炮，摧毁19辆机车和300节车厢。20日攻占乔治亚的梅肯，俘获60门野战炮、1,200名民兵、5名将军，豪厄尔·科布将军投降。威尔逊将军听说杰夫·戴维斯准备逃跑，他派兵去追，5月11日早晨成功将他抓获。5月4日，迪克·泰勒将军带领所有密西西比河东部遗留叛军向坎比将军投降。

为了确保轻松战胜在密西西比河西部由科比·史密斯领导的敌军，派遣了充足兵力前往德克萨斯，但在5月26日，部队还没有到达目的地之前，科比·史密斯将军率领整个军队向坎比将军投降。但投降仪式直到抓获叛军的总统和副总统后才进行。但叛军表现出低劣的素养，军队刚一解散，就开始不分青红皂白掠夺公共财产。

据报告，他们中一些人仍持有武器准备对抗政府，并非法携带武器跑到墨西哥避难。他们都已按照协定投降我军，但其中亲自投降的将领在格兰德河滋生事端，搅乱治安，所以给前往得克萨斯州军队的命令不改变。

　　经过一系列的战斗、突袭、远征和军事行动，挫败了敌人的图谋，我军表现出良好的品格和素质，为取得最后的胜利做出巨大的贡献，这些我在报告中都没有提及，一些会在之后呈交的报告中说明，一些会在电报和信件中提及，还有一些，很遗憾，甚至连正式的报告都没有。

　　关于印第安军队行军中遇到的困难，随即附上相关指挥官的报告。

　　我有幸见证东部军队和西部军队联合作战，他们的战斗素养一样优秀，浴血奋战，奋不顾身。西部军队从密西西比河谷开始作战，在北卡罗来纳州接受了敌主力军的投降；东部军队从波托马克河开始作战，军队也由此得名，并最终在弗吉尼亚的阿波马托克斯县政府接受了老对手的投降。每支军队取得的辉煌战绩都是全国的胜利，部门之间抛弃了忌妒情绪（很不幸我们经历了很多），避免了由此引发的争吵和指责，齐心协力，同心同德，值得为他们骄傲和祝贺。他们为在美国的每一寸土地上恢复法律秩序，重树法律威严而竭尽全力。让我们期盼与敌人的永久和平和和谐，敌人的胆大妄为导致了其错误的行为，但也激发出了我们英勇无畏的精神和伟大的胜利。

　　　　　　　　　　　　　　　　很荣幸成为你顺从的仆人

　　　　　　　　　　　　　　　　U.S. 格兰特中将

专有名词英汉对照

Abercrombie	阿伯克龙比
Adams	亚当斯
Adamsville	亚当姆斯维尔
Admiral Dahlgren	海军上将达利
Admiral Porter	海军上将波特
Aiken's Landing	艾肯码头
Alabama	亚拉巴马州
Albemarle	阿尔贝马利
Albert Sidney Johnston	艾尔伯特·西德尼·约翰斯顿
Aldrich	阿德里奇斯
Alexander H. Stephens	亚历山大·汉密尔顿·斯提芬森
Alexander Hays	亚历山大·海斯
Alex. S. Webb	亚历克斯·韦布
Alfred	阿尔弗雷德
A. Lincoln	亚伯拉罕·林肯
Allatoona	阿拉图纳

Alleghanies	阿利根尼山脉
Alleghany	阿利盖尼
Alps	阿尔卑斯
Alsop	阿尔索普
Amelia Court House	阿米利亚县城
American party	美国人党
Amherst	阿默斯特
Anderson	安德森
Andersonville	安德森维尔
Andrew Johnson	安德鲁·约翰逊
Anna	安娜河
Annapolis	安纳波利斯
Appomattox	阿波马托克斯河
Archer	阿彻
Arkansas	阿肯色州
Arkansas Post	阿肯色基地
Army of the Gulf	海湾部队
Army of the Ohio	俄亥俄军团
Army of the Tennessee	田纳西军团
Ashland	阿什兰
Atlanta	亚特兰大
Atkinson	阿特金森
Athens	阿森斯
Atlee's Station	阿特利站
Auburn	奥本
Augusta	奥古斯塔

Autocrat	独裁者
Averell	埃夫里尔
Averill	埃夫里尔
Averysboro	阿瑞斯博勒
Aylett	艾利特
Ayres	艾尔斯
Babcock	巴布科克
Badeau	巴多
Baird	贝尔德
Baker's Creek	贝克溪
Baldwin's ferry	鲍德温渡口
Baltimore	巴尔的摩
Banks	班克斯
Barlow	巴洛
Barnard	巴纳德
Barret	巴瑞特
Bartlett	巴特利特
Barton	巴顿
Battery No. 10	10 号炮台
Baton Rouge	巴顿鲁格
Battle	巴特尔
Baxter	巴克斯特
Bayou Baxter	巴克斯特支流
Bayou Macon	梅肯支流
Bayou Pierre	皮埃尔支流
Bayou Vidal	维达尔支流

Bazaine	巴赞
Bear Creek	贝尔溪
Beaufort	博福特
Beauregard	鲍瑞加德
Beaver Dam	比弗丹站
Belle Plain	贝尔平原
Belleville	贝拉维拉
Belmont	贝尔蒙特
Benham	贝纳姆
Benning	本宁
Benton	本顿
Bentonville	本顿维尔
Bermuda Hundred	百慕大翰卓德
Bethel	贝瑟尔
Bethesda Church	贝塞斯达教堂
Big Black	大布莱克河
Big Black River Bridge	大布莱克河桥
Big Sandy	大桑迪
Big South Fork	大南福克
Big Sunflower River	大向日葵河
Bird's Point	伯得点
Birney	伯尼
BishopP olk	毕晓普·波尔克
Black Bayou	黑支流
Blakely	布莱克利堡
Blair	布莱尔

Bliss	布利斯
Blue Ridge	蓝岭
Bobby Lee	博比·李
Bolivar	玻利瓦尔
Bolton	波尔顿
Booneville	布尼维尔
Bottom's Bridge	博特姆桥
Bowen	鲍恩
Bowles	鲍尔斯
Bowling Green	鲍林格林
Boydton Road	博伊顿路
Bragg	布拉格
Branch	布兰奇
Branchville	布兰奇维尔
Brandon	布兰登
Brandy Station	布兰迪车站
Brannan	布兰南
Braton	布拉顿
Braxton	布拉克斯顿
Breckinridge	布雷肯里奇
Brewster	布鲁斯特
Bridge Creek	布里奇溪
Bridgeport	布里奇波特
Broad Street	布罗德大街
Brock Road	布罗克路
Brooke	布鲁克

Brooks	布鲁克斯
Brough	布拉夫
Brown's Ferry	布朗渡口
Brownsville	布朗斯维尔
Bruan	布赖恩
Bruinsburg	布鲁因斯堡
Bryan	布赖恩
Buckland	巴克兰
Buckner	巴克纳
Buell	布尔
Bull Run	布尔河
Bull Gap	公牛谷
Burke's Station	波克站
Burkesville	伯克斯维尔
Burlington	伯灵顿
Burnham	伯纳姆
Burnside	伯恩赛德
Burton	伯顿
Burnsville	伯恩斯维尔
Butler	巴特勒
Cabell	卡贝尔
Cairo	开罗
Calloway	卡洛韦
Camp Jackson	杰克逊营
Canada	加拿大
Canby	坎比

Canton	坎顿
Cape Girardeau	吉拉多角
Captain Hudson	哈德逊上尉
Capron	凯普伦
Carleton	卡尔顿
Carlin	卡林
Carondelet	卡伦迪莱
Carr	卡尔
Carroll	卡罗尔
Carrollton	卡罗尔顿
Carruth	卡鲁斯
Carter L. Stevenson	卡特·L. 史蒂文森
Carthage	迦太基
Catharpin Furnace	卡瑟频弗纳斯
Catharpin Road	卡瑟频路
Cedar Creek	锡达河
Cape Fear River	开普菲尔河
Chaffin's Bluff	查芬悬崖
Chambersburg	钱伯斯堡
Champion's Hill	钱皮恩山
Chaplain Eaton	查普林·伊顿
Chapman	查普曼
Charles City Court House	查尔斯县城
Charleston	查尔斯顿
Charlottesville	夏洛茨维尔
Charlotteville	夏洛特维莱

Chattahoochee River	查塔胡奇河
Chattanooga	查塔努加
Cauley	考利
Chamberlain	张伯伦
Chambliss	钱布利斯
Chancellorsville	钱瑟勒斯韦尔
Charlottesville Railroad	夏洛特维尔铁路
Chattanooga Creek	查塔努加河
Chattanooga Valley	查塔努加山谷
Cheatham	奇塔姆
Charlotte	夏洛克
Cheraw	奇罗
Chesapeake Bay	切萨皮克湾
Chesterfield	切斯特菲尔德
Chesterfield Ford	切斯特菲尔德渡口
Chewalla	奇瓦拉
Chicago	芝加哥
Chickahominy	奇克哈默尼河
Chickamauga	契卡莫加
Chickasaw Bayou	契卡索支流
Chief of Staff of the Army	陆军参谋长
Chillicothe	奇里克特
Christ	克赖斯特
Cincinnati	辛辛那提
Citico Creek	西提柯溪
City Point	锡蒂波因特

Claiborn Jackson	克莱伯恩·杰克逊
Clarksville	拉克斯维尔
Clay	克雷
Cleburne	克利伯恩
Cleveland	克利夫兰
Clinch	克林奇
Clinton	克林顿
Cold Harbor	科尔德港
Coldwater	冷水河
Cole's Landing or Ferry	科尔码头或渡口
Colonel A. H. Markland	马克兰上校
Colonel Marshall	马歇尔上校
Colonel Read	里德上校
Colonel Porter	波特上校
Colonel Taylor	泰勒上校
Colonel T. S. Bowers	T. S. 鲍尔斯上校
Colonel Washburn	沃什伯恩上校
Colorado	科罗拉多
Columbia	哥伦比亚
Columbus	哥伦布
Comstock	康斯托克
Conestoga	康尼斯托哥
Congress	国会
Confederate	邦联
Captain Hudson	哈德逊上尉
Cooke	库克

Dallas	达拉斯
Dalton	多尔顿
Dana	丹纳
Daniel	丹尼尔
Danville	丹维尔
Darby	达比
David	大卫
Davidson	戴维森
Davis	戴维斯
Davis'mills	戴维斯米尔斯
Dearing	迪尔林
Decatur	迪卡特
Deep Creek	迪普溪
De Loche	德·洛什
De Shroon	德西龙
De Soto	迪索托
Deep Bottom	迪普博特姆
Deer Creek	迪尔溪
Delaware	特拉华州
Demopolis	迪莫波利斯
Denison	丹尼森
Dennis	丹尼斯
Dent	登特
Devens	德文斯
Devin	德温
Diana	戴安娜

Dickenson	迪肯森
Dinwiddie	丁威迪
Dinwiddie Court-House	丁威迪县城
Dole	多尔
Doles	多尔斯
Dillon	狄龙
Dodge	道奇
Donaldson	唐纳森
Donaldsonville	唐纳德桑维莱
Don Carlos Buell	唐·卡洛斯·布尔
Douglas	道格拉斯
Dover	多佛尔
Dr. Smith	史密斯医生
Draper	德雷珀
Drury's Bluff	德鲁里布拉夫
Dublin	都柏林
Dubuque	杜布克
Duckport	达克港
Duck River	达克河
Dunn	邓恩
Dunovant	邓洛瓦特
Dutch Gap	达齐隘口
Eagle Bend	伊格尔弯道
Early	厄尔利
East Chickamauga Creek	东契卡莫加河
Eastport	伊斯特波特

East Tennessee	东田纳西
Edgefield	艾奇菲尔德
Edward's Ferry	爱德华渡口
Edward's station	爱德华车站
Egan	伊根
Elisha	伊莱沙
Elk River	埃尔克河
Ellet	埃利特
Ely's Ford	伊利渡口
Emory Upton	埃默里·厄普顿
Eppa	埃帕
Essex	艾塞克斯
Etowah River	伊托瓦河
Eustis	尤斯蒂斯
Ewell	尤厄尔
Ewing	尤因
Farmington	法明顿
Farmville	法姆维尔
Farragut	法拉格特
Fayetteville	费耶特维尔
Fernandina	费南迪纳
Ferrero	费雷罗
Fickling	菲克林
Field	菲尔德
Finegan	法恩根
Fisher's Hill	费希尔山

Fitz	菲茨
Fitzhugh	菲茨休
Five Forks	五岔口
Florence	弗洛伦斯
Florida	佛罗里达州
Floyd	弗洛伊德
Fluvauna	弗卢沃纳
Flying	弗莱英格
Folly	福利岛
Foote	福特
Forest Queen	森林女王
Forrest	福里斯特
Fort Caswell	卡斯维尔堡
Fort Donelson	唐尼尔森堡
Fort fisher	菲舍堡
Fort Gilmer	吉尔默堡
Fort Harrison	哈里森堡
Fort McAllister	麦卡利斯特堡
Fort Henry	亨利堡
Fort Holt	霍尔特堡
Fort Monroe	门罗堡
Fort Pillow	皮罗堡
Fort Pulaski	普拉斯基堡
Fort Stedman	斯特德曼堡
Fortress Monroe	门罗堡
Fort Sumter	塞萨姆特堡

Fort Whitworth	惠特沃思堡
Fort Wood	伍德堡
Foster	福斯特
Francis C.Barlow	弗朗西斯·C. 巴洛
Franklin	富兰克林
Frederick D.Grant	弗雷德里克·D. 格兰特
Fredericksburg	腓特烈斯堡
Free States	自由州
Freedmen's Bureau	自由民管理局
Free-Soil Democracy	自由之土民主党
Fremont	弗里蒙特
Front Royal	佛朗特罗雅尔
Fugitive Slave Law	逃亡奴隶法
Fulton	富尔顿
Furnace	弗纳斯
Galena	加利纳
Garden	加顿
Gardner	加德纳
Garnets	加尼兹
Garrard	加勒德
Garrett	加勒特
Gates	盖茨
Gauley River	高利河
Geary	吉尔里
General Adelbert Ames	阿德尔伯特·亚美斯将军
General Babcock	巴布科克将军

General Barnard	巴纳德将军
General Beauregard	博勒加德将军
General Bragg	布拉格将军
General Butler	巴特勒将军
General Cass	卡斯将军
General Corse	科思将军
General E. Kirby Smith	卡比·史密斯将军
General Ewell	尤厄尔将军
General Foster	福斯特将军
General J. B. Gordon	J. B. 戈登将军
General Getty	格蒂将军
General J. E. Johnston	J. E. 约翰斯顿将军
General Granger	格兰杰将军
General Logan	洛根将军
General Hatch	哈奇将军
General Hardee	哈迪将军
General Halleck	哈勒克将军
General Hartranft	哈特罗姆夫特将军
General Hazen	黑曾将军
General Heckman	赫克曼将军
General Henry J. Hunt	亨利·J. 亨特将军
General Meade	米德将军
General Terry	特里将军
General J. C. Rice	J. C. 赖斯将军
General J. G. Foster	J. G. 福斯特将军
General Lee	李将军

General Logan	洛根将军
General Merritt	梅利特将军
General O.O.Howard	O.O.霍华德将军
General Richard Taylor	理查·泰勒将军
General Rufus Ingalls	鲁弗斯·英戈尔将军
General Parker	帕克将军
General Scott	斯科特将军
General Slocum	斯洛克姆将军
General Stanley	斯坦利将军
General Thomas Harris	托马斯·哈里斯将军
General Tidball	迪德波尔将军
General Wade Hampton	韦德·汉普顿将军
General Warren	沃伦将军
General Weitzel	韦策尔将军
General Whiting	怀廷将军
General Willcox	维尔科克斯
General Wright	赖特将军
General Z.B.Tower	Z.B.托尔将军
George Brown	乔治·布朗
George H.Thomas	乔治·H.托马斯
Georgia	乔治亚州
Georgia coast	佐治亚海岸
Georgia State troops	乔治亚州军队
Germania Ford	赫马尼亚渡口
Gershom	格消姆
Getty	格蒂

Gettysburg	葛底斯堡
Gibb	吉布
Gibbon	吉本
Giles A. Smith	贾尔斯·A. 史密斯
Gillmore	吉尔摩
G. M. Dodge	G. M. 道奇
Goldsboro	格尔兹伯勒
Goochland	古奇兰
Goode	古德
Gordon	戈登
Gordonsville	戈登斯维尔
Governor Brown	布朗州长
Governor Smith	史密斯州长
Grand Gulf	大海湾
Grand Junction	大章克申
Granger	格兰杰
Granny White Road	格兰尼怀特路
Grant	格兰特
Gratz Brown	格拉兹·布朗
Gravelly Run	格莱福利河
Graysville	格雷斯维尔
Greenville	格林维尔
Greenwood	格林伍德
Gregg	格雷格
Grenada	格林纳达
Gresham	格雷莎姆

Griffin	格里芬
Grierson	格里尔森
Grimes	格兰姆斯
Grindstone	格莱恩斯通
Gross	格罗斯
Guiney	吉尼
Gulf	格尔夫
Gwin	哥文
Hackelman	哈克尔曼
Haines' Bluff	海恩斯崖
Hains	海恩斯
Halleck	哈勒克
Halltown	霍尔敦
Hancock	汉考克
Hamburg	汉堡
Hamilton	汉密尔顿
Hampton	汉普顿
Hancock	汉考克
Hanover	汉诺威
hardaway	哈达韦
Hard Times	哈德泰姆斯
Hardee	哈迪
Hardeeville	哈迪维尔
Harkinson's ferry	汉金森渡口
Harper's Ferry	哈珀渡口
Harris	哈里斯

Harrisonburg	哈里森堡
Harris's Store	哈里斯斯托
Harry Boggs	哈里·博格斯
Harry Wayne	哈里·韦恩
Hartford	哈特福德
Hartranft	哈特兰夫特
Hartsuff	哈特萨福
Haskell	哈斯克尔
Hatch	哈奇
Hatcher's Run	哈彻河
Hatchie River	哈奇河
Hawkins	霍金斯
Hawkins Creek	霍金斯河
Hayes	海斯
Haxall's Landing	哈克塞尔码头
Hazen	黑曾
Heiman Fort	海曼堡
Helena	海伦娜
Henry Clay	亨利·克雷
Herron	赫伦
Heth	赫思
Hickman	希克曼
Hickman's creek	希克曼溪
Hoke	霍克
Hicksford	希克斯福特
Hill	希尔

Hillyer	希尔耶
Hilton Head	希尔顿黑德岛
Holly Springs	赫里斯普林斯
Holmes	霍姆斯
Holston	霍尔斯顿
Frank P.Blair	弗兰克·P.布莱尔
Hood	胡德
Hooker	胡克
Hovey	霍维
Howard	霍华德
Howitzers	豪伊特泽斯
Huger	休格
Humboldt	洪堡
Humphreys	汉弗莱斯
Hunter	亨特
Huntley Corners	亨特利角
Hunton	亨顿
Huntsville	亨茨维尔
Hurlbut	赫尔伯特
Illinois	伊利诺伊州
Illinois River	伊利诺伊河
Indianapolis	印第安纳波利斯
Indianola	印第安诺拉
Indians	印第安人
Irwinsville	埃文斯维尔
Iowa	爱荷华州

Iron Mountain	艾伦山
Ironton	艾伦顿
Irvin	欧文
Island Number Ten	十号岛
Isthmus of Panama	巴拿马地峡
Iuka	艾尤卡
Jacinto	雅辛图
Jackson	杰克逊
Jacksonville	杰克逊维尔
Jacob	雅各布
James Buchanan	詹姆斯·布坎南
James River	詹姆斯河
James River Canal	詹姆士运河
Jasper	贾斯珀
Jayne	杰恩
Jeff	杰夫
Jefferson City	杰弗逊城
Jefferson Davis	杰弗逊·戴维斯
Jenkins	詹金斯
Jericho Bridge	杰里科桥
Jericho Ford	杰里科浅滩
Jetersville	杰特斯维尔
Johnston	约翰斯顿
John	约翰
John E. Smith	约翰·E. 史密斯
John G. Foster	约翰·G. 福斯特

John H. Morgan	约翰·亨特·摩根
John R. Brooke	约翰·布鲁克
Joliet	乔利埃特
Jones	琼斯
Jonesboro	琼斯珀勒
Johnstone	约翰斯顿
Johnson	约翰逊
Joseph	约瑟夫
Joshua T. Owen	乔舒亚·T. 欧文
Juarez	华瑞兹市
Judge Campbell	贾奇·坎贝尔
Julal	朱拉尔
Kanawha	卡那瓦河
Kautz	考茨
Kirby Smith	柯比· 史密斯
General Kelley	凯利将军
Kelly's Ferry	凯利渡口
Kenesaw Mountain	凯纳索山
Kentucky	肯塔基州
Kershaw	克消
Key West	基韦斯特
Kilpatrick	基尔帕特里克
Kimball	金博尔
King	金
Kingston	金斯顿
kinks	金克斯

Kitching	基钦
Know-Nothing party	无知党
Knoxville	诺克斯维尔
La Grange	拉格朗奇
Lafayette	拉斐特
Lagow	拉格欧
Lake Pontchartrain	庞恰特雷恩湖
Lake Providence	普罗维登斯湖
Lake St. Joseph	圣约瑟夫湖
Lanes	莱恩
Lauman	劳曼
Law	劳
Lawler	劳勒
Leasure	利热
Ledlie	莱德利
Lee	李
Leggett	莱格特
Legislature of Virginia	弗吉尼亚立法机构
Leonard	伦纳德
Letcher	莱彻
Lewis	刘易斯
Lew. Wallace	卢·华莱士
Lexington	列克星敦
Lick Creek	里克溪
Light	莱特
Lincoln	林肯

Littlepage's Bridge	利特尔佩奇桥
Little River	小河
Lloyd Tilghman	劳埃德·狄尔曼
Logan	洛根
Lomax	洛马克斯
Long	朗
Long Bridge	朗布里奇
Long Bridge Road	朗布里奇路
Longstreet	朗斯特里特
Lookout Creek	卢考特溪
Lookout Mountain	卢考特山
Loomis	卢米思
Loring	洛林
Loudon	劳登
Louisiana	路易斯安那州
Louisville	路易斯维尔
Lovell	洛维尔
Lynchburg	林奇堡
Lyon	莱昂
Lysander	莱桑德
McCandless	坎德利斯
Mabone	梅本
Macon	梅肯
Mackenzie	麦肯齐
Madeira	马德拉
Madison	麦迪逊

Major-General Meade	陆军少将米德
Major-General W.T.Sherman	W.T.谢尔曼少将
Manchester	曼彻斯特
Manitou Springs	曼尼托斯普林斯
Manly	曼利
Marietta	玛丽埃塔
Markland	马克兰
Marsh	马什
Marshall	马歇尔
Martin	马丁
Martindale	马丁代尔
Martinsburg	马丁斯堡
Maryland	马里兰州
Mary Martin	"玛丽·马丁"号
Mason	梅森
Mason and Dixon's line	梅森—迪克逊分界线
Mat	马特河
Matapony	马特波尼河
mattapony	马特波尼
Mattoon	马顿
Maynardville	梅纳德维尔
McArthur	麦克阿瑟
McCandless	麦坎德利斯
McCausland	麦考斯兰
McClellan	麦克里兰
McClernand	麦克莱南德

McCook	麦库克
McCowna	麦考恩
McLean	麦克林
Mclntosh	麦考伦托什
Mcpherson	麦克弗森
McRae	麦克雷
Meade	米德
Meadow Bluffs	梅多布拉夫斯
Meadow Bridge	梅多桥
Mechanicsburg	梅卡尼克斯堡
Mechanicsville	梅卡尼克斯维尔
Medon	米顿
Memphis	孟菲斯
Meridian	默里迪恩
Merritt	梅里特
Mexican Republic	墨西哥共和国
Middletown	米德尔敦
Miles	迈尔斯
Milford	米尔福德
Mill Division	米尔师
Milledge	米利奇
Milledgeville	米利奇维尔
Millen	米伦
Mill Springs	米尔斯普林斯
Milliken's Bend	密利肯湾
Mine Run	迈恩河

Minnesota	明尼苏达州
Missionary Ridge	传教士岭
Mississippi Springs	密西西比斯普林斯
Missouri	密苏里州
Mitchell	米歇尔
Mobile Bay	墨比尔湾
Modoc Indians	莫多克印第安人
Monterey	蒙特利
Monocacy	莫诺卡西
Montgomery	蒙哥马利
Moody	穆迪
Moon Lake	月湖
Morgan L. Smith	摩根·L. 史密斯
Mormonism	摩门教
Morris islands	莫里斯岛
Morrison	莫里森
Morton	莫顿
Mosby	默斯比
Moscow	莫斯科
Moses	摩西
Mott	莫特
Mound City	芒德城
Mount Albans	奥尔本斯山
Mount Jackson	杰克逊山
Mount MacGregor	麦克格瑞格山
Mower	莫尔

Mrs. Grant	格兰特夫人
Mulligan	穆里根
Murfreesboro	莫菲斯堡
Murphy	墨菲
Muscle Shoals	马斯尔沙洲
Napoleon	拿破仑
Napoleon III	拿破仑三世
Nashville	纳什维尔
Natchez	纳奇兹
National troops	国民军
Nebraska	内布拉斯加
Negley	尼格利
Neill	尼尔
Nelson	纳尔逊
Nelson A. Miles	纳尔逊·A. 迈尔斯
New Auburn	新奥本
New Berne	新伯尔尼
New Bethel	新贝塞尔
Newcastle	纽卡斯尔
New Cold Harbor	科尔德港
New Era	新时代
New Found River	新发现河
New Hope Church	纽霍普教堂
New Jersey	新泽西
New Madrid	新马德里
New Market	纽马基特

New Orleans	新奥尔良
New River	新河
New River Bridge	新河大桥
Newton	牛顿
Norfolk	诺福克
North Carolina	北卡罗来纳州
North Chickamauga	北契卡莫加河
North Anna River	北安娜河
North Fork	北岔道
Ny River	达尼河
Oglesby	奥格勒斯比
Ohio	俄亥俄州
Okalona	欧卡罗纳
Old Court House	老县城
Old Cold Harbor	老科尔德港
Old Wilderness Tavern	老莽原客栈
Oliver	奥利弗
Opequon Creek	奥佩奎翁河
Orange Court House	奥兰治县城
Orange Turnpike	奥兰治收费公路
Orchard Knob	奥查德丘
Ord	奥德
Oregon	俄勒冈州
Orlando B. Willcox	奥兰多·B.威尔科克斯
Osterhaus	奥斯特豪斯
Otey	奥蒂

Owen	欧文
Owl Creek	欧尔溪
Oxford	牛津
Pacific	太平洋
Paducah	帕杜卡
Painesville	佩恩斯维尔
Palmer	帕尔默
Palmetto	帕尔梅托
Palmyra	帕尔米拉
Pamunkey	帕芒基河
Paris	帕里斯
Parke	帕克
Parker's store	帕克斯多
Patrick	帕特里克
Patterson	帕特森
Paul Frank	保罗·弗兰克
Peeble's farm	皮布尔农场
Peedee	皮迪， 皮迪河
Pegram	佩格勒姆
Pemberton	潘伯顿
Pendleton	彭德尔顿
Pennsylvania	宾夕法尼亚州
Pensacola	彭萨科拉
Perkins'plantation	帕金斯种植园
Petersburg	彼得斯堡
Phelps	菲尔普斯

Philadelphia	费城
Philip Foulk	菲利普·福柯
Pickett	皮克特
Pleasonton	普莱增顿
Pierce	皮尔斯
Pillow	彼洛
Pine Street	派恩街
Piney Branch	皮内布兰奇
Piney Branch Church	皮内布兰奇教堂
Pittsburg	匹兹堡
Pleasants	普莱曾
Plymouth	普利茅斯
Po	波河
Poague	波古
Pocotaligo	波多达黎各
Powhatan	波瓦坦
Polk	波尔克
Polygamy	一夫多妻制
Pope	普博
Potter	波特
Port Gibson	吉布森港
Port Hudson	哈德森港
Port Royal	罗亚尔港
Potomac	波托马克
Fort Powhattan	波瓦坦堡
Prentiss	普兰提斯

Preston	普雷斯顿
Prime	普莱姆
Prince Edward's Court House	爱德华王子县城
Purcell	珀塞尔
Purdy	珀迪
Quaker Road	魁克路
Quarles' Mills	夸尔斯米尔斯
Queen of the West	西部女王
Quinby	昆比
Quincy	昆西
Raccoon	拉孔山
Rain	瑞恩
Raleigh	罗利
Ramseur	拉姆谢厄
Ransom	兰塞姆
Rapidan	拉皮丹河
Rappahannock	拉帕汉诺克河
Rawlins	罗林斯
Raymond	雷蒙德
Reams's Station	里姆站
Red River	雷德河
Republican party	共和党
Resaca	雷萨卡
Reynolds	雷诺兹
Richard	理查德
Richardson	理查森

Richmond	里士满
Ricketts	里基特
Rienz	瑞恩兹
Ringgold	灵戈尔德
Rio Grande	格兰德河
Ripley	里普利
R. M. T. Hunt	R. M. T. 洪特
Roanoke	罗诺克河
Robert	罗伯特
Robertson	罗伯逊
Robinson	鲁宾逊
Rockbridge	罗克布里奇
Rocky Springs	洛基斯普林斯
Rodes	罗兹
Rodney	罗德尼
Rolling Fork	洛林岔道
Rome	罗马
Romeyn	罗梅英
Rosecrans	罗斯克兰斯
Ross	罗斯
Rosser	罗瑟
Rossville	罗斯维尔
Rowan	罗恩
Rowley	罗利
Roy	罗伊
Russell	拉塞尔

Rust	鲁斯特
Sailor's Creek	赛勒溪
Salem	塞勒姆
Salt River	盐河
Sam	萨姆
Samuel S. Carroll	塞缪尔·S. 卡罗尔
Sanders	桑德斯
Santo Domingo	圣多明各
Savannah	萨凡纳
Savannah River	萨凡纳河
Scale	斯凯尔
Schofield	斯科菲尔德
Scott	司各特
Scottsboro	斯科茨博罗
Sedgwick	赛奇威克
Selma	塞尔玛
Senate	参议院
Seth	塞斯
Seven Mile Creek	七英里溪
Seward	西沃德
Seymour	西摩
Shady Grove Church	谢迪格罗夫教堂
Shady Grove Road	谢迪格罗夫路
Shaler	谢勒
Shenandoah Valley	谢南多厄谷
Sheridan	谢里丹

Sherman	谢尔曼
Shiloh	夏洛
Shirk	舍克
Shreveport	什里夫波特
Sigel	西格尔
Sigfried	西格弗里德
Silver Wave	银色波浪
Simmons	西蒙斯
Simon	西蒙
Slave States	蓄奴州
Slocum	斯洛克姆
Smith	史密斯
Smith's plantation	史密斯种植园
Smithland	史密斯兰
Smithville	史密斯维尔
Snake Creek	斯内克溪
Snake Creek Gap	斯内克溪沟
Snicker's Gap	斯奈克峡谷
Sooy	苏伊
Sooy Smith	苏伊·史密斯
Springfield	斯普林菲尔德
Stannard	斯坦纳德
Stoneman	斯通曼
Stonewall	石墙
Rousseau	鲁索
South Carolina	南卡罗来纳州

South Chickamauga River	南契卡莫加河
South Fork	南岔道
South Side railroads	南赛德铁路
Spanish Fort	西班牙堡
Spottsylvania	斯波特西尔法尼亚
Spottsylvania Court House	斯波特西尔法尼亚县政府
Springfield	斯普林菲尔德
Spring Hill	斯普林希尔
Stafford	斯塔福德
Stager	斯塔格
Stanard's Ford	斯坦纳德渡口
Stanley	斯坦利
State of Georgia	乔治亚州
State House	州议会大厦
Staunton	斯汤顿
Secretary Stanton	斯坦顿部长
Secretary of War	陆军部长
St. Augustine	圣奥古斯丁
Steedman	斯蒂德曼
Steele	斯蒂尔
St. Francis River	圣弗朗西斯河
St. Louis	圣路易斯
Steel's Bayou	斯蒂尔支流
Steele	斯蒂尔
Stephen A. Douglas	斯蒂芬·A. 道格拉斯
Stephen D. Lee	斯蒂芬·D. 李

Sterling Price	斯特林·普莱斯
Stevens	史蒂文斯
Stevenson	史蒂文森
Stewart	斯图尔特
St.Louis	圣路易斯
Stoneman	斯通曼
Stone Mountain	斯通山
Stone River	斯通河
Strasburg	斯特拉斯堡
Strawberry Plains	斯特罗伯里草原
Stuart	斯图亚特
Sturgis	斯特吉斯
Suffolk	萨福克
Sullivan	沙利文
Sumner	萨姆纳
Sweitzer	斯韦策
Sutherland Station	萨瑟兰站
Swinton	斯温顿
Tallahatchie	塔拉哈奇
Taylor	泰勒
Taylor's Ridge	泰勒岭
Tennessee	田纳西州
Tennessee River	田纳西河
Telegraph Road	特利格拉夫公路
Tensas	滕萨斯河
Terry	特里

Texas	德克萨斯州
Thayer	萨耶尔
Army of Northern Virginia	北弗吉尼亚军团
Army of the Cumberland	坎伯兰军团
Army of the James	詹姆士军团
Army of the Tennessee	田纳西州军团
Army of the Ohio	俄亥俄军团
Army of the Potomac	波托马克部
Atlantic Ocean	大西洋
the Capitol	国会大厦
Delaware River	特拉华河
Department of the Gulf	海湾部队
Department of the Ohio	俄亥俄部队
Flag Pond Battery	弗拉格庞德炮台
Galt House	高尔特豪斯酒店
High Bridge	海布里奇
James River	詹姆斯河
James River Canal	詹姆斯运河
Mexican War	墨西哥战争
Most High	上帝
National flag	国旗
National troops	国民军
North Anna	北安娜
ecretary of War	陆军部长
Union	联邦
Thomas	托马斯

Thompson	汤普森
Thompso's Hill	汤普森山
Thompson's plantation	汤普森种植园
Thos	索斯
Tidball	蒂德博尔
Tilghman	狄尔曼
Todd's Tavern	托德客栈
Tompkins	汤普金斯
Torbert	托伯特
Totopotomoy Creek	托托波托莫伊河
Tower	托尔
Townsend	唐森德
trans-Mississippi	跨密西西比
Mississippi Department	跨密西西比军团
Trenton	特伦顿
Treasury Building	财政部大楼
Trevilian Station	特里利安车站
Tullahoma	塔拉霍马
Tupelo	图珀洛
Tuscaloosa	塔斯卡卢萨
Tuscumbia River	塔斯坎比亚河
Tuttle	塔特尔
Tyler	泰勒
Union City	尤宁城
Utica	尤蒂卡
Valley of Virginia	弗吉尼亚山谷

Van Dorn	范·多恩
Van Duzer	范杜泽
Vicksburg	维克斯堡
Villepigue	威利彼格
Virginia	弗吉尼亚州
Virginia Central Railroad	弗吉尼亚州中心铁路
Wade Hampton	韦德·汉普顿
Wadsworth	沃兹沃思
Wainwright	温怀特
Waldron's Ridge	沃尔德伦山脉
Walke	沃克
Wallace	华莱士
Walnut Hills	沃尔纳特山
War Department	陆军部
Ward	沃德
Warren	沃伦
Warrenton	沃伦顿
Washburn	沃什伯恩
Washington	华盛顿
Washington, D.C.	华盛顿特区
Washington City	华盛顿城
Washita River	沃希托河
Watson Smith	沃森·史密斯
Watts	沃茨
Wauhatchie	华海特齐
Waynesboro	韦恩斯伯勒

Wilson's Station	威尔逊站
Winchester	温切斯特
Window Shades	温都谢兹
Wisconsin	威斯康辛
Wm. Porter	威姆·波特
Wofford	沃福德
Wood	伍德
Woodfood	伍德福德
Woolfolk	伍尔福克
Wright	怀特
Yallabusha	亚拉布沙河
Yankees	北方佬
Yates	耶茨
Yazoo Pass	亚祖关
Yazoo River	亚祖河
Yellow Tavern	耶洛客栈
York	约克
York River	约克河
Young	杨格
Young's Point	杨格点
Zenas	泽纳斯

图书在版编目（CIP）数据

美国南北战争回忆录.下/（美）格兰特著；刘文艳译.
— 长春：吉林出版集团股份有限公司，2017.9
书名原文：Personal Memoirs of U. S. Grant
ISBN 978-7-5581-3128-8

Ⅰ.①美… Ⅱ.①格…②刘… Ⅲ.①美国南北战争
－史料 Ⅳ.① K712.43

中国版本图书馆 CIP 数据核字（2017）第 196572 号

美国南北战争回忆录（下）

著　　者	[美]U.S.格兰特	
译　　者	刘文艳	
出　　品	吉林出版集团·北京汉阅传播	
总 策 划	王　宁	
责任编辑	李　楠	
封面设计	观止堂＿未　氓	
开　　本	720mmx980mm　1/16	
字　　数	318 千	
印　　张	23	
版　　次	2018 年 1 月第 1 版	
印　　次	2018 年 1 月第 1 次印刷	

出　　版	吉林出版集团股份有限公司
发　　行	北京吉版图书有限责任公司
地　　址	北京市西城区椿树园 15—18 号底商 A222
	邮编：100052
电　　话	总编办：010—63109269
	发行部：010—63104979
官方微信	Han-read
邮　　箱	jlpg-bj@vip.sina.com
印　　刷	北京欣睿虹彩印刷有限公司

ISBN 978-7-5581-3128-8　　　　　定价：98.00 元